NEFOL DÂN
Agweddau ar
Ddiwygiad 1904–05

Nefol Dân

Agweddau ar
Ddiwygiad 1904–05

Golygydd:
Noel Gibbard

GWASG BRYNTIRION

ⓑ Gwasg Bryntirion, 2004
Argraffiad cyntaf, 2004
ISBN 1 85049 201 8

Cynlluniwyd y clawr gan
Rhiain M. Davies
(Cain)

Cyhoeddwyd gan Wasg Bryntirion
Bryntirion, Pen-y-bont ar Ogwr CF31 4DX
Argraffwyd gan Wasg Gomer, Llandysul, Ceredigion

Cynnwys

Cyfranwyr y gyfrol

Eifion Evans, B. Pharm., B.D., Ph.D. Gweinidog gyda'r Methodistiaid Calfinaidd, wedi ymddeol. Awdur llyfrau ar Ddiwygiad a hanes Methodistiaeth yn y ddeunawfed ganrif.

John Aaron, B.Sc., Ph.D. Athro Gwyddoniaeth. Wedi ysgrifennu ar hanes Cristnogaeth yng Nghymru.

Noel Gibbard, M.A., B.D., Ph.D. Cyn-weinidog gyda'r Annibynwyr a chyn-ddarlithydd mewn Diwinyddiaeth a Hanes yr Eglwys yng Ngholeg Diwinyddol Efengylaidd Cymru, Pen-y-bont ar Ogwr.

Kevin Adams, B.D. Cyn-weinidog Eglwys Efengylaidd Rhydaman. Newydd gynhyrchu dau lyfr ar 1904–05: *A Diary of Revival* (ffilm a llyfr) a *A Pictorial History of the Revival.*

Goronwy Prys Owen, M.A., Ph.D. Gweinidog gyda'r Methodistiaid Calfinaidd, wedi ymddeol. Ei brif faes ymchwil: hanes Methodistiaeth Gogledd Cymru.

Dafydd Job, B.D. Gweinidog yr Eglwys Efengylaidd Gymraeg ym Mangor. Cyn hynny yn weinidog gyda'r Methodistiaid Calfinaidd. Ŵyr i J. T. Job.

Dewi Arwel Hughes, B.A., B.D., Ph.D. Cyn-ddarlithydd yng Ngholeg Polytechnig Cymru, Pontypridd ac yn awr yn Ymgynghorydd Diwinyddol Tearfund.

D. Eryl Davies, M.A., B.D., Ph.D. Prifathro Coleg Diwinyddol Efengylaidd Cymru, Pen-y-bont ar Ogwr.

Edmund Owen, B.A., B.D. Golygydd gyda Gwasg Bryntirion, Pen-y-bont ar Ogwr.

Gaius Davies, F.R.C. Psych., M.Phil., DPM. Seiciatrydd Ymgynghorol, wedi ymddeol.

Rhagair

Rhyfedd cyn lleied a ysgrifennwyd yn Gymraeg, yn y cyfnod diweddar, ar Ddiwygiad 1904–05. Dau gyfraniad gwerthfawr yw *Cyfrol Goffa* (1954) a llyfryn Eifion Evans, *Diwygiad Crefyddol 1904–05* (2002). Ceir tair pennod gyfoethog gan R. Tudur Jones yn ail gyfrol *Ffydd ac Argyfwng Cenedl* (1982). Cyflwynir *Nefol Dân* i'w hystyried gyda'r gweithiau hyn.

Nid hanes y Diwygiad yw'r gwaith hwn, er fe fydd yn gymorth, gobeithio, i ddilyn y prif ddigwyddiadau. Cyflwynir amrywiol agweddau'r Diwygiad er mwyn rhoi darlun gweddol lawn o'r cyffro ysbrydol a ddigwyddodd yn ein gwlad. Ynghyd â'r llyfrau a nodwyd gall fod yn gyfrwng i asesu'r Diwygiad o'r newydd.

Diolchaf i bob un o'r awduron a gyfrannodd i'r gyfrol. Diolch hefyd i Edmund Owen a Manon Lloyd Owen a fu'n ddiflino wrth baratoi'r gwaith ar gyfer y wasg.

NOEL A. GIBBARD

Caerdydd
Mawrth 2004

1
Paratoad:
Cefndir Diwygiad 1904

Eifion Evans

Dathlu canmlwyddiant Diwygiad crefyddol 1904–05 yng Nghymru ydyw pwrpas y llyfr hwn. Yr oedd y digwyddiad yn 'ġynnwrf grasol' ym myd crefydd, a'i ganlyniadau yn bell-gyrhaeddol. Yn ystod y blynyddoedd hynny daeth miloedd ar filoedd o werin Cymru i fywyd newydd yng Nghrist, a bu'r cyfnewidiad yn eu hanes yn dyngedfennol iddynt hwy, i'w teuluoedd, i'w heglwysi ac i'w bywyd cymdeithasol. Nid gormod yw dweud y byddai hanes yr ugeinfed ganrif yng Nghymru wedi bod yn dra gwahanol hebddo. Ar ôl cloriannu'r hanes, yr effeithiau a'r canlyniadau, daw R. Tudur Jones i'r casgliad bod yn 'rhaid i'r hanesydd gofalus gofnodi fod y Diwygiad at ei gilydd wedi bod yn fendith fawr', ac 'fe erys yn un o ddigwyddiadau mwyaf syfrdanol hanes y genedl yn y cyfnod modern.'[1]

Diben y bennod hon yw ceisio rhoi'r Diwygiad yng nghyd-destun y cefndir crefyddol iddo, er mwyn deall ei ddulliau a'i nodweddion, ei gryfder a'i wendidau. Man cychwyn cyfleus yw gosodiad Bobi Jones yn ei lyfr *Llên Cymru a Chrefydd*: 'Tua 1850 fe ddechreuwyd y digwyddiad mwyaf yn hanes Cymru, sef chwalfa drylwyr, amlochrog, ac ingol, Cristnogaeth hanesyddol . . . tua'r pryd hynny y dechreuodd yr arweinwyr crefyddol droi'u cefnau'n bendant ac yn gymharol gyson ar hanfodion neu seiliau'r efengyl a draddodwyd unwaith am byth i'r saint, a hynny wrth gwrs yn ddiarwybod iddynt.'[2] Mae ef yn agos iawn i'w le yn cyfrif tua hanner y ganrif yn allweddol i ddeall tuedd a naws crefydd yng Nghymru hyd at Ddiwygiad 04–05. Bu farw rhai o bregethwyr mawr y genedl ychydig cyn hynny: Christmas Evans (Bedyddiwr) yn 1838, William Williams o'r Wern (Annibynnwr) yn 1840, a John Elias (Methodist Calfinaidd) yn 1841. Wrth nodi marwolaeth John Jones Tal-y-sarn yn 1857 a Henry Rees yn 1869, ill dau yn Fethodistiaid Calfinaidd, gellir dweud bod oes euraidd pregethu yng

Nghymru wedi dod i ben. Ym mhregethau John Jones yr oedd arwyddion o'r newid pwyslais a chyfeiriad y soniodd Bobi Jones amdanynt. Yn y pregethwr o Dal-y-sarn pwyslais ar yr ymarferol yn fwy na'r athrawiaethol a gaed, ac ar ei ôl ef aeth dull a 'hwyl' pregethu yn bwysicach na sylwedd athrawiaethol a pherthnasol y bregeth.

Yn ystod yr un cyfnod newidiodd hefyd nodweddion allanol y diwygiadau crefyddol a frithai'r cyfnod. Ble gynt bu'r argyhoeddiad mai Duw yn gweithredu mewn ymyrraeth sofran oedd ffynhonnell diwygiad, daeth amryw i feddwl bod cynhyrchu diwygiad yn bosibl trwy ddefnyddio dulliau dynol. Dyna oedd hanfod *Darlithiau ar Adfywiadau Crefyddol* yr Americanwr, Charles G. Finney, a gyfieithwyd i'r Gymraeg yn 1839.[3] Yn rhyfedd iawn, mae hyn i gyd yn cyd-amseru â chychwyn teyrnasiad Victoria yn 1837, ac yn awgrym bod cwlwm agos rhwng ansawdd crefydd a chymeriad cymdeithasol. Daeth hyder yng ngallu dyn, a'r pwyslais ar barchusrwydd allanol i nodweddu byd ac eglwys.

Wrth sôn am y nofelydd Daniel Owen (1836–95), mae Bobi Jones yn dweud:

> Safai ef . . . rhwng dau fyd. Dyma pam y rhoddir i ragrith y fath le amlwg yn ei waith . . . Ond . . . manyn mewn gwirionedd, oedd rhagrith . . . Craidd y gwahaniaeth rhwng yr oes newydd a'r hen ydoedd ailenedigaeth neu beidio. Yr oedd yr hen oes wedi cael ei harwain i sylweddoli mai craidd y ffydd Gristnogol oedd bod yn rhaid i ddyn gael ei eni drachefn, fod angen i'r hen ddyn farw'n llwyr a chael ei lenwi o'r newydd gan y bywyd sydd yng Nghrist . . . ystyr yr oes newydd seciwlar ar ôl 1850 [oedd] taflu'r fframwaith o gredu yn grwn: codi seciwlariaeth faterol yn grefydd a gwagio bywyd o'r goruwchnaturiol ac o awdurdod y Gwirionedd.[4]

At awyrgylch fel hyn y daeth Diwygiad grymus a helaeth 1859. Bu dylanwad Finney yn drwm ar y pregethwr Wesleaidd Humphrey Jones cyn iddo ddychwelyd o America yn 1858 i'w gynefin yng Ngheredigion. Defnyddiodd ddulliau Finney yn Nhre'r-ddôl, a gwelodd ymateb i'w lafur.[5] Gweinidog gyda'r Methodistiaid Calfinaidd oedd ei gyd-ddiwygiwr, Dafydd Morgan, a thrwy ei weinidogaeth eneiniedig ef lledaenodd y gwaith ar sylfeini diogelach.[6] Byddai Dafydd Morgan yn roi lle i seiadu ar ôl pregethu, ac yn hyn o beth yr oedd y traddodiad Methodistaidd hwnnw yn lliniaru peth ar dechneg mecanyddol 'mesurau newyddion' Finney, yn arbennig yr 'anxious seat'.[7]

Syniadaeth estron

Ym myd syniadau'r cyfnod, bu dau ŵr yn arbennig o ddylanwadol. Arwyddocâd cymdeithasol sydd i'r cyntaf ohonynt, Karl Marx (1818–83). Cyhoeddwyd ei *Communist Manifesto* yn 1848 a'i *Das Kapital* yn 1867. Trwyddynt creodd ymwybyddiaeth ac uchelgais newydd ymhlith y gweithwyr, gan orffen ei *Manifesto* gyda'r geiriau, 'The workers have nothing to lose but their chains. They have a world to win. Workers of all lands, unite!' Yn ei ddaliadau cyfunwyd y gred bod yn rhaid brwydro er mwyn newid cymdeithas â'r pwyslais ar y materol. Erbyn saithdegau'r ganrif yr oedd Undeb y Glowyr yn ne Cymru yn ymladd am ragor o gyflog, a'r chwarelwyr ym Methesda yn 1896 yn aflonyddu am wellhad ar eu cyflwr. Dyn, nid Duw oedd i reoli pethau mewn cymdeithas, trwy ei allu cynhenid a'i ymdrechion cymdeithasol. Yn wyneb tlodi a gorthrymder y gweithwyr cyffredin aeth rai pregethwyr i'r afael â gwleidyddiaeth, a phregethu 'efengyl gymdeithasol'. Yr oedd yr adwaith hon i broblemau cyfoes yn milwrio yn erbyn hawl ac awdurdod Duw ar yr unigolyn a'i reolaeth drefnus, ddaionus ar fywyd. Gadawodd yr eglwysi yn ddiymadferth yn wyneb apêl materol a seciwlar comiwnyddiaeth.

Charles Darwin (1809-82) oedd yr ail ŵr a gafodd ddylanwad ar grefydd y cyfnod. Ym mlwyddyn Diwygiad 1859 ymddangosodd ei *Origin of Species*. Gwelwyd ar unwaith bod ei syniadau ar ddatblygiad yn tanseilio honiadau datguddiad dwyfol y Beibl ynghylch y greadigaeth, ac urddas a chwymp dyn. Anwybyddwyd effeithiau'r Dilyw yn amser Noa, ac anghofiwyd mai damcaniaeth oedd esblygiad. 'Buan yr addaswyd Darwiniaeth i fyd y gwyddorau cymdeithasol', medd yr hanesydd, John Davies, ac ychwanega fod 'llawer o arweinwyr crefyddol Cymru wedi dod i dderbyn hanfodion Darwiniaeth' ymhen hanner canrif.[8] Fe rydd R. Tudur Jones ddadansoddiad o ganlyniadau crefyddol esblygiad:

> Oes ansicr ohoni'i hun oedd oes Victoria. Codai rhagdybiau newydd o berfeddion ei meddwl hi ei hun. O'i hoptimistiaeth hi y tarddodd damcaniaeth datblygiad ac o'i chred mewn cystadlu y tyfodd egwyddor Darwin mai'r cymhwysaf sy'n goroesi. Yn union oherwydd fod y rhagdybiau gwyddonol ac athronyddol newydd yn tarddu o ddyfnder meddwl y cyfnod yr oedd yn amhosibl osgoi argyfwng dwys pan gymhwysid hwy at gwestiynau crefyddol. Gohiriwyd yr argyfwng yng Nghymru gan fod meddylwyr yn hwyrfrydig i fynd i'r afael â chwestiynau anodd a dyrys.[9]

11

Trist meddwl bod arweinwyr crefydd wedi methu dirnad y drygau hyn. O ganlyniad, amddifadwyd yr eglwysi o wirionedd gwrthrychol Duw, a'r byd o neges awdurdodol efengyl iachawdwriaeth.

Rhaid cyfaddef bod ffactor arall yn siglo sylfeini'r Ffydd, sef beirniadaeth ar y Beibl ei hun. Yn 1860 cyhoeddwyd *Essays and Reviews*, ac ymhlith yr erthyglau yr oedd un dadleuol gan Rowland Williams (1817–70), athro ar y pryd yng Ngholeg Llanbedr Pont Steffan. Ynddo, ac mewn ysgrifau eraill, gwadodd ysbrydoliaeth lythrennol y Beibl, ac o ganlyniad honnodd y dylid ei feirniadu fel unrhyw lenyddiaeth arall.[10] Digon tebyg oedd syniadau John Colenso (1814–83), esgob Natal, ac fe greodd eu syniadau gryn gyffro yn y gwersyll Cristnogol. Llyfr arall yn ymosod ar awdurdod y Beibl oedd *Lux Mundi* (1889), ac ynddo deallwyd penodau cynnar Genesis fel chwedleuon, ac edrychwyd ar hanes Israel fel datblygiad o lefel anwaraidd cychwyniadau'r ddynoliaeth at foesoldeb uwch y proffwydi, gan cyrraedd y radd uchaf yn yr Ymgnawdoliad.[11] Yr oedd honiadau'r diwinyddion hyn yn gwadu'r athrawiaeth uniongred ynghylch urddas a chyfiawnder yr Adda cyntaf, ys dywed Thomas Charles, i Dduw greu dyn 'mewn cyflwr sanctaidd a dedwydd.'[12]

Ynghlwm wrth ddaliadau o'r fath oedd y rhyddid i ddewis a didoli'r athrawiaethau oedd yn dderbyniol i reswm neu ymwybyddiaeth foesol yr unigolyn. Gwelir hyn yn amlwg yn niwinyddiaeth David Adams (1845–1923) ac eraill erbyn troad y ganrif. Yn 1893, yn ei draethawd, 'Datblygiad yn ei berthynas â'r Cwymp, yr Ymgnawdoliad, a'r Atgyfodiad', amddifadwyd crefydd o'r elfen oruwchnaturiol a gorseddwyd moesoldeb goddrychol. Daw Tudur Jones i'r casgliad bod y 'drafodaeth ar awdurdod y Beibl yn y blynyddoedd hyn yn dangos ffordd yr oedd y gwynt yn chwythu. Mae awdurdod gwrthrychol y Beibl yn cilio. Mae'n peidio â bod yn gynsail bywyd a meddwl Cristionogion yng nghyfanrwydd eu bodolaeth.'[13] Mewn geiriau eraill, os mai cywirdeb y Beibl yw 'asgwrn cefn' yr efengyl, a'r iachawdwriaeth yng Nghrist yw ei 'chalon', erbyn 1904 yr oedd llawer o eglwysi Cymru wedi gwadu'r naill ac o ganlyniad wedi fforffedu'r llall.

Cyffroadau ysbrydol cyn 1904

Eto i gyd yr oedd yn y wlad weddill ffyddlon, ac at argyhoeddiad a gweithgarwch y rhain y trown yn awr. Blinid llawer ohonynt gan dueddiadau'r oes, a mynegwyd hynny o dro i dro mewn ysgrifau ar ddiwygiad. Mynegwyd yr awydd am ddiwygiad ar ei gliriaf, efallai, yn natganiad y Deon David Howell ychydig cyn iddo farw yn 71 oed yn

1903. Iddo ef, angen pennaf Cymru oedd adfywiad ysbrydol, cyffredinol trwy dywalltiad neilltuol o'r Ysbryd Glân.[14]

Y mae Edward Parry yn nodi diwygiadau lleol y cyfnod: yng Nghwmafan a'r cylch yn 1866; yng Nghwm Rhondda yn 1879; yng Nghaerfyrddin a Blaenau Ffestiniog yn 1887; yn Nowlais yn 1890, ac ym Mhontnewydd, Mynwy, yn 1892.[15] Yr oedd nodweddion pob un yn amrywio. Blaenorwyd y cyntaf ohonynt gan wythnosau o weddïo; ymweliad a llafur Byddin yr Iachawdwriaeth oedd yn gyfrifol am yr ail. Ac am hwnnw yr ysgrifennodd gŵr o Dylorstown o'r enw Phylip Rees fel hyn: 'Y diwygiad grymusaf ydym ni yn bersonol yn ei gofio oedd yng Nghwm Rhondda yn 1879, pan y cawsom y fraint o fod yn un o 59 i gael eu bedyddio ar yr un adeg, pryd y cafodd ein hanwyl dad yng Nghrist, Dr. Morris, Treorchy, y pleser o weled ychwanegiad o gant a phump yn ei eglwys yn ystod y mis hwnnw.'[16] Cyfarfodydd gweddi ddechrau'r flwyddyn oedd cychwyniad diwygiad Caerfyrddin; wythnos o bregethu a fendithiwyd ym Mlaenau Ffestiniog; a'r gynulleidfa yng Nghaersalem, Dowlais, yn uno am gwrdd gweddi bob canol dydd a gynheuodd y tân yno. Yn 1902–03 cynhaliodd tua 35 o weinidogion Bedyddiedig Cwm Rhondda gyfarfodydd gweddi cyson, ac mewn ambell ardal, megis yn Hebron, Ton, bu iddynt barhau tan 1904. Clywodd Hebron, Ton, sôn am 'dywalltiad yr Ysbryd yn ystod wythnos olaf Awst' 1904 a fu yn Hebron, Dowlais, a bu hyn yn gyfrwng i ddwysáu'r disgwyl am ymweliad tebyg yn eu plith hwythau.[17] Ymhlith y Methodistiaid Calfinaidd yn Nhonypandy cafwyd 600 o ddychweledigion yn y pedair mlynedd hyd at Ragfyr 1904.[18] Gallai Annibynwyr Maesteg sôn am haf 1903 fel cychwyn y diwygiad yn eu plith, a nodi bod 60 wedi eu hychwanegu at yr aelodaeth yn ystod cymundeb cyntaf 1904.[19]

Y mwyaf nodedig o ddiwygiadau lleol neu ranbarthol yn ystod deugain mlynedd olaf y ganrif oedd 'Diwygiad Richard Owen', a hynny yn bennaf yn y Gogledd yn y blynyddoedd 1883–85.[20] Ymestyn gweithgarwch Richard Owen yn ôl i 1875, pryd y bu ef a John Richard Hughes yn efengylu yng nghymoedd sir Fynwy, gyda chymorth John Pugh ac Edward Davies, a gwelwyd ffrwyth sylweddol i'w llafur.[21] Cafodd yr efengylydd Americanaidd, D. L. Moody, gryn ddylanwad ar Richard Owen, er iddo leddfu ei ddulliau i'r sefyllfa Gymreig. Yn hyn o beth yr oedd yn debyg i Dafydd Morgan, Ysbyty Ystwyth: mynnai gynnal seiat ar ôl yr oedfa er mwyn rhoi cyfle i bechaduriaid ymuno o'r newydd. Pregethai ar Salm 23:1, 'Yr Arglwydd yw fy mugail, ni bydd eisiau arnaf', yn Rhydlios, Aberdaron yn 1882 a chyfrifwyd yr oedfa yn un o'r hynotaf a fu o dan ei weinidogaeth. 'Wylai dynion celyd ac anystyriol yn hidl—rhai na welwyd deigryn yn eu llygaid cyn, nac wedi hynny. Arosodd un hen wraig, o ddeutu pymtheg a phedwar ugain oed . . . yn y seiat am y tro cyntaf . . . Ymunodd deg-ar-hugain â'r eglwys hon, ond ciliodd amryw.' Yr oedd ei bregethu yn ysgrythurol ei gynnwys a chartrefol ei gyflwyniad:

> Ni bydd eisiau ar braidd yr Arglwydd, am fod y Bugail mawr wedi cymmeryd eu gofal, a'r cyfrifoldeb o'u cadw, arno ei hun. Y mae Mab Duw wedi myned yn Waredwr i ni. 'Hollalluog ydyw'r Un a'n cwyd i'r lan'. 'Eu Gwaredwr sydd gryf; Arglwydd y lluoedd yw ei enw; efe a lwyr ddadleu eu dadl hwynt.' A chan ei fod wedi cyhoeddi y byddant yn ddiogel ei hun, gan ddywedyd, 'A minnau ydwyf yn rhoddi iddynt fywyd tragwyddol, ac ni chyfrgollant byth, ac ni ddwg neb hwynt allan o'n llaw i', y mae enw ac anrhydedd y Gŵr ei hun wedi ei gyssylltu â'u diogelwch. Pe gwelid un o'r defaid mewn angen, byddai enw y Bugail o dan waradwydd. Y mae gogoniant Duw a chadw yr eglwys wedi eu cysylltu â'u gilydd.

Y rhan amlaf, hen wrandawyr oedd y dychweledigion, a byddai rhai yn cymharu yr effeithiau â'r hyn a ddigwyddodd yn Niwygiad 1859. Ar ôl wythnos felly yng Nghricieth, ar y nos Sadwrn yr 'oedd yn amlwg fod yr holl gynulleidfa fawr wedi ei gorchfygu yn llwyr.'[22]

Bu Ira D. Sankey ar ymweliad ag Abertawe yn Ebrill 1878, a phedair blynedd yn ddiweddarach bu ef a Moody yn Abertawe, Caerdydd a Chasnewydd.[23] Nid nhw yn unig fu wrthi yn cynnal cenhadaeth yng Nghaerdydd; bu R. A. Torrey a C. M. Alexander, hwythau o America, yno am bedair wythnos yn yr Hydref, 1904, yn gweinidogaethu i gynulleidfaoedd o rai miloedd.[24] Ceir esiamplau eraill o efengyleiddio tebyg ym Mhonciau yng Ngorffennaf 1904, o dan weinidogaeth Thomas Shankland a J. R. Jones, ac yn Rhosllannerchrugog yn Nhachwedd lle bu R. B. Jones yn gyfrwng bendith eithriadol.[25]

Yn Nhredegar, un o drefi diwydiannol y De, dechreuodd John Pugh ei genhadaeth yn yr awyr agored, Gorffennaf 1872, i gyrraedd pobl heb unrhyw gysylltiad â chrefydd. Dechreuodd trwy ganu 'Mi glywaf dyner lais', gyda hanner dwsin o wragedd yn ymuno yn y cytgan. Ar ôl gweddïo gwelodd fod tyrfa luosog o'i gwmpas, a chyflwynodd yr efengyl iddynt mewn modd bywiog a syml. Dyma gychwyniad 'Symudiad Ymosodol' y Methodistiaid Calfinaidd. Yn y cyfamser yng Nghastell-nedd yr oedd y brodyr Seth a Frank Joshua yn cenhadu ar linellau tebyg. Ymunodd Seth â John Pugh, ac yn 1891 codwyd pabell yn Splott, Caerdydd. 'Saethu pys wedi eu berwi at graig Gibraltar, yn ôl rhywrai, oedd ceisio ennill yr erchyll-fannau hyn; ond gwelwyd creigiau adamantaidd tref Caerdydd yn toddi fel plwm mewn tân trwy ymdrechion Pugh.' Llwyddodd Duw y gwaith, ac erbyn 1900 rhifai y gorsafoedd perthynol i'r Gymdeithas 34, pedair ohonynt yng Ngogledd Cymru.[26]

Mae Seth Joshua yn ddolen gyswllt rhwng y prysurdeb efengyleiddio â'r hiraeth a deimlai amryw o'r gweddill ffyddlon am dyfiant mewn sancteiddrwydd. Daw hyn â ni i drothwy'r llanw mawr ym mlwyddyn gorfoledd y Diwygiad. Yr oedd nifer o weinidogion yn y De wedi teimlo'r hiraeth hwn, a rhai ohonynt, Seth Joshua yn eu plith, wedi elwa ar gynhadledd yn Llandrindod i ddyfnhau'r bywyd ysbrydol. Eto, teimlai Joshua rhyw anniddigrwydd gyda'r ddysgeidiaeth a glywsai yno. Am un peth, yr oedd yn groes i'w argyhoeddiad mai brwydr barhaol yw sancteiddhad, a hefyd gofidiai fod y pwyslais a geid yno yn rhoi'r ddyletswydd o efengyleiddio i'r naill ochr.[27] Cafodd eraill, megis E. Keri Evans, R. B. Jones, W. S. Jones, O. M. Owen a Nantlais Williams fendith yno. Ar yr un adeg, ymhell i'r gorllewin, yng Ngheinewydd ac Aberaeron, teimlai Joseph Jenkins a John Thickens yr un awydd. Ym mlynyddoedd cynnar yr ugeinfed ganrif, gofidiai Jenkins 'oherwydd bod trai mawr ar fywyd ysbrydol yn yr eglwysi.' Gan eu bod yn weinidogion gyda'r Methodistiaid Calfinaidd, teimlent mai trefnu cyfarfodydd mewn perthynas ag eglwysi'r Henaduriaeth fyddai orau. Profwyd pethau mawr ynddynt bron o'r cychwyn, a hynny mor gynnar â diwrnod olaf 1903, pryd yr anerchwyd gan W. W. Lewis a J. M. Saunders.[28] Mewn cyfarfod tebyg ym Mlaenannerch ddiwedd Medi, daeth Evan Roberts i brofiad dwfn o gariad Duw a grymusterau'r Ysbryd Glân. Dyna darddiad ei weithgarwch diwygiadol.

Rhaid gofyn fan yma a ddylid sôn am genadaethau o'r fath fel diwygiad? Wrth daro golwg dros y llu ymdrechion efengylaidd gwelir bod ambell gawod o fendith wedi disgyn ar wahanol gylchoedd cyn i Evan Roberts ddod i'r cyhoeddusrwydd a roddodd y lle blaenllaw iddo o Dachwedd 1904 ymlaen. Ond cawodydd oeddynt, yn chwyddo tipyn ar afon llwyddiant yr efengyl, ond yr oedd yr afon yn dal ei chwrs. Gellir sôn am Dduw yn bendithio ag ambell ymchwydd felly. Mewn diwygiad llifogydd a geir, sy'n torri'r argaeau ac yn gwasgaru i gartrefi a meysydd yn rymus o anorchfygol. Dyna paham mae John Evans, Abermeurig, yn honni na 'chafwyd yr un cyffroad mawr mewn ystyr o ddiwygiad oddiar 1859 hyd ddiwedd 1902', y flwyddyn yr ysgrifennodd y geiriau:[29]

Er hynny, gellir sôn am adfywiad bersonol, am ba un y mae'r credadyn yn gyson yn dyheu, ac hefyd am ddiwygiad lleol pan bod arddeliad angyffredin, annisgwyl ar foddion gras. Gweithgarwch Duw yw gwir ddiwygiad, yn deilliaw o'i wir-fodd sofran ef ei hun, yn darostwng pechod a dyrchafu Crist, yng ngrym yr Ysbryd Glân. Mae ei effeithiau yn gadwedigol a thyngedfennol i unigolion, eglwysi a chymdeithas. Daw Duw yn real, tragwyddoldeb yn agos, pechod yn boen, a Christ yn werthfawr. Fel arfer y mae Duw yn cario ei waith ymlaen trwy foddion pregethu, gweddio, a thystiolaeth ei bobl ar air ac mewn gweithred. Trwy ei Eglwys mae Duw yn dyrchafu ei ras ac yn gogoneddu ei enw.

Ond hefyd mae yna adegau pan bo gweithgarwch Duw yn uniongyrchol, goruwchnaturiol a chyffredinol. Disgrifiodd John T. Job gyffro yr oedfa ym Methesda yn 1904, pan weinidogaethai Joseph Jenkins, 'fel *hurricane* yr Ysbryd Glân', 'Pentecost gwirioneddol'.[30] Mewn cyfnodau felly, 'genir cenedl ar unwaith' (Eseia 66:8), ac fe gyfnewidir ei chyflwr o fod megis anialwch diffrwyth i fod yn ffrwythlon a phrydferth megis gardd (Eseia 35:6-7). Fel y dywed Edward Parry, 'Mewn adfywiad crefyddol grymus, y mae gras yn gwneud gwaith mawr mewn amser byr.'[31]

Yn y cyfnod dan sylw, felly, ceid ar y naill ochr, ddylanwadau estron, dinistriol ar waith ym myd crefydd Cymru, ac ar y llaw arall ceid gweithgarwch efengylaidd a dyhead am ddiwygiad. Dywedir i Evan Roberts, yntau, weddïo am dair blynedd ar ddeg am ddiwygiad cyn 1904. Ond rhwng y ddau begwn yma cafwyd y rhelyw o grefyddwyr Cymru, ac y mae'n rhaid gofyn pa wedd oedd arnynt?

Y sefyllfa gyffredinol

Wrth feddwl am bregethu yn saithdegau'r ganrif, mae E. Keri Evans yn crynhoi ei brofiad fel hyn:

> Er i mi glywed prif bregethwyr Cymru o bob enwad yn ystod y blynyddoedd hyn (1874–80) . . . nid wyf yn gallu galw i gof i'r un ohonynt gyffwrdd â'm cydwybod . . . Aem i'r oedfa am hwyl a huodledd, ac os caem rheiny tybiem fod amcan addoli wedi ei gyrraedd. Diau, serch hynny, ei bod yn wir, hefyd, nad oedd mwyafrif y pregethwyr poblogaidd yn amcanu cymaint at argyhoeddi neb ag at drafod y testun yn feistraidd a hwyliog a chael 'amser da'.[32]

Tra bod rhai pregethwyr yn ymffrostio mewn dysg a graddau'r Prifysgolion, yr oedd y dysgedig yn eu cynulleidfaoedd yn cefnu ar grefydd.[33] O ran gwaith y weinidogaeth, bu dirywiad yn safon pregethu, gan gefnu ar esbonio testun er mwyn traethu ar bwnc, a dechreuwyd esgeuluso'r gwaith bugeiliol. Er bod yr Ysgol Sul yn dal mewn bri tan y Diwygiad, prinhau oedd yr awydd i gateceisio a diwinydda. Yn lle hynny, daeth y capeli yn ganolfannau diwylliant ac adloniant, gan roddi lle blaenllaw i ganu a pherfformio. Yr oedd nodweddion Oes Victoria wedi llithro i mewn i ansawdd crefydd: parchusrwydd allanol, gweithgarwch a hunan-hyder, ac yn waeth na dim, sentimentaliaeth.

Yn ei lyfr *Llên Cymru a Chrefydd* mae Bobi Jones yn trafod sut y gwelodd y nofelydd Daniel Owen y drychineb hon yn digwydd. Dyma rai o'i sylwadau craff:

1. Llacio ar aelodaeth eglwysig: h.y. niwlio ystyr y term 'Cristion'. Yr oedd min yr efengyl Gristnogol yn pylu, a hithau'n dod yn sentiment i ymlynu wrtho. Yr oedd ei sylfeini, ei natur a'i phwrpas, yn cael eu camddeall fwyfwy.
2. Yr oedd yr athrawiaethau Cristnogol yn cael eu meddalu a'u chwynnu. Ysgubwyd uffern dan y carped; collwyd gwefr yr efengyl. 3. Yr oedd dyfnder yr ymwybod o Bechod yn cael ei ddisodli gan faterion allanol megis Dirwest a 'phechodau' amlwg eraill . . . 4. Yr oedd amheuaeth ac amwysedd yn graddol ddod yn ddogma. Daeth ansicrwydd yn ffasiwn ac yn rhan o awyrgylch y byddai'r genhedlaeth newydd druan yn tyfu'n ddiymadferth ac yn anfeirniadol ynddo. 5. Ymddangosodd dyneiddiaeth yn fwyfwy deniadol; a chyda'r symud pwyslais oddi wrth Dduw i ddyn, collwyd difrifoldeb, bychanwyd Crist gan gymharu'i aberth Ef â mân bethau dynol. 6. . . . Tyfodd dysg ddynol i fod yn ateb hunan-ddigonol hyd yn oed ar gyfer materion dwyfol . . . 7. Datblygodd 'dulliau' crefyddol yn fwyfwy allanol . . . 9. Gyda thwf dyneiddiaeth, yr oedd efengyl, a oedd wedi bod yn wrthrychol ac yn oddrychol, bellach yn tyfu'n fwyfwy goddrychol; ac ystyr goddrychedd yw 'fy syniadau i'.[34]

Dyna dystiolaeth llenor. Beth oedd argyhoeddiad gweinidog, megis Joseph Jenkins, ac yntau wedi byw cyn ac ar ôl y Diwygiad? 'Blinid ef yn ddirfawr ym mlynyddoedd olaf yr hen ganrif ac ym mlynyddoedd cynta y ganrif newydd oherwydd bod trai mawr ar fywyd ysbrydol yn yr eglwysi', medd ei gymydog, y Parch. John Thickens, ac â ymlaen i gofnodi eu pryder:

Cytunem ein bod ar fin colli eiddgarwch ysbrydol o'n heglwysi ac y collem hynny'n gwbl oni fywheid hwynt gan Ysbryd Crist ar fyrder; y magem feibion a merched nad adwaenai'r ffordd i'r bywyd mawr yng Nghrist; yr amddifedid ni yng nghwrs ychydig o flynyddoedd o'r rhai a brofasai fawrion bethau'r Efengyl. Ofnem y disgwyliai'n pobl wrth y Cyngor Sir, y Cyngor Dosbarth, y Cyngor Plwyf, a'r Ysgolion Canol a oedd yn newydd yn ein plith, am iechydwriaeth gymdeithasol, ac y syrthiem i glaearineb yng ngwaith yr Arglwydd.[35]

Prin oedd y cyfryngau arferol i wella'r sefyllfa heblaw bod Duw yn eu harddel mewn modd angyffredin. Nid oedd modd cario'r dydd yn wyneb y llif o ddylanwadau niweidiol i grefydd a ddaeth yn gyfrwys ac yn rymus drwy'r wlad. Atebwyd gweddïau'r saint a bendithiwyd pregethu arwrol yr efengylwyr â ffrwyth, ond yr oedd y rhelyw o Gymry tu hwnt i gyrraedd y moddion arferol. Er didwylledd ac ymroddiad pleidwyr Keswick, a'r cynadledda blynyddol yn Llandrindod, yr oedd y ddysgeidiaeth yn syrthio'n fyr o'i haddewid. Yn y weithred o gyfiawnhad mae ffydd fel llaw yn derbyn y rhodd honno, ond yn y gwaith o sancteiddhad, nid felly yw ei swydd. Yn hytrach, yn awydd y credadun am debygrwydd i Grist a gwir dduwioldeb, mae ffydd yn peri iddo filwrio yn barhaus yn erbyn pechod (Effesiaid 6:13-18; Iago 1:25).

Yn ysgrythurol ac yn hanesyddol, yn erbyn cefndir o ddirywiad ac argyfwng y daw diwygiad, yn bersonol (megis Salm 119:107), ac eglwysig (megis Salm 85). Daw tystiolaeth am hyn yn llythyrau Griffith Jones, Llanddowror—gweinidog ffyddlon a phrofiadol cyn dyfodiad 'Y Diwygiad Mawr' o 1735 ymlaen—ac yntau'n ysgrifennu yn y blynyddoedd 1734–36:

Y mae'n amlwg ein bod yn aeddfedu i ryw farn dychrynllyd y bydd raid inni ei deimlo'n fuan oni fydd i Dduw, o'i drugaredd anfeidrol, ei attal drwy anfon cyfran ddwbl o'i Ysbryd diwygiadol i'n plith . . . Y mae gennym achos i ofni bod Duw ar adael ein gwlad a chilio oddiwrthym . . . gymaint o locustiaid pabyddol . . . anffyddiaeth, anghrediniaeth ac amryw gyfeiliorniadau llethol eraill, sydd yn awr yn chwyddo megis llifogydd i'n goddiweddu.[36]

Er y gwyddai ef, am y lliaws o lyfrau defosiynol oedd ar gael i'r werin, a hefyd am y gweddill o weinidogion efengylaidd, llafurus, megis Thomas Jones, Cwm-iau, Edmund Jones, Pont-y-pŵl, a Phylip Pugh,

Abermeurig ac eraill, dyna'r asesiad a wna, gan gyfaddef mai ymyrraeth ddwyfol yn unig a fyddai'n ddigonol i wrthsefyll y drygau a noda. Ceir yr un darlun yng ngeiriau cyfarwydd William Williams, Pantycelyn:

> Pan oedd Cymru gynt y gorwedd
>   Mewn rhyw dywyll, farwol hun,
> Heb na Phresbyter na 'Ffeiriad,
>   Nac un Esgob ar ddi-hun;
> Yn y cyfnos tywyll, pygddu,
>   Fe ddaeth dyn fel mewn twym ias,
> Yn llawn gwreichion goleu, tanllyd,
>   O Drefecca fach i maes.[37]

Sôn y mae am Howel Harris, y cafodd Williams drwyddo brofi goleuni a gras yr efengyl a bregethai'r gŵr o Drefeca, ac y cafodd Gymru cyfan, yn y man, y fath ysgytwad gan rymusterau'r byd a ddaw fel na fu hi byth yr un wedyn. Ac y mae'r cyferbyniad rhwng 'cynt' a 'wedyn' yn hanes y genedl yn gyfryw i gloi'r ddadl mai isel oedd cyflwr crefyddol Cymru cyn y diwygiad mawr hwnnw.

Gadewch i ni orffen, felly, ar dystiolaeth gadarn yr Ysgrythur. Onid ym merw cyfnewidiadau cymdeithasol a chenedlaethol y digwyddodd diwygiadau'r Beibl? Yr oedd yn argyfwng ar yr Eglwys yn amser Heseceia (2 Brenhinoedd 18). Yr oedd hi 'fel gwraig wrthodedig' yn ystod y gaethglud ym Mabilon pan addawodd Duw y byddai yn ymweld â hi mewn gras adfywiol ac yn ei chymell i baratoi ar gyfer hynny: 'Helaetha le dy babell, ac estynnant gortynnau dy breswylfeydd: nac atal, estyn dy raffau, a sicrha dy hoelion. Canys ti a dorri allan ar y llaw ddehau ac ar y llaw aswy' (Eseia 54:2-3). Ac yn wyneb y dasg amhosibl o droi byd eilunaddolgar ar ei waered trwy bregethu'r efengyl, anfonodd Duw ei Ysbryd ar ddydd y Pentecost, ac mewn tywalltiadau grymus wedi hynny, i ddod â hyn i ben (Actau 1:8; 2:1-5, 41; 17:6; 19:17-20).

Yn ein dyddiau ninnau mae trai ar grefydd, ond cyhyd â'i bod hi'n ddydd gras gellir dyheu a disgwyl, gweddïo a gweithio, y caiff Duw ei ogoneddu eto trwy iddo ymyrryd mewn diwygiad nerthol a chyffredinol. Lledodd bendithion Diwygiad 04-05 ledled byd, a chlywir o bryd i'w gilydd am ddiwygiadau mewn gwledydd tramor megis China. Nid Duw y Beibl a Duw hanes yn unig ydyw; efe yw'r gwir a'r bywiol Dduw, yn cyflawni addewid ac yn ehangu ei deyrnas, hyd nes

19

bydd daear newydd a nefoedd newydd. Er mai cyfrwys a pheryglus oedd y dylanwadau estron y soniwyd amdanynt cyn Diwygiad 04-05, Duw oedd, a sydd, yn teyrnasu. Gwasgarodd Duw ei elynion bryd hynny, ac fe wnaiff eto, yn rhyfeddol, yn annisgwyl ac yn ysgubol.

1. R. Tudur Jones, *Ffydd ac Argyfwng Cenedl: Hanes Crefydd yng Nghymru 1890–1914*, Cyfrol 2, (Abertawe, 1982), 222.
2. R. M. Jones, *Llên Cymru a Chrefydd: Diben y Llenor*, (Abertawe, 1977), 497.
3. Am Finney, gweler Garth M. Rosell a Richard A. G. Dupuis, *The Memoirs of Charles G. Finney*, (Grand Rapids, Michigan, 1989). Yr oedd Thomas Rees (1815–85) o'r farn bendant bod y llyfr hwn yn gyfrwng cychwyniad diwygiadau pedwar-degau'r ganrif. *History of Protestant Nonconformity in Wales*, (London, 1883), 429; Christopher Ben Turner, *'Revivals and Popular Religion in Victorian and Edwardian Wales'*, (traethawd Ph. D., Prifysgol Cymru, 1979), 22.
4. R. M. Jones, *Llên Cymru a Chrefydd*, 499
5. Am Humphrey Jones a'i gyfraniad i Ddiwygiad 1859, gweler Eifion Evans, *Fire in the Thatch*, (Bridgend, 1996), 186-205.
6. Sonia J. J. Morgan am rywun yn Nhalyllychau yn gwneud sylw ar bregethu Dafydd Morgan yn ystod y Diwygiad: 'Arferai Mr. Morgan ddyfod yma cyn y Diwygiad, ond y prynhawn Sul uchod [Mawrth 6, 1859], nis gallwn ddweyd i mi weled y dyn erioed o'r blaen, yr oedd y fath ddisgleirdeb yn ei wedd.' *Hanes Dafydd Morgan Ysbyty a Diwygiad '59*, [Y Wyddgrug], 1906, 206. Cymharwyd yr eneiniad arno yn ystod y Diwygiad i 'warant' awdurdodol oddi fry, ac ymhen blynyddoedd wedyn anogwyd ef i'w hadnewyddu oddiwrth y Brenin nefol. J. J. Morgan, op.cit., 156.
7. Charles Grandison Finney, *Revivals of Religion*, (London, 1913), 302-05; Eifion Evans, *Revival Comes to Wales*, (Bridgend, 1995), 71, 110-12.
8. John Davies, *Hanes Cymru*, (Llundain, 1990), 405, 484.
9. R. Tudur Jones, *Hanes Annibynwyr Cymru*, (Abertawe, 1966), 246.
10. Glyn Richards, *Datblygiad Rhyddfrydiaeth Ddiwinyddol ymhlith yr Annibynwyr*, 1957, 6.
11. Alec R. Vidler, *The Church in an Age of Revolution: 1789 to the present day*, (Harmondsworth, 1961), 192.
12. *Hyfforddwr yn Egwyddorion y Grefydd Gristionogol*, Caernarfon, 1895, 11.
13. R. Tudur Jones, *Ffydd ac Argyfwng Cenedl*, Cyfrol 2,109.
14. *Y Cyfaill Eglwysig*, Rhagfyr 1902. Am y Deon Howell, gweler Roger L. Brown, *David Howell: a Pool of Spirituality*, (Denbigh, 1998).
15. Edward Parry, *Llawlyfr ar Hanes y Diwygiadau Crefyddol yn Nghymru*, (Corwen, 1898), 156-65.
16. 'Colofn Gymreig y Rhondda', *The Rhondda Leader*, 14 Ionawr, 1905.
17. Llyfrgell Genedlaethol Cymru, Aberystwyth, Llsg. 22856D; R. Tudur Jones, *Ffydd ac Argyfwng Cenedl*, 2.126.
18. *Y Goleuad*, 23 Rhagfyr, 1904.
19. *Y Tyst*, 12 Ebrill 1905.
20. Edward Parry, op.cit, 158-60; William Pritchard, *Cofiant y Parch. Richard Owen*, 1897.

21. Llyfrgell Genedlaethol Cymru, C.M. Archives 14,702 'Calvinistic Methodism in Monmouthshire', 10-11.
22. William Pritchard, op.cit.,135; 259-60; 146.
23. P. B. Morgan, 'A Study of the Work of American Evangelists in Britain 1870-1914, and of the effect upon organized Christianity of their work there' (Rhydychen, Traethawd B.Litt.), 1961, 484, wedi ei ddyfynnu yn Christopher Ben Turner, op.cit., 288.
24. *British Weekly*, 27 October 1904.
25. T. M. Bassett, *The Welsh Baptists*, (Swansea, 1977), 377; Brynmor Pierce Jones, *The King's Champions*, (Cwmbran, 1968), 63-7.
26. W. Nantlais Williams, *John Pugh: Apostol y Symudiad Ymosodol 1846-1907*, (Caernarfon, c.1947), 11; John Owen, *Hanes Symudiad Ymosodol y Methodistiaid Calfinaidd*, (Caernarfon, 1931), 49; Annie Pugh Williams, *Atgofion am y Dr. John Pugh*, (Llandysul); Geraint Fielder, *Grace, Grit and Gumption*, (Bridgend, 2000).
27. T. Mardy Rees, *Seth and Frank Joshua*, (Wrexham, 1926), 69.
28. *Y Drysorfa*, 1963, 65, 133.
29. *Hanes Methodistiaeth Rhan Ddeheuol Sir Aberteifi*, (Dolgellau, 1904), 366.
30. *Y Drysorfa*, 1963, 198.
31. op.cit. 161.
32. E. Keri Evans, *Fy Mhererindod Ysbrydol*, (Lerpwl, 1938), 43; arg. 1962, 40
33. T. M. Bassett, *The Welsh Baptists*, 281; *Y Geninen*, 1910, 136, 'Cymru a'r wybodaeth newydd'.
34. *Llên Cymru a Chrefydd*, 519
35. *Y Drysorfa*, Mawrth 1963, 65.
36. Edward Morgan, *Letters of the Rev. Griffith Jones . . . to Mrs Bevan* (London, 1832), 317, 86-7,134.
37. N. Cynhafal Jones, *Gweithiau Williams Pant-y-celyn,* cyf. 1 (Treffynnon, 1887), 491. Am lenyddiaeth y cyfnod gweler Geraint H. Jenkins, *Literature, Religion and Society in Wales, 1660–1730*, (Cardiff, 1978), pennod V, 'Devotional Literature'.

2
Arweinwyr y Diwygiad

Joseph Jenkins (1861–1929)

John Aaron

Joseph Jenkins! Dyna fe, yn fwndel o anghysonderau. Yr Iberiad bychan penddu, a'i lygaid fel fflam dân, a'r fflam ar unwaith yn troi'n llewyrch ysbryd addfwyn a charedig. Dyna'r wyneb syn, trist, sarrug, a'r pethau hynny'n ymwisgo ar drawiad llygad â'r wên dyneraf a thlysaf a welsoch un amser. Dyna'r llais isel, dwfn, a sŵn blynyddoedd o bruddglwyf calon drom yn ei acenion, ac eto'n newid yn sydyn yn fiwsig mor bêr â nodau'r aderyn du pigfelen.[1]

Ac o ddarllen amryw o atgofion cyfoedion Joseph Jenkins, yr un argraff a geir, sef eu bod yn ei chael hi'n amhosibl mesur hyd a lled ei bersonoliaeth.

Yr oedd hyn mor wir am natur ei bregethu ag ydoedd am ei gymeriad:

Wrth wrando ar John Williams, Brynsiencyn, dyweder, neu ar Thomas Charles Williams, teimlwn i, bregethwr cyffredin, y gallwn i bregethu fel hwythau pe bai ynof ragor o'r pethau y mae ynof ryw radd ohonynt. Nid oedd yn y naill na'r llall ddim oedd yn ddirgelwch anesboniadwy i mi . . . Ond wrth wrando ar Jenkins teimlwn fy mod wyneb yn wyneb â dirgelwch mawr . . . Pe dyblid a phe treblid pob dawn a gallu a ddichon fod ynof i, ni byddwn ronyn nes wedyn at fedru pregethu fel pregethai Joseph Jenkins . . . Yr oedd ef o fath na ellid ei fesur na'i bwyso . . . Gallaf ddelio â'r Wyddfa er uched yw, ond pan ddeuaf at Etna a Vesuvius ni wn pa beth a ddigwydd.[2]

Y mae'r ddelwedd o losgfynydd yn codi'n aml yn y disgrifiadau ohono. Disgrifiad arall o ddiddordeb yw'r eiddo Dr Martyn Lloyd-Jones, pan glywodd Joseph Jenkins yn rhannu gwasanaeth â'r Parch. W. E. Prytherch yn Charing Cross yn 1925. (Jenkins, gyda llaw, oedd un o'r cyntaf i annog Lloyd-Jones i bregethu.) [The service was] 'quite unique, the most remarkable service I was ever in. Jenkins preached first and spoke with such force and conviction on the conversion of Saul of Tarsus that the congregation were utterly unable to give their attention to the popular William Prytherch when he attempted to follow.'[3]

Ganed Joseph Jenkins yn 1861 (1859, yn ôl rhai) yng Nghwmystwyth, Ceredigion. Aeth yn 1873 i weithio fel prentis i deiliwr yng Nghwm Rhondda. 'Cofnoda Jenkins dair ysgydwad go fawr a gafodd yn ystod y blynyddoedd hyn. Cafodd y gyntaf heb ei disgwyl o dan weinidogaeth y Parch. John Bywater . . . a'r ail o dan bregeth Dr Hugh Jones, Lerpwl . . . a'r drydedd pan ddeffrowyd y gymdogaeth drwyddi ar ddyfodiad cyntaf Byddin yr Iachawdwriaeth i'r Cwm, ac nid anghofiodd y dylanwadau hyn tra fu byw.'[4] Dechreuodd bregethu yn 1879 a bu'n fugail dros achosion (M.C.) Y Twyn, Caerffili (1885–89); Kirkdale, Lerpwl (1889–92); Ceinewydd (1892–1907); Dolgellau (1907–09); Ffestiniog (1909–16); a Llanymddyfri (1916–29).

Yn 1894, tra oedd yn y Cei, daeth ei nai, John Thickens, i fugeilio'r Tabernacl, Aberaeron, gerllaw. Dim ond saith mlynedd oedd rhyngddynt, ac er eu bod o natur wahanol iawn i'w gilydd—Jenkins yn fympwyol a llym, Thickens yn fwy tawel a chyson—daethant yn agos iawn yn ysbrydol. 'Cyfarfyddent yn aml . . . i drafod eu hunain ac i eistedd mewn barn ar eu gweinidogaeth a oedd yn eu golwg hwy yn gwbl ddi-fudd ac aneffeithiol . . . Caent olwg weithiau, mae'n wir, ar ogoniant yr Efengyl a'i syfrdanai, ac arddelid eu gweinidogaeth; o leiaf cyd-gerddai nerthoedd aruthr â hi yn awr ac eilwaith . . . Ond er hyn oll . . . ni ddaeth iddynt ymwared.'[5] Yn ôl Thickens:

Du oedd lliw ein bydoedd bychain ni, a chytunem un hwyrnos mai dau ddiafol oeddem oherwydd ein hanffyddlondeb dygn i'r Croeshoeliedig, a bron na phenderfynem ffoi i ryw Darsis o wydd yr Arglwydd rhag dued oedd ein tu mewn. Câi ef weledigaethau mawr ar ogoniant yr Efengyl yn achlysurol, a phlygai ei enaid mewn gorchwyledd, eithr dychwelai niwl drachefn . . . Hiraethem ein dau am ddydd parhaol lachar, a'n hiraeth oedd ein cyfalaf.[6]

Tua dechrau 1903 clywsant am y bendithion a ddeuai i lawer yn sgîl cynadleddau Keswick yn Lloegr, a chryfhawyd eu syniadau am ymgyrch debyg wrth siarad â'r Parch. W. W. Lewis, Caerfyrddin. Erbyn Cyfarfod Misol Methodistiaid Calfinaidd De Ceredigion yng Ngorffennaf, 1903, roedd cynnig i'w drafod oddi wrth Jenkins, sef, 'Bod moddion i'w mabwysiadu i feithrin teyrngarwch i'r Cyfundeb ac i Grist.' Apwyntiwyd pwyllgor i ddwyn y bwriad i ben. Yn ôl Thickens eto:

> Cafwyd trafferth fawr i ddehongli cynnwys yr hyn oedd yn meddwl Jenkins, canys 'diwygiad' oedd ym mryd y brodyr hynaf, cyffelyb i'r hyn a welsent yn '59, tra chwenychai eraill ohonom drefnu rhyw foddion i 'ddyfnhau bywyd ysbrydol' ein pobl. Eglurwyd bod nifer o frodyr a chwiorydd ieuainc yn cyfarfod yn wythnosol yn un o'n heglwysi i'r amcan hwn, a bod nifer ohonynt eisioes wedi cloddio'n ddwfn. Cytunem ein bod ar fin colli eiddgarwch ysbrydol o'n heglwysi, ac y collem hynny'n gwbl oni fywheid hwynt gan Ysbryd Crist ar fyrder . . . Ofnem y disgwyliai'n pobl wrth y Cyngor Sir, y Cyngor Dosbarth, y Cyngor Plwyf, a'r Ysgolion Canol, a oedd yn newydd yn ein plith, am iechydwriaeth gymdeithasol, ac y syrthiem i glaerineb yng ngwaith yr Arglwydd . . . penderfynasom drefnu 'Cynhadledd er dyfnhau bywyd ysbrydol yr eglwysi' . . . Cytunwyd hefyd i wahodd y Parchn. W. W. Lewis a John Saunders M.A., ynghyd â Mrs. Saunders i'n harwain . . . trefnwyd i fyned i'r Ceinewydd.[7]

Cynhaliwyd y gynhadledd ar ddiwrnod olaf y flwyddyn 1903 ac ar Ddydd Calan, 1904, yn y Tabernacl, Ceinewydd, heb lawer o ffrwyth amlwg. Ond dwysáu oedd baich Jenkins am ei bobl ac am yr ifainc yn arbennig. Treuliai fwy a mwy o amser mewn gweddi drostynt. 'Treuliais lawer o'r nos, pob nos, mewn gweddi, ac un noson yn oriau mân y bore, profais rywbeth na allwn ac na allaf ei ddisgrifio.' Rhannodd y profiad flynyddoedd wedyn â'r Parch Eliseus Howells:

> Yn ystod un o'm hymweliadau ag ef yn ei gystudd olaf cyfeiriodd at y noson fythgofiadwy hon. Ni wyddai pa cyhyd y bu ef ar ei liniau eithr ni fynnai ef yr awr honno ollwng ei afael yn ei Arglwydd onis bendithiai Efe ef, a'i fendithio yn ddiau a gafodd canys fe'i gwisgwyd ef â nerth o'r uchelder, a gwybu ef hynny. At hyn oll, pan gyfododd i eistedd ymaflodd rhyw fflam las ddieithr ynddo nes ei orchuddio ymron . . . Ciliai a dychwelai eilwaith . . . cysylltai ef ei hymddangosiad allanol â'r cymundeb diledryw a fu rhyngddo ef a'i Dduw. Yr oedd ef yn flaenorol i hyn yn feddiannol . . . ar alluoedd a rymusai ei leferydd ar adegau yn dra mawr, ond weithian fe'i meddiannwyd ef gan nerthoedd a'i gwnaeth, eto ar adegau, yn anorchfygol.[8]

Cafodd ateb cynnar i'w weddïau. Un nos Sul, ddiwedd Chwefror 1904, pregethodd ar 1 Ioan 5:4, 'A hon yw yr oruchafiaeth sydd yn gorchfygu y byd, sef ein ffydd ni.'

Teimlwn fod eneiniad ar y gwasanaeth . . . dirdynnid fi at y gynulleidfa pan geisiwn ddisgrifio'r byd, a chafodd un, beth bynnag, fendith y noson honno. Daeth Florrie Evans i'm tŷ ar ôl y gwasanaeth . . . Cerddodd gryn lawer oddi amgylch cyn curo wrth y drws. Dweud ei chŵyn ac adrodd ei phrofiad oedd ei neges hi, ei bod dan draed y byd ac y trengai oni châi ymwared buan. Gwelsai trwy'r weinidogaeth ers tro fod byd o dangnefedd a llawenydd, ond er y chwenychai fyned i mewn iddo, oddi allan iddo yr oedd hi, ac ni wyddai'r ffordd i mewn. Dywedyd iddi fod un ffordd, ac un yn unig, sef derbyn yr Iesu'n Arglwydd ei bywyd. Ofnai hithau ei gildio'i hun iddo. Beth os gofynnai'r Iesu iddi gyflawni rhyw orchwyl anodd, croes i'w theimlad ac uwchlaw ei gallu? Cynghorwyd hi i fyned i'w hystafell, cau ei drws, a'i gollwng ei hun yn rhydd i'r Ysbryd Glân i'w harwain. Y bore Sul dilynol, a tua trigain yn bresenol yng nghyfarfod y bobl ifainc, cafwyd anerchiadau canmoladwy, ond teimlwn i yn awr am angen rywbeth amgenach na'r traethiadau hyn, a gofynnais am brofiadau. Nid areithiau fel a gaem yn y seiet dan gochl profiadau, eithr y gwir beth mewn ychydig frawddegau. Wedi ychydig ddistawrwydd, cyfododd Florrie, a dywedodd ei bod hi'n caru'r Arglwydd Iesu â'i holl galon, a newidiodd ei chyffes hi dôn ac ansawdd y cyfarfod. Dyma gychwyn newydd a thragwyddoldeb wedi ei ollwng yn rhydd o lyffetheiriau. O'r bore Sul hwnnw ymlaen caem gyfarfodydd pobl ieuainc gogoneddus. Yn fuan taniwyd Maud Davies a May Phillips. Goleuwyd a gwresogwyd y mwyafrif o'n hieuenctid, a rhai dynion mewn oed a gwragedd . . . Yn y man, awn i a nifer o ieuenctid y Tabernacl oddi amgylch, i Dŵr-gwyn, Capel Drindod, a lleoedd eraill, a cheisiem wasgar y tân a'n llosgai, yn yr eglwysi eraill, ond byddem yn dra gochelgar rhag i'r cnawd orfoleddu.[9]

Ar 28 Mawrth, 1904, ysgrifennodd Joseph Jenkins at y Parch. Evan Phillips, Castellnewydd Emlyn, un a wyddai gymaint am brofiadau diwygiad oddi ar ei weithgaredd ym mlynyddoedd 1859–60:

Y mae Ysbryd Duw wedi disgyn ar ein pobl ieuainc. Ni allaf wneud dim. Yr ydwyf yn sŵn y gwynt yn awr. Duw ei hun sydd yma. Ni welais o'r blaen ddim yn debyg erioed . . . Y mae yn *spring* . . . Gwybod yr ydwyf y bydd hyn yn newydd wrth eich bodd. Ni wn ble i ddechrau ar ddim. Darfu i mi *organizo* cyfarfod pobl ieuainc cyn y Nadolig dipyn, ac y mae wedi prifio a phrifio, ac y mae'r *tide* yn awr yn nerthol wir.[10]

Ar ddiwedd mis Mehefin, cynhaliwyd ail gynhadledd, dan nawdd y Cwrdd Misol, yng nghapel John Thickens yn Aberaeron, a trefnwyd trydedd cynhadledd ar gyfer 28 a 29 Medi yng nghapel y

Parch. M. P. Morgan ym Mlaenannerch. Cytunodd Seth Joshua a W. W. Lewis i arwain. Y diwrnodau cyn y gynhadledd, yr oedd Seth Joshua yn cynnal ymgyrchoedd, yn y Cei yn gyntaf, pryd y cofnododd yn ei ddyddiadur fod deugain wedi eu dychwelyd, ac yna yng Nghastellnewydd Emlyn, pryd y dychwelyd ugain arall ac yn eu plith, Sidney Evans, un o arweinwyr yr adfywiad yn y misoedd dilynol. Cyrhaeddodd Seth Joshua Blaenannerch ar fore dydd Iau, 29 Medi, 1904. Mae John Thickens yn adrodd y stori:

Amheuwn a wisgwyd ef â chymaint nerth mewn un oedfa arall yn ei oes . . . Gwelem ni'n hunain yng ngoleuni barn y dydd diwethaf. Pryderem [hynny yw, Thickens a Jenkins] yng nghyfarfod cyntaf yr ail ddydd am y tybiem y gwelem arwyddion o arddangosiadau, yr hyn a fawr ofnem, canys hamdden i ddyfnhau bywyd ysbrydol a fynnem. Sylwem ar ddyn ieuanc a eisteddai ar ein cyfer, a ddirdynnwyd gan ryw ddylanwadau pan lefarai Mr Joshua. Yng nghyfarfod y prynhawn* daeth arnom yr hyn a ofnem, mewn cynyrfiadau. Ofnem y dyn ieuanc niwrotig—niwrotig yn ein tyb ni, dealler—a'i gwmni. Yn ddisymwth syrthiodd y brawd ieuanc 'fel carreg' ar ei liniau a gweddïodd mewn ingoedd, a'i chwys yn diferu oddi ar ei wyneb. 'Plyg fi, Arglwydd,' oedd byrdwn ei weddi ddwys . . . Dirwynwyd i ben gyfarfod mwyaf cyffrous y tair Cynhadledd cyntaf. Cyn hwylio am ein cartref troesom i mewn i'r capel. Clywem yno riddfan ac ocheneidio mawr . . . Pobl ieuainc Blaenannerch oedd yno wedi cyrraedd dyffryn wylofain. Ar ein ffordd adref cytunem ni a chyfaill fod y 'brawd niwrotig' wedi bwrw'r oedfa o'i llwybr. Ymhen rhai dyddiau darllenem yn un o newyddiaduron Caerdydd am ŵr ieuanc o Gasllwchwr a gynhyrfai Forgannwg, a chan fod darlun ohono yn yr un newyddiadur, adwaenasom ef. Ef ydoedd y dyn ieuanc niwrotig. Plygem ein pen a chyfaddefem nad ein ffyrdd ni, ond odid, ydoedd ffyrdd yr Arglwydd.[11]

Trefnwyd dwy Gynhadledd arall yn y sir, un yn Nhregaron, ac un arall (yn haf 1905) yn y Cei eto, ond erbyn hynny yr oedd Joseph Jenkins wedi teithio llawer yng ngwaith y Diwygiad, ac wedi bod yn offerynnol i'w dwyn i amryw o leoedd. Yn syth ar ôl cynhadledd Blaenannerch yr oedd i wasanaethu yng nghyfarfodydd pregethu Bethany, Rhydaman. Mae'r hanes wedi ei roi yn llawn yn hunangofiant Nantlais:

---

*Dyma'r unig gyfeiriad at y prynhawn; mae eraill yn cyfeirio at y bore (9 o'r gloch), e.e. D. M. Phillips, *Evan Roberts*, 123-5; *Y Diwygiad a'r Diwygwyr*, 56.

Pan drefnwyd ag ef nid oedd sôn am Ddiwygiad, ond daeth i'n clustiau fisoedd cyn dyfodiad Mr Jenkins fod rhywbeth mawr yn digwydd yn y Cei . . . Bore Saboth pregethodd Mr Jenkins ar Sacheus, a gwasgodd arnom i ddisgyn o ganghennau ein hunan-gyfiawnder, a'n balchder, a'n cybydd-dod . . . Cerddai gwefr drwy'r oedfa, yn gymaint felly fel y codais ar y diwedd, heb ymgynghori â neb, i gyhoeddi y byddai cyfarfod gweddi yn y festri am bump o'r gloch. Wrth fynd adref o'r cyfarfod, ebr Jenkins wrthyf, 'Fachgen, y mae'r Ysbryd Glân yn llawn gyda chwi yma.' Ni wyddwn i hynny gan nad oeddwn yn gyfarwydd â'i arwyddion fel yr oedd y pregethwr.[12]

Dyma ddechrau yr hyn a eilw Nantlais yn 'wythnos fawr y Diwygiad i ni yn Ammanford', ac ar y nos Sadwrn, ddiwedd yr wythnos, y bu tröedigaeth Nantlais ei hun.

Yn ystod mis Rhagfyr cynhaliodd Joseph Jenkins ymgyrchoedd yng Nghaerfyrddin, Bethesda, Dyffryn Nantlle, Llannerch-y-medd a Chaergybi.[13] Ym Methesda, roedd yn aros yng nghartref ei gyfaill, y Parch. J. T. Job, yr hwn a adroddodd hanes yr ymgyrch:

Cefais yr anrhydedd o letya Mr Jenkins a'r ddwy efengyles ieuanc o'r Cei [Maud Davies a Florrie Evans] . . . Wel, nos Iau a ddaeth. A dyma *noson fawr yr ystorm*! Pan edrychwyf yn ôl at y noson hon, nis gallaf lai na'i disgrifio fel *hurricane* yr Ysbryd Glân . . . peidier disgwyl i mi ddisgrifio yr hyn a deimlais y noson honno—fedra'i ddim byth! Gallaf ddweud hyn: teimlais yr Ysbryd Glân fel cenllif o oleuni yn peri i'm natur siglo drwyddi; gwelais Iesu Grist—ac aeth fy natur yn llymaid wrth ei draed; a gwelais fy hunan—a mi a'i ffieiddiais![14]

Pregeth Jenkins ar 'Gweithiwch allan eich iachawdwriaeth eich hunain trwy ofn a dychryn. Canys Duw yw yr hwn sydd yn gweithio ynoch,' oedd achos y storm.

Erbyn mis Mawrth yr oedd straen holl brofiadau'r flwyddyn wedi ei oddiweddyd. Derbyniodd J. T. Job gerdyn post oddi wrtho ar 2 Mawrth, 1905: 'Llais wedi mynd. Y *nervous system* yn gwrthdystio. Rhaid i mi dewi am ychydig. Caled yw gwingo yn erbyn y symbylau. Ni chefais y fath *fever* o *passion* pregethu o'r blaen. Dyna *pity* fod ugain mlynedd o gysgu wedi bod.'[15]

Mae gan Eliseus Howells gasgliadau diddorol ar sefyllfa Joseph Jenkins yn y Diwygiad:

Fel yr â'r Diwygiad yn ei flaen pryderai Jenkins a'r brodyr eraill a fu ynglŷn â'r Cynadleddau hyn oblegid tybio ohonynt fod y Gair yn cael ei ddiorseddu a bod dynion yn barotach i siarad â Duw nag i wrando ar yr hyn oedd gan Dduw i'w ddweud wrthynt hwy drwy bregethiad y Gair. Gwgent hefyd ar lawer o'r gorfoleddu a'r canu a nodweddai'r cyfarfodydd . . . canys ofnent i'r peth dwfn a sanctaidd a brofwyd ganddynt hwy golli ei rym a'i gyfaredd mewn teimlad arwynebol heb iddo na ffrwyth na pharhad. Deallwn eu hofnau a chydymdeimlwn â'u pryder canys profasant hwy ing y clafychu a gwewyr yr esgor mawr . . . Iddynt hwy yr ymddiriedwyd y gwaith o baratoi'r ffordd, a buont ufudd i'r weledigaeth nefol.[16]

Y mae llythyr arall at J. T. Job, ugain mlynedd a mwy ar ôl y Diwygiad, yn dangos yn glir gymysgedd ei gymeriad—ei lymder, ei natur bruddglwyfus, ei dduwioldeb, ei gariad o'r efengyl, a rhywbeth o'r fflachiadau hynny a fyddai yn tanio'i gynulleidfaoedd mor ddisymwth:

Wele y bregeth yn ôl i chwi. Y mae wrth fodd fy nghalon, yn Jobaidd ac yn ddwyfol. Yr ydwyf wedi cael hamdden—o'r neilltu, i adolygu a darllen . . . Yr Efengyl hon, Efengyl fy nhad a fy mam . . . sydd sail gobaith. Y mae Methodistiaeth mewn perygl colli ysbryd y Tadau, i hynny y daw hi pan yr eir yn rhy falch i bwysleisio gras . . .

Digalon wyf fi am y sylweddolaf nad oes i mi eto adeg gweithio. Gwair a sofl yw'r oll tuag yn ôl! Y fi yw y salaf ohonoch. Gwnewch lefain, Job, y deng mlynedd nesaf, a'ch holl alluoedd wedi eu *chargeo* â gwefr Duw yr ysbryd. Gwaeddwch 'y gwaed' nes bo'r haid academicalaidd yn cael eu parlysu gan argyhoeddiad o bechod. Ie, llefain ddywedais, sef gwaedd mewn dagrau poethion gariad sanctaidd Duw . . .

Cofiaf at y gŵr bach annwyl a Mrs. Job yn gynnes.[17]

Rhai dyddiau cyn marwolaeth Joseph Jenkins, galwodd Martyn Lloyd-Jones i'w weld:

The final meeting of the two men was memorable. In the summer of 1929, when Jenkins was dying from a growth in the spine, Eliseus Howells called at Aberavon to report the seriousness of the old preacher's condition and to urge Martyn to travel to see him at Llandovery, which was some distance away. Lloyd-Jones went and as he finally reached his destination he could hear groaning through an open window. Entering the house, Mrs Jenkins informed him that her husband was not really conscious but, as the visitor sat at his bedside, holding his hand, she asked her husband in the conversation which followed, 'Do you know who he is?' 'Of course I know!' replied the dying man, attempting to turn in his bed. 'Can you pull me back out of this river?' he asked Lloyd-Jones. 'I don't know that I can do that, Mr Jenkins.' 'I didn't know that this dear old river was so wide,' said Jenkins, 'but it's all right; I am going to Jesus Christ'—then, laying his hand upon his heart, 'I wish I felt it more here.' Like the old Methodists whom he resembled, Joseph Jenkins died well.[18]

1. John Owen, 'Y Parchedig Joseph Jenkins' (*Y Drysorfa*: Gorff. 1929), 247
2. Ibid., 248.
3. Iain H. Murray, *D. Martyn Lloyd-Jones—The First Forty Years* (Caeredin: 1982), 84.
4. Eliseus Howells, yn *Cyfrol Goffa Diwygiad 1904–05*, gol. Sidney Evans a Gomer M. Roberts (Caernarfon: 1954), 27.
5. Ibid., 28.
6. Ibid., 28-9.
7. Ibid., 32-3.
8. Ibid., 35.
9. Ibid., 35-6.
10. J. J. Morgan, *Cofiant Evan Phillips* (Lerpwl: 1930), 330-31.
11. Eliseus Howells, *Cyfrol Goffa*, 37.
12. Nantlais, *O Gopa Bryn Nebo* (Llandysul: 1967), 62-3.
13. Gweler Eifion Evans, *The Welsh Revival of 1904* (Port Talbot: 1969), 102, 113; Brynmor Pierce Jones, *The King's Champions* (Pont-y-pŵl: 1986), 69; *Voices from the Welsh Revival* (Pen-y-bont: 1995), 136; R. Tudur Jones, *Ffydd ac Argyfwng Cenedl* Cyf. 2 (Abertawe: 1982), 146.
14. J. T. Job, yn *Y Diwygiad a'r Diwygwyr* (Dolgellau: 1906), 216-7.
15. Trwy law Dafydd Job.
16. Eliseus Howells, *Cyfrol Goffa,* 37-8.
17. Trwy law Dafydd Job.
18. Iain H. Murray, *The First Forty Years*, 196.

R. B. Jones (1869–1933)

Noel Gibbard

Dychwelodd W. S. Jones (W.S.) y Bedyddiwr o Scranton i Benuel, Caerfyrddin yn 1897. Tra yn Scranton, collodd W. S. ei wraig, daeth i gysylltiad â dysgeidiaeth Coleg Moody, a phrofodd ddylanwadau anarferol yr Ysbryd Glân yn ei brofiad ef ei hun. Newidiwyd ei fywyd yn llwyr. Pan ddychwelodd, cyfarfu â Rhys Bevan Jones (R.B.) gweinidog Caersalem, Llanelli, un o bregethwyr poblogaidd y Bedyddwyr yng Nghymru. Sylweddolodd W. S. er bod R. B. yn bregethwr cymeradwy, ei fod yn amddifad o ddylanwadau grymus yr Ysbryd yn ei fywyd, y grymusterau hynny a brofodd W. S. yn Scranton.[1]

Yr anghydffurfiwr anesmwyth

Beth oedd cefndir y pregethwr poblogaidd hwn? Ganwyd ef yn Nowlais ddiwydiannol, anghydffurfiol, yn 1869, blwyddyn ar ôl buddugoliaeth y Rhyddfrydwyr yn yr Etholiad Cyffredinol. Magwyd ef mewn cartref crefyddol, disgybledig—'ludicrous self-discipline', yn ôl ei fab, Geraint.[2] O gwmpas ei gartref yng nghylch Caeharris, roedd teuluoedd Cymraeg, teuluoedd o Loegr ac ychydig Wyddelod o gwmpas tafarn yr Antelope. Dod i weithio i'r gwaith haearn a wnaeth amryw ohonynt; yno y gweithiai John Jones, tad R.B, ac yno, i'r 'Draughtsman's office', yr aeth y mab hefyd.[3]

Yn gynnar iawn teimlodd awydd i bregethu'r efengyl, ac roedd ganddo bob cyfarwyddyd posibl yn ei gartref ac yn eglwys Hebron. Derbyniodd ei addysg mewn ysgol yn Aberafan, ac yng Ngholeg y Bedyddwyr ym Mhont-y-pŵl. Dechreuodd ei weinidogaeth ym Merthlwyd, Aberdâr, a symud i Lanelli yn 1895. Yno yr oedd pan gyfarfu W. S. ag ef.

Cafodd W. S. ac R. B. gyfle i rannu a thrafod profiadau hyd 1899, pan symudodd R. B. i'r Rhondda i fod yn weinidog Salem, Porth, 'the best church in the country', yn ôl R. B. ei hun, a dengys ei eiriau yr hyn oedd o bwys iddo y dyddiau hynny.[4] Collodd ei briod yn 1901, a dwysaodd hyn ei ysbryd yn fawr iawn. Yn ystod y cyfnod o 1901 hyd 1904, mae tri pheth arwyddocaol yn ei fywyd. Yn gyntaf, bod yn un o'r cwmni o weinidogion Bedyddiedig a gyfarfyddai'n gyson yn y Rhondda, a hynny cyn y Diwygiad. Un effaith hyn oedd creu awydd am adfywiad ysbrydol. Cyfarfyddai pymtheg ar hugain ohonynt, a chymaint oedd y nifer fel y rhannwyd hwy yn bedwar cylch.[5] Un o'r rhai mwyaf brwdfrydig yn eu plith oedd R. B. Yr ail beth arwyddocaol oedd y chwyldro ysbrydol a ddigwyddodd yn Llandrindod, Awst 1903. Credai un o'r cwmni, O. M. Owen, iddynt gyrraedd 'gwlad addewid y bywyd ysbrydol'.[6] Disgrifient eu profiad fel eu llenwi â'r Ysbryd Glân. A'r trydydd peth oedd dyfodiad ei gyfaill, W. S., i Lwynypia yn 1904 i fod yn gymydog i R. B.

Yr efengylwr tanbaid

Taniwyd R. B. gan ysbryd efengylu. O fis Awst 1903 hyd ddiwedd Hydref 1904 bu'n teithio'n gyson i bregethu. Enwir amryw o ganolfannau: Cwm-bach, Dowlais, Llwynypia, Penydarren, Cwmafan, Pen-coed, Treorci a Gilfach-goch.[7] Cynhaliwyd cyfres o gyfarfodydd yn Llwynypia 9-13 Mai 1904,[8] o dan arweiniad R. B. a W. S., a chredai amryw fod diwygiad wedi cychwyn. Roedd R. B. yng Nghefn-mawr ym Medi 1904, ac ar 8 Tachwedd dechreuodd ar ei genhadaeth yn Rhosllannerchrugog.

Rhos, 8–18 Tachwedd 1904

Dyma grynodeb o'r gyfres gyfarfodydd mewn dyddiadur a ddiogelwyd:[9]

Hynt y Diwygiad yn ardal y Rhos

1. Yr oedd rhyw gynhyrfiadau rhyfedd wedi eu teimlo mewn cyfarfod pregethu a gynhaliwyd yn Seion, Ponciau, Mehefin 19 a 20, 1904, pan oedd y Parch. J. R. Jones, Pontypridd, a Thomas Shankland, Rhyl, yn pregethu, —parhawyd y cyfarfod a phregethwyd y nos Fawrth a'r nos Wener gan J. R. J. Arhosodd deunaw ar ôl yn y cyfarfodydd hyn. Cafwyd hefyd ddylanwad anghyffredin mewn gwasanaeth bedydd yn Seion, Ponciau, Mehefin 26, pan ddaeth rhai ymlaen ar y pryd, ac arhosodd chwech ar ôl y nos Sul hwnnw.

2. Yn nechrau Hydref 1904 y Parch. R. B. Jones yn cynnal cyfres o gyfarfodydd cenhadol yn y Cefn Mawr,—gweinidogaeth lem oedd hi, a deffrowyd crefyddwyr drwyddi a syfrdanwyd gwrandawyr. Yr oedd amryw o'r Rhos yn y genhadaeth hon.

3. Y cyfeillion o Benuel oedd yn y gwasanaeth yn y Cefn Mawr a berswadiodd yr eglwys i wahodd R. B. J. yma i Benuel i gynnal cenhadaeth. Wythnos cyn iddo gyrraedd bu wythnos o gyfarfodydd gweddi. Dechreuodd ei genhadaeth nos Fawrth Tachwedd 8, 1904.

(a) Nos Fawrth. Cynulleidfa siomedig. Cafwyd pregeth rymus, cenadwri i ddeffro'r eglwys. Gweledigaeth Eseia oedd y testun, a baich y bregeth oedd 'gweledigaeth o Dduw fel angen dyfnaf a mwyaf yr eglwys'. Ni alwyd cyfeillach ar ôl am mai cenadwri i'r eglwys ydoedd.

(b) Nos Fercher. Gwell cynulleidfa a siriolach oedfa. Gweledigaeth Eseia eto oedd thema'r pregethwr, a'r angen am weledigaeth o santeiddrwydd Duw yn arbennig. Amryw yn teimlo'r gwirionedd yn finiog ac amserol.

(c) Nos Iau. Y gynulleidfa yn fwy ac yn gryfach. Pregeth gynhyrfus ar 'Frenhiniaeth Crist'. Dyma'r bregeth a adawodd y dylanwad mwyaf ar feddyliau'r gwrandawyr yn ystod y genhadaeth.

(ch) Nos Wener. Y capel yn orlawn. Noson fythgofiadwy. Pregeth ar 'ganlyniadau gweld Duw yn ôl ei santeiddrwydd'. Yr oedd profiad Eseia wedi meddiannu'r gynulleidfa, 'Och fi, canys darfu amdanaf'. Galw cyfeillach ar ôl, ac amryw yn cyffesu eu hoerni gyda gwaith yr Arglwydd, a buwyd am ddwy awr yn gwrando ar addefiadau a phrofiadau aelodau crefyddol. R. B. J. yn gwneud sylwadau byr a phwrpasol ar ôl pob un a siaradai.

(d) Prynhawn Sadwrn aeth R. B. J. i glywed Dr Torey yn Lerpwl, ac yr oedd y Parch. Evan Williams (gweinidog Penuel) ar y pryd gydag ef, ac o nodiadau Mr. Williams ei hun yr wyf yn medru rhoddi'r manylion hyn.

Bore Sul Tachwedd 13. R. B. J. yn pregethu i lond capel Penuel, oddi ar Ioan 15.16—oedfa wlithog iawn.

Prynhawn Sul am 3.30 cynhaliwyd cyfarfod arbennig i'r bobl ieuainc, y capel yn orlawn gan ieuenctid y gymdogaeth. Y cenhadwr yn siarad am ugain munud, 'dyma'r cyfarfod a osododd bobl ieuanc yr ardal ar dân.' 'Y pwysigrwydd o ymgysegru'n llwyr i'r Arglwydd Iesu' oedd pwnc araith R. B. J. Galwyd pawb i weddio'n ddistaw, a gofynnwyd i'r rhai oedd yn barod i wneud i godi eu dwylo,—cododd amryw ac aeth y lle yn eirias byw.

Nos Sul Tachwedd 13. Oedfa rymus R. B. J. yn pregethu ar 2 Cor. 5:14, 15, —chwech yn aros ar ôl yn y seiat. R. B. J. yn cyhoeddi cwrdd gweddi am ddau y dydd Llun.

Dydd Llun Tachwedd 14. Cafwyd cwrdd gweddi rhyfeddol ym Mhenuel am ddau. Ar derfyn y cwrdd gweddi ffuriwyd yn orymdaith a cherdded trwy'r prif heolydd gan ganu emynau ac R. B. J. yn siarad o flaen amryw dafarndai. Cynhyrfwyd y lle gan yr orymdaith hon.

Nos Lun Tachwedd 14. Torf fawr ym Mhenuel yn yr hwyr. R. B. J. yn pregethu ar 1 Pedr 1: 18, 19. Wyth yn aros ar ôl.

Dydd Mawrth Tachwedd 15. Cwrdd gweddi am ddau—dau yn aros ar ôl. R. B. J. yn pregethu ar Rhufeiniaid 3. 22, 23,—gwrando astud, a dau yn aros ar ôl.

Dydd Mercher Tachwedd 15. Cwrdd gweddi i'r chwiorydd a thyrfa'n bresennol a 'gosododd y cwrdd hwn y chwiorydd ar dân'—anerchiad byr gan R. B. J. Y capel yn anghysurus o lawn yn yr hwyr—pregeth afaelgar ar Math. 13:3–8—naw o ddychweledigion.

Dydd Iau Tachwedd 16. Cwrdd gweddi am ddau—un yn aros ar ôl. Yr un prynhawn R. B. J. yn annerch cwrdd o weinidogion. Yn yr hwyr Penuel wedi ei orlenwi—ugeiniau yn methu â dyfod yn agos i'r lle—oedfa nerthol iawn. R. B. J. yn pregethu ar Gen. 7:10. DEUDDEG yn aros ar ôl.

Dydd Gwener Tachwedd 17. Cynnal cwrdd gweddi ym Mhenuel trwy'r dydd. Trefnid i'r gweinidogion arwain yn eu tro, ond nid oedd angen, am fod yr Ysbryd yn arwain. Mawl a gweddi bob yn ail yn ddi-dor, a neb yn blino,—pobl yn rhedeg yn frysiog am damaid, ac yn ôl i'r cwrdd, a Phenuel trwy'r dydd yn brysur fel cwch gwenyn. Cafwyd amser bendigedig— dychwelwyd saith yn ystod y cwrdd gweddi hwn. Yn yr hwyr aethpwyd i gapel yr M.C. (Jerusalem),—R. B. J. yn pregethu ar 1 Tim. 1:15,—cafwyd 21 o ddychweledigion, a throwyd y festri yn 'Enquiry Room'.

Y bore Sadwrn dilynol cynhaliwyd cyfarfod gweddi ym Mhenuel ac felly y prynhawn, ac yn yr hwyr cafwyd gorymdaith fawr trwy'r pentref, a denwyd llawer i'r cwrdd fel yr oedd Penuel wedi ei orlenwi.

Pwyslais canolog R. B. yn y Rhos oedd sancteiddrwydd Duw a methiant dyn, ond ar ôl gwneud hyn yn glir medrai gyflwyno Crist fel Gwaredwr digonol (er enghraifft, ei bregeth ar 1 Tim. 1:15). Gwnaeth ddefnydd effeithiol hefyd o'r orymdaith. Ef a arweiniodd yr orymdaith ar y dydd Llun, 14 Tachwedd. Cerddwyd o'r Sgwâr i Mountain Street i'r Gornel, lle cynhaliwyd cyfarfod. Gorymdeithiwyd ymlaen drwy

Hall Street i School Street lle anerchwyd y dyrfa unwaith eto. Aethpwyd yn ôl i'r capel drwy Market Street a Pen Stryd. Bu'r orymdaith yn boblogaidd iawn yn y Rhos am fisoedd lawer, a chafwyd gwasanaeth Band y pentref gyda'r canu. Ychydig ar ôl ymweliad R. B. dywedwyd fod y Rhos 'in the grip of an extraordinary spiritual force'. Grymuso a wnaeth y Diwygiad yn y Rhos, a hynny heb bresenoldeb Evan Roberts.

Dychwelodd R. B. i'r Porth ar y dydd Sadwrn, 19 Tachwedd, a dechreuodd ar ei weinidogaeth yn Ainon, Ynys-hir, y diwrnod canlynol, Sul, 20 Tachwedd. Yn y Cwm ar y pryd oedd yr efengylwyr Frank Weaver, mab Richard Weaver, a James Oatey. Treuliodd James Oatey beth amser yn Ainon, a bu arddeliad amlwg ar ei weinidogaeth. Cyn pob cyfarfod cynhaliwyd gorymdaith a chwrdd yn yr awyr agored. Arferai dau i dri chant ymuno yn y gorymdeithiau.[10] Roedd gan James Oatey lais fel trwmped, a medrai ddelio'n effeithiol â'r dyrfa mewn cyfarfodydd awyr agored.

Dywedir bod ffrwyth parhaol i'r cyfarfodydd yn Ainon. Yn gynnar yn 1905 dychwelodd R. B. i'r Gogledd.

Sir Fôn

Fel yn y Rhos, gweinidogaeth Rosina Davies oedd un cyfrwng i fraenaru'r tir ar gyfer y Diwygiad. Dilynwyd hi gan Joseph Jenkins, ac ymwelodd W. S. Jones â'r myfyrwyr ym Mangor, a'u cynorthwyo i baratoi ar gyfer y diwygiad ym Môn a Chaernarfon. Argyhoeddwyd Cyngor Eglwysi Rhyddion Caergybi o'r angen am weddi, a threfnwyd cyfarfodydd i ymbil am ddiwygiad. Bu David Lloyd, gweinidog Hebron (Bedyddwyr) yng nghyfarfodydd y Diwygiad yn y De, a gwnaeth ei adroddiadau ddyfnhau'r hiraeth am ddeffroad ysbrydol.[11] Cytunwyd i wahodd R. B. Jones i gynnal cyfres o gyfarfodydd.

Cyrhaeddodd R. B. ar 3 Ionawr 1905, ac ymunodd Arthur Davies, Cefn-mawr, yr unawdydd ag ef. Canolbwyntiwyd i gychwyn ar Gaergybi ei hun. Yn ystod y cyfarfodydd profwyd argyhoeddiad dwfn o angen ysbrydol, a sawl swyddog eglwysig yn teimlo mor annheilwng nes ystyried ymddiswyddo. Nodwedd arall y cyfarfodydd oedd nifer y gwragedd a gymerodd ran mewn gweddi, a hynny am y tro cyntaf, ac, fel yn y Rhos, trefnwyd gorymdeithiau hefyd.[12]

Aeth R. B. yn ei flaen i Lanfachreth, Soar, a Llanddeusant. Byrdwn ei neges, fel yn y Rhos, oedd sancteiddrwydd Duw. Yng ngoleuni purdeb Duw, dylid ymwrthod â phopeth amheus, yn cynnwys darllen nofelau. Medrai'r awydd am eu darllen fod mor annheilwng â'r awydd am y ddiod feddwol. Bu ffrwyth gweledig yn y lleoedd hyn. Er enghraifft, roedd saith deg o ddychweledigion yn Llanfachreth a deugain i hanner cant yn Llanddeusant.[13]

Dau ganolfan prysur arall oedd Llannerch-y-medd ac Amlwch. Yn Llannerch-y-medd cafodd gymorth David Lloyd, Caergybi, a myfyrwyr o Fangor. Mewn cyfarfod ar brynhawn Gwener, pwysleisiodd R. B. unwaith eto yr anghenraid am ymwrthod â phob peth amheus, gan enwi y tro hwn, ysmygu, a disgynnodd cawod o bibau o'r llofft i'r pulpud! Yn y cyfarfod olaf daeth dau gant o ieuenctid ynghyd, a galwodd y pregethwr arnynt i gysegru eu bywydau i'r Arglwydd Iesu Grist. Penliniodd pob un ohonynt a gweddïodd y pregethwr drostynt. Disgynnodd yr Ysbryd arnynt yn helaeth.[14]

Symudodd R. B. a'r myfyrwyr o Fangor i Amlwch. Ar Sul, 21 Ionawr, y drefn oedd: bore, Salem; prynhawn a'r hwyr, Capel Mawr; Llun: Capel Mawr; Mawrth: Llaneilian a Capel Mawr.[15] Disgrifiodd R. B. ei hun y cyfarfod mwyaf hynod yn ystod ei ymweliad ag Amlwch. Fel lawer gwaith o'r blaen, pregethodd ar Eseia, pennod 6. Roedd yr ymwybyddiaeth o bechod yng ngoleuni sancteiddrwydd Duw mor ofnadwy nes bod llawer yn gofyn a oedd maddeuant? Ond daeth y gair am yr allor:[16]

After all, there was hope! God was forgiving, and He had cleansing for the worst. When the rapt listeners realised all this the effect was—well 'electrifying' is far too weak a word; it was absolutely beyond any metaphor to describe it. As one man, first with a sigh of relief, and then, with a delirious shout of joy, the whole huge audience sprang to their feet.

Yn ôl y pregethwr ei hun roedd y lle yn ofnadwy gan ogoniant Duw.

Daeth y daith i ben yn Llangefni, 26 Ionawr. Yma eto dadlennodd bechod yng ngoleuni sancteiddrwydd Duw, ac atgoffa Môn fod Duw yn anfodlon ar anfoesoldeb yr Ynys, yn ogystal â meddwdod y glowyr yn y De.[17] Dychwelodd R. B. i'r De, ond dim ond am ychydig. Mewn llai na mis roedd yn ôl yn y Gogledd, y tro hwn yng Nghaernarfon.

Caernarfon a'r cylch

Cafodd R. B. gymorth y myfyrwyr yng Nghaernarfon fel ym Môn. Cafwyd dau gyfarfod yr un pryd, y naill yn Engedi o dan arweiniad R. B., a'r llall yn Neuadd y Dref o dan ofal y myfyrwyr. Disgrifiwyd y bregeth yn y capel fel 'a sane and thoughtful sermon', ac er bod gwir deimlad, nid oedd yr emosiwn yn drech na'r gynulleidfa.[18] Nid felly yn y Neuadd. Yno roedd y myfyrwyr ar eu gliniau fel pe wedi eu hypnoteiddio, ac mewn amser byr roedd y lle fel crochan berwedig. Adferwyd trefn trwy ganu 'Mae e'n fendigedig.'[19] Yr un oedd y drefn nos Fercher, cyfarfod yn Engedi a'r Neuadd, ond gadawodd R. B. y capel er mwyn mynd i'r Neuadd. Y noson hon roedd gwell trefn, ond aeth y cyfarfod ymlaen yn hir. Cododd cynrychiolydd Cenhadaeth y Morwyr ar ei draed i fynegi anfodlonrwydd bod plant a merched ifainc allan mor hwyr. Rhoddodd R. B. emyn allan, a rhoi cyfle i bwy bynnag oedd am adael i wneud hynny. Dim ond ychydig iawn a adawodd. Cyrhaeddodd y canwr Arthur Davies, yntau wedi bod yng Ngŵyl Ddewi Capel Moriah. Swynodd y gynulleidfa gyda'r gân 'Beth wnei di â'r Iesu?' Aeth pawb adref tuag un ar ddeg o'r gloch.[20]

Dywedir bod y cyfarfod nos Iau yn Engedi yn annisgrifiadwy. Llethwyd y gynulleidfa gan euogrwydd o bechod; amryw yn methu ag anadlu a chredu eu bod yn mygu. Daeth rhyddhad pan gyhoeddodd R. B. fod Iesu Grist yn Waredwr a Brenin. Yng Nghaernarfon, fel mewn sawl man arall, arweiniodd R. B. orymdaith drwy'r dref. Erbyn diwedd y genhadaeth roedd amryw yn ymofyn am aelodaeth yng nghapeli'r dref: Pendref, 21; Siloh, 64; Salem, 36 a Chaersalem, 46. Aeth yr efengylwr yn ei flaen i Dal-y-sarn, Llanllyfni a Chlynnog.[21] Parhaodd R. B. i deithio ar hyd 1906, ac yn 1907 aeth ar genhadaeth digon ffrwythlon i'r Unol Daleithiau.[22]

Ei gyfraniadau eraill

Dylid nodi hefyd gyfraniadau eraill R. B. i fywyd crefyddol Cymru. Ef oedd un o arweinwyr y cynadleddau er mwyn dyfnhau'r bywyd ysbrydol, yn arbennig cynadleddau Llandrindod, Rhydaman a'r Porth. Bu'n gyd-olygydd *yr Efengylydd*, ac ef oedd sylfaenydd y Coleg Beiblaidd yn y Porth.[23] Pregethu a bugeilio oedd ei gryfderau, ond roedd yn awdur digon prysur hefyd.[24] Ymladdodd dros y ffydd efengylaidd a dioddefodd o'r herwydd. Trueni iddo geisio clymu traddodiad Cymru wrth draddodiad mwy pietistaidd Keswick. Er iddo weithio'n annibynnol ar Evan Roberts, gobeithiai'r diwygiwr, a Jessie Penn-Lewis, mai R. B. a fyddai'n arwain ar ôl i Evan Roberts ymneilltuo i Gaerlŷr. Beirniadwyd R. B. yn deg ac yn annheg. Carwyd ef yn fawr a gwrthwynebwyd ef yn ffyrnig.

1. Brynmor Pierce Jones, *The King's Champions* (Christian Literature Press, arg. 1986), 35-8.
2. 'R. B. Jones, By His Son', *Seren Cymru*, 2 Gorffennaf 1943.
3. Cyfrifiad 1871; 'R. B. Jones, By His Son', *Seren Cymru*, 26 Gorffennaf 1943; Brynmor Pierce Jones, *The King's Champions*, 11-14.
4. LLGC, Papurau R. B. Jones, Rhif 1, 'April 27/99'; 'R. B. Jones, By His Son', *Seren Cymru*, 6 Awst 1943.
5. NLW 22856D.
6. *Yr Efengylydd*, 1933, xxv; Brynmor Pierce Jones, *The Spiritual History of Keswick in Wales* (Christian Literature Press, 1989), 10-12.
7. LLGC, Papurau R. B. Jones, Rhif 9;
8. 'R. B. Jones, Preacher and Minister', *Witness and a Minister*, Ebrill 1933.
9. Copi teipiedig oddi wrth y diweddar Barch. Brynmor Jones, Casnewydd, ond fe'i ceir hefyd yn Lewis Valentine (gol.), *Hanes Penuel Rhosllannerchrugog* (Llandysul, 1959), 116-121.
10. Am y gweithgarwch yn y Rhondda, yn cynnwys ymgyrch Oatey: 'Treorcky', *The Rhondda Leader*, 12 Tachwedd 1904; ibd. 'Pentre', 'Ynyshir', 26 Tachwedd 1904.
11. Rosina Davies, *The Story of my Life* (Llandysul, 1942), 185; 'Toriad Gwawr', *Seren Cymru*, 21 Ebrill 1905; Brynmor P. Jones, *Voices from the Welsh Revival*, (Evangelical Press of Wales, 1995), 106.
12. 'Hebron, Caergybi', *Seren Cymru*, 17 Chwefror 1905; 'Y Diwygiad', *Yr Herald Cymraeg*, 10 Ionawr 1905.
13. 'Cipdrem ar y Diwygiad', *Seren Cymru*, 10 Chwefror 1905.
14. Brynmor P. Jones, *Voices*, 107-8; hefyd *King's Champions*, 71.
15. 'Y Diwygiad', *Yr Herald Cymraeg*, 31 Ionawr 1905.
16. R. B. Jones, *Rent Heavens*, 45.
17. Brynmor P. Jones, *Voices*, 107.
18. 'The Religious Revival', *Caernarvon and Denbigh Herald*, 3 Mawrth 1905.
19. Ibid.
20. Ibid.; 'Y Diwygiad', *Seren Cymru*, 14 Ebrill 1905.
21. 'Caernarfon', *Yr Herald Cymraeg*, 7 Mawrth 1905; ibid., 'Y Diwygiad', 14 Mawrth 1905.
22. Brynmor Pierce Jones, unpublished thesis, 'A biographical Study of the Rev. R. B. Jones (1869–1933), First Principal of South Wales Bible Institute, with a Critical Survey of Welsh Fundamentalism in the first post war era,' 116; hefyd *The King's Champions*, 75-7; 'Yma ac Acw o'r Unol Daleithiau', *Seren Cymru*, 22 Mawrth, 26 Ebrill 1907.
23. Brynmor Pierce Jones, *The King's Champions*, pennod X1V; Noel Gibbard, *Taught to Serve* (Evangelical Press of Wales, 1996), pennod 1.
24. E.e. *Rent Heavens* (Porth, 1930); *Yr Ail-ddyfodiad yng ngoleuni'r Epistolau at y Thesaloniaid* (1919); *Spiritism in Bible Light* (Caerdydd, 1920).

E. Keri Evans (1860-1941)

Noel Gibbard

Un o fechgyn Pontceri, Castellnewydd Emlyn, Ceredigion oedd E.
Keri Evans. Yn ifanc prentisiwyd ef fel saer, ond defnyddiai ei feddwl
hefyd yn ogystal â'i ddwylo, a hynny wrth farddoni a darllen.
Dechreuodd bregethu yng nghapel yr Annibynwyr yn Nhre-wen, ac
aeth i'r ysgol yng Nghastellnewydd Emlyn, yr un pryd ag Elfed, ysgol
yr aeth Evan Roberts iddi yn ddiweddarach. Cafodd Keri gyfle i
ddatblygu ei allu yn y Coleg Presbyteraidd yng Nghaerfyrddin, ac
enillodd ysgoloriaeth Dr Williams i fynd i Brifysgol Glasgow. Yn
ystod ei gwrs cipiodd sawl gwobr am ei waith, a graddio yn y clasuron
ac athroniaeth. Daeth o dan ddylanwad Edward Caird, a'i athroniaeth
idealaidd, a Henry Drummond. Ar ôl treulio tymor yn Leipzig,
dewisiwyd ef yn athro cynorthwyol i Caird.[1]

Yn 1891 apwyntiwyd Keri Evans yn athro mewn athroniaeth yng
Ngholeg Prifysgol Cymru, Bangor, a symudodd i fod yn weinidog
Hawen a Bryngwenith yn 1897. Ymhen tair blynedd derbyniodd alwad
i fod yn weinidog y Priordy, Caerfyrddin, ac yn 1901 penodwyd ef yn
athro Athroniaeth ac Athrawiaeth Gristnogol yn y Coleg Presbyteraidd.[2]

Roedd Keri Evans yn aflonydd yn ysbrydol. Olrheiniodd ei
bererindod yn ei lyfr *Fy Mhererindod Ysbrydol*, a'i symud o'r
prydferth at y gwir ac i'r da a'r sanctaidd.[3] Tra yng Nghaerfyrddin,
cyfeillachai â gweinidogion o gyffelyb fryd, yn arbennig W. W. Lewis
(Methodist Calfinaidd) a W. S. Jones (Bedyddiwr). Cydymdeimlai â'r
mudiadau i hybu'r bywyd ysbrydol uwch, gan gefnogi cyfarfodydd
Reader Harris, QC, yng Nghaerfyrddin yn Ionawr 1904.[4] Nod y
'Pentecostal League', o dan arweiniad Harris, oedd dwyn credinwyr i
lwybr sancteiddrwydd cyflawn a bywhau'r eglwysi.[5] Gwelwyd
arwyddion o gyffro ysbrydol yn y dref yn ystod misoedd 1904, ac ym
mis Tachwedd cynhaliwyd cynhadledd yn festri capel yr Annibynwyr,
Heol Awst. Yn y bore siaradodd y Parch. R. B. Jones, Porth, Rhondda,
ar sancteiddrwydd Duw. Yn y prynhawn, y siaradwr oedd Mrs Penn-
Lewis, ac atgofiwyd Keri Evans am awyrgylch cyfarfodydd
Drummond yn Glasgow. Heriwyd y rhai oedd yn y cyfarfod i ildio eu

bywydau i Dduw, ac ymateb trwy ddweud 'Yes, Lord.'[6] Ar ôl ymdrech galed gwnaeth Keri Evans hynny. Gwyddai'n syth i Dduw feddiannu ei ewyllys; teimlodd ryddhad mawr, ac roedd 'sŵn cynghanedd newydd yn fy isymwybod.'[7] Digwyddodd chwyldro ym mywyd Keri Evans. Un o'i broblemau oedd diffyg cwsg ac o'r herwydd medrai fod yn ddrwg ei hwyl. Setlwyd y broblem yn Heol Awst. Diwrnod neu ddau ar ôl y cyfarfod, aeth i'w ystafell i weddïo, a chredu y derbyniai gymorth pendant i ddelio â'i wendid, ond cafodd lawer mwy na'i ddisgwyl:[8]

> Hyd y cofiaf, y mwyaf a ddisgwyliwn oedd rhyw help i orchfygu drwg dymer, neu i'w chadw rhag fy mlino; eithr yn lle hynny fe'm bedyddiwyd â ffrydiau o nerthoedd bywydol, rhinweddol, trawsffurfiol am tua hanner awr a gwnaeth imi deimlo'n lân, ac iach, a hoenus hyd gyrrau fy mod. Ac nid oedd eisiau tê na choffi i glirio fy mhen! Yr oedd yn brofiad mor rhyfeddol o hyfryd ac adfywiol fel y ceisiais ef drannoeth wedyn, gyda'r un canlyniadau; ac felly y parhaodd am ugain mlynedd nes torri o'm hiechyd i lawr yn 1924.

Ceisiai'r eneiniad bob amser cyn pregethu.

Roedd Keri Evans yn awyddus i gadarnhau ei brofiad, a hefyd, i ddeall yn well y cyffro ysbrydol a oedd erbyn hyn yn ysgwyd Cymru. Cafodd gymorth mewn cynhadledd a gynhaliwyd yn y dref ddiwedd Tachwedd,[9] ond roedd yn awyddus i glywed Evan Roberts, ac felly aeth i'r Gelli, Rhondda, 3 Rhagfyr 1904. Yn y prynhawn siaradodd y diwygiwr am awr ar amodau derbyn yr Ysbryd Glân. Yn ystod y gwasanaeth adroddodd rhywun y geiriau 'There is a fountain filled with blood'. Er bod Keri Evans braidd yn feirniadol o'r geiriau, eto i gyd, hwythau oedd yn ei feddwl pan ddychwelodd yn y trên i Abertawe, lle'r oedd ei gyhoeddiad y Sul. Teimlai yn fwy bodlon ar ôl bod yn y cyfarfod.[10]

Yn ôl yng Nghaerfyrddin, unodd Keri Evans ym mrwdfrydedd y Diwygiad. Nos Lun ar ôl dychwelyd o'i gyhoeddiad yn Abertawe, rhannodd â'i gynulleidfa ei brofiad yn y Gelli, Rhondda. Yna gadawodd y cyfarfod yn agored er mwyn i bawb gael cyfle i gymryd rhan mewn gweddi, emyn a thystiolaeth.[11] Ym mis Rhagfyr 1904 hefyd y llywyddodd Gyfarfod Chwarter yr Annibynwyr ym Mhriordy. Cyhoeddodd na fyddai pregeth, ond yn hytrach adroddodd ei brofiad ysbrydol, a disgwyl eraill i'w ganlyn. Olrheiniodd ei ddatblygiad ysbrydol, gan nodi mai yn Glasgow y profodd argyhoeddiadau ysbrydol gyntaf. Hyd y Diwygiad pregethu syniadau a wnaeth ond yn awr newidiodd popeth. Trodd ei wyneb at Dduw o'r newydd. Bu ymateb brwd i'w gais a llawer yn siarad yn hynod bersonol.[12] Cydweithiai Keri Evans gydag W. W. Lewis, M. H. Jones ac eraill o weinidogion y dref. Trefnwyd gorymdeithiau, a chynnal cyfarfodydd wrth symud o stryd i stryd. Siaradai mewn cyfarfodydd, fel y gwnaeth gyda M. H. Jones yng nghapel yr Annibynwyr Saesneg, ac fel ym Mhriordy, lle y rhannodd, gydag eraill, ei brofiad ysbrydol. M. H. Jones a Keri Evans a siaradodd hefyd yn y cyfarfod cyntaf a drefnwyd ar gyfer gweithwyr yn siopau'r dref. Trowyd y cyfarfodydd dirwest yn gyfarfodydd diwygiadol, ac enynnwyd cydymdeimlad a'r anghenus.[13] Ymwelai grwpiau o gredinwyr â rhannau tlawd y dref ac ymwelwyd hefyd â'r tloty.[14]

Chwythodd gwynt oer dros wres y Diwygiad ym mis Chwefror. Ymddangosodd beirniadaeth Peter Price, Dowlais, ar y Diwygiad yn gyffredinol ac Evan Roberts ei hun yn benodol. Yn ôl Price, tra bod gwir ddiwygiad yng Nghymru, torrwyd ar ei draws gan 'Sham revival' Evan Roberts. Mae'n siwr fod Peter Price yn gweld y perygl o ddyrchafu un person, ac roedd yn iawn i feirniadu rhai o osodiadau Evan Roberts ynglŷn â'r Ysbryd Glân. Ond digon simsan oedd ei haeriad na fedrai Evan Roberts Saesneg, ac ni wnaeth gryfhau ei achos trwy ddifrïo diffyg addysg y diwygiwr. Gwnaeth sawl un ymateb yn anghyfrifol, ond ymhlith y rhai a ymatebodd yn gyfrifol oedd Keri Evans. Rhyfeddodd at ysbryd angharedig Peter Price, a'i feirniadu am bwyso ar deimlad personol. Atgofiodd Peter Price fod llawer o wirionedd sydd y tu hwnt i'n hathroniaeth ni.[15]

Nid oedd capel y Priordy heb ei feirniaid chwaith. Gofidiai un gohebydd fod y bregeth a'r ysgol Sul yn cael eu hesgeuluso, a bod dychweledigion ifanc yn beirniadu rhai mwy profiadol na hwy eu hunain.[16] Ond ni fedrai dim lesteirio brwdfrydedd Keri Evans, yn y Priordy a thu allan. Arwain y cyfarfod gweddi oedd ei gryfder, a flynyddoedd ar ôl y Diwygiad dywedai myfyrwyr y Coleg nad oedd rhaid mynd i Keswick i gael gwledd ysbrydol tra bod Keri Evans ym Mhriordy.[17] Cydymdeimlai Keri Evans â dysgeidiaeth Keswick, ac aeth yno gyda nifer o Gymry yn 1905. Meddiannwyd ambell gyfarfod gan y Cymry hwyliog, er braw i ambell un o'r arweinwyr. Cafodd gweinidog Priordy brofiad ysbrydol dwys yn union ar ôl yr ymweliad hwn, pan na wyddai ai yn y corff ai allan o'r corff yr oedd. Ni roddodd lawer o fanylion am y profiad.[18]

Cyrhaeddodd Evan Roberts Gaerfyrddin ym Medi 1905. Nid oedd yn ymweliad swyddogol. Galwodd i weld ei gyfaill, y Parch. John Williams, a oedd yn ŵr gwadd yng nghyfarfodydd pregethu Heol y Prior (Methodistiaid Calfinaidd). Aeth y sôn ar led fod y diwygiwr wedi cyrraedd a heidiodd y bobl o bob cyfeiriad i'r dref, ar droed, ar feisicl ac mewn cerbyd.[19] Bu'n rhaid cynnal cyfarfod nos Lun yng nghapel Heol Dŵr, ac roedd y lle dan ei sang, a'r bobl yn cyrraedd ddwy awr cyn amser dechrau. Trefnwyd i Evan Roberts siarad. Chwyddodd y sŵn nes ei bod yn amhosibl clywed y diwygiwr. Apeliwyd am dawelwch yn union cyn i John Williams godi i bregethu, ac awgrymwyd cynnal cyfarfod arall yng nghapel Lammas Street. Mynegodd rhai ddymuniad i John Williams fynd i Lammas Street, ac i Evan Roberts a Keri Evans aros yn Heol Dŵr, ond tawelwyd y dyfroedd pan gododd Keri Evans a mynd i gynnal cyfarfod yn Lammas Street. Pregethodd John Williams yn rymus ar ddameg yr heuwr.[20]

Cyrhaeddodd ymwelydd arall y dref ym mis Tachwedd, sef Pastor Howton, o Glossop, swydd Derby.[21] Creodd ei ymweliad gyffro ac anrhefn drwy'r lle i gyd. Pregethai'n ymosodol gan bwysleisio'r angen am brofiad personol o Dduw a goruchafiaeth dros bechod, ond credai yn gryf hefyd mewn iachâd trwy ffydd, agwedd a fyddai'n ganolog yn ei gyfarfodydd. Nid oedd neb yn siwr iawn pwy a'i gwahoddodd i'r dref, ond mae'n amlwg i amryw weinidogion fynd i'w gyfarfodydd. Llwyddodd i drefnu cyfarfodydd mewn pedwar o gapeli'r dref. Ymunodd ei gefnogwyr o Rydaman, Llanelli, Caerlŷr a Bryste ag ef.

Yn y cyfarfod yn Heol Dŵr, siaradodd Mrs Howton, gan restru atebion i weddi, y modd y cafodd ddillad angenrheidiol, a rhai, yn rhagluniaethol, yn talu ei biliau. Dilynwyd hi gan ei gŵr, a chyn iddo ef orffen roedd pawb yn gweddïo, canu, gweiddi a llefain ar draws ei gilydd. Cyfeiriwyd at y cyfarfod fel Bedlam. Yn Sion, arferwyd arddodiad dwylo, oherwydd haerai Howton fod ganddo awdurdod i roi'r Ysbryd Glân i bobl. Credai rhai yn y gynulleidfa mai gallu i hypnoteiddio oedd hyn. Erbyn y trydydd cyfarfod, a gynhaliwyd ym Mhenuel, gwrthwynebwyd ef yn agored, a bu'n rhaid iddo adael a mynd i'r Priordy. Ar y ffordd canent emynau, tra canai torf o bobl, 'Cock Robin.'[22]

Yr un oedd yr hanes ym Mhriordy. Gwrthwynebwyd ef yn agored, a rhai yn gweiddi 'Ai ti yw Pab Rhufain?' Heriwyd ef i ddod y tu allan i drafod ei ddysgeidiaeth, ond nid ymatebodd. Erbyn hyn roedd rhywun wedi anfon am gymorth yr heddlu, a daeth dau blismon i arwain Howton

41

i ddiogelwch ei lety.[23] Yn ystod y dyddiau nesaf beirniadwyd Howton yn
hallt gan weinidogion ac eglwysi, oherwydd y diffyg trefn yn y
cyfarfodydd, yr hyn a ddywedai am yr Ysbryd Glân ac am iddo hawlio
gallu i godi'r meirw.[24] Gwnaethpwyd yn berffaith glir eu bod yn
ymwrthod yn llwyr â'i ddysgeidiaeth. Yr unig un a ddangosodd
gydymdeimlad oedd Keri Evans. Ar sail ei brofiad roedd yn amharod i
gollfarnu Howton er bod gwendidau amlwg yn ei ddysgeidiaeth. Roedd
yn ddidwyll, ac yn rhy esgeulus i fod yn dwyllwr.[25]

Cyfrannodd Keri Evans yn helaeth i hybu'r ffydd efengylaidd.
Ymunodd yn aml â'r Cerbyd Efengylaidd a deithiai'r wlad i efengylu;
ysgrifennodd i'r *Efengylydd* a siaradodd yn gyson mewn cynadleddau
i ddyfnhau'r bywyd ysbrydol. Wrth ddysgu pwysleisiai nad yw
argyhoeddiad yn dröedigaeth. Rhaid i waith yr Ysbryd gyrraedd i'r
gydwybod ac yna i'r ewyllys cyn bod gwir dröedigaeth. Dechreuodd
gynorthwyo yn y Coleg gyda R. B. Jones yn y Porth, ond lluddiwyd ef
gan afiechyd.

Ymddeolodd Keri Evans o'r weinidogaeth yn 1938, a symud i fyw
i Lanelli. Nid anghofiodd am rymusterau'r Ysbryd Glân. Ei weddi cyn
marw oedd am brofi nerth yr Ysbryd, a hynny yng ngeiriau Hatch:
'Breath on me breath of God.' Yr un diwrnod roedd J. Vernon Lewis
yn cyfieithu'r emyn hwnnw i'r Gymraeg. Mynega ddymuniad Keri
Evans ar ei ran ei hun a'i wlad:[26]

1. E. D. Jones, gol. *Y Bywgraffiadur Cymreig 1941–1950* (Llundain, 1970).
2. Ibid.
3. *Fy Mhererindod Ysbrydol* (Lerpwl, 1938).
4. 'Mission Meetings at Carmarthen', *The Welshman*, 22 Ionawr 1904, 5; 1903 yw'r
   flwyddyn a nodir gan Keri Evans ei hun: *Fy Mhererindod Ysbrydol*, 52, arg. 1962,
   49. Hydref 1903, mewn ffynhonnell arall: David Thomas, *Founder of the
   International Holiness Movement* (Llundain, 1933), 38. Mae'r papur lleol siwr o
   fod yn iawn. Roedd David Thomas a Rhys ei frawd yn aelodau selog o'r
   'Pentecostal League'; y ddau wedi eu magu yn y cylch.
5. G. N. Fewkes, 'Richard Reader Harris, 1847–1909'. traethawd angyhoedd
   Prifysgol Victoria, Manceinion.
6. *Fy Mhererindod Ysbrydol*, arg. 1962, 50.
7. Ibid.
8. Ibid., 50-1.
9. M. H. Jones, 'Y Diwygiad yn Sir Gaerfyrddin', *Y Drysorfa*, 1905.
10. *Fy Mhererindod Ysbrydol*, arg. 1962, 67-8
11. 'The Revival in Carmarthen', *The Welshman*, 16 Rhagfyr 1905, 5–6.
12. 'The Revival in Carmarthen', *The Welshman*, 16 Rhagfyr 1905, 5.

13. 'The Revival in South Wales', *The Welshman*, 30 Rhagfyr 1904, 8, ibid., 6 Ionawr 1905, 5; 3.
14. 'The Revival in South Wales', *The Welshman*, 3 Chwefror 1905, 5; 'Carmarthen and the Revival', 24 Chwefror 1905, 5.
15. 'Double Revival in Wales': y llythyr ac ateb Keri Evans yn *The Rev. Peter Price and Evan Roberts. Reprinted from The Western Mail* (1905).
16. 'Priordy, Carmarthen', *The Welshman*, 31 Mawrth 1905, 8.
17. Giraldus Morris, 'I Gofio Keri', *Y Tyst*, 29 Rhagfyr 1960.
18. *Fy Mhererindod Ysbrydol*, arg, 1962, 51-2.
19. 'Mr Evan Roberts at Carmarthen', *The Welshman*, 6 Hydref 1905, 3.
20. Ibid.
21. 'Religion Gone Mad', *The Welshman*, 17 Tachwedd 1905, 6.
22. Ibid.
23. Ibid.
24. Sylwadau a gohebiaeth helaeth: *The Welshman*, 17 Tachwedd 1905, 6; 24 Tachwedd 1905, 5
25. Ibid., 'More about Pastor Howton', 24 Tachwedd 1905, 5.
26. *My Spiritual Pilgrimage*, tr. T. Glyn Thomas.

Evan Roberts (1878–1951)

Kevin Adams

Does dim llawer o le i amau taw'r enw sy'n gysylltiedig â Diwygiad 1904–05 yn fwy na neb arall yw enw Evan Roberts. Er nad ef oedd yr unig ddiwygiwr na hyd yn oed yr un cyntaf i ymddangos, ac er nad aeth i Ogledd Cymru tan fis Mai 1905, eto enw a phersonoliaeth y dyn ifanc o Gasllwchwr sydd amlycaf ym meddyliau pobl wrth feddwl am yr hanes. I lawer, yn gam neu'n gymwys, 'Diwygiad Evan Roberts' oedd Diwygiad 1904–05.

Cyn y Diwygiad yng Nghasllwchwr bu Evan Roberts yn byw gyda'i rieni a'i frodyr a'i chwiorydd yn Island House, Bwlchymynydd, tŷ yn agos iawn i'r afon Llwchwr. Fe'i ganwyd ar 8 Mehefin 1878 a chyn troi'r deuddeg blwydd oed, fel nifer o'i gyfoedion, fe aeth i weithio yn y pwll glo lleol i gynorthwyo ei dad oedd newydd dorri ei goes. Felly bu rhaid iddo adael addysg ffurfiol yn gynnar er mwyn ennill arian i'r teulu.

Fe weithiodd yn y 'Mountain Pit' a'r 'Broadoak', dau bwll lleol, gan fynd dros dro i ddau arall pan oedd gwaith yn brin. Roedd yn weithiwr caled ac yn boblogaidd gyda'i gyd-weithwyr. Mewn ychydig

43

flynyddoedd, er yn ifanc, fe'i dewiswyd i gynrychioli ei gyd-weithwyr yn y cyfarfodydd undeb.[1] Roedd y gwaith yn beryglus ac ar un adeg bu bron iddo gael ei ladd wrth i ddram redeg yn rhydd. Rhwng ei amser yn y lofa a'i yrfa ddiwygiadol bu yn gweithio fel prentis i'w ewythr a oedd yn of yn ardal y Fforest, Pontarddulais.[2]

Er iddo adael addysg swyddogol yn gynnar ni fu hyn yn esgus iddo beidio â datblygu yn feddyliol ar ei liwt ei hun. Llwyddai i fynychu dosbarthiadau nos a gynhelid yng Ngorseinon gerllaw o dan nawdd y Cyngor Sir.[3] Byddai'n ymddiddori mewn darllen gan droi'n aml at y *Gwyddoniadur* a hyd yn oed at ambell nofel dda.[4] Fe astudiai seryddiaeth a chyfansoddi barddoniaeth, ac arweiniodd ei ddiddordeb mewn cerddoriaeth ef fynd ati i ddysgu chwarae'r ffidil a'r organ.[5]

Roedd gwreiddiau ei yrfa ysbrydol ym Moriah, capel y Methodistiaid Calfinaidd yng Nghasllwchwr. Yma y bu'n mynychu'r cyfarfodydd yn ffyddlon nes gadael yr ardal ym Medi 1904. Yma y daeth yn Gristion ac ymaelodi yn yr eglwys. Mae D. M. Phillips, un o'i gofiannwyr cynnar, yn disgrifio'r profiad. 'Nid oes dim tebyg yn ei dröedigaeth ef i eiddo Saul o Tarsus. Pa bryd y cafodd ei ail-eni, nis gŵyr. Y peth cyntaf a gofia bron yw, dyhead y bywyd ysbrydol ynddo.'[6] Dwysawyd ei brofiad wrth ymaelodi yn dair ar ddeg oed, ond er hynny tystiai na welai Grist yn ei holl ogoniant y pryd hwnnw. 'Credai ei fod wedi ei achub, ond rhyw achubiaeth heb ymwybyddiaeth losgedig o gariad Duw yn y galon oedd hi . . .'

Cyn hir tyfodd ei brofiad o dröedigaeth a'i ymaelodi yn y capel i gynnwys dyhead cryf am brofiad dyfnach o'r Ysbryd Glân. Dywed iddo weddïo am dair blynedd ar ddeg am yr Ysbryd Glân. Cynghorodd William Davies, un o'r blaenoriaid, ef am beidio colli cyfarfod rhag ofn i'r Ysbryd ddod. Mynychodd y cyfarfodydd yn ffyddlon, ar y Sul ac yn ystod yr wythnos. 'Llawer tro y gwelais y bechgyn eraill gyda'r badau ar y llanw pan awn i'r capel, a bu arnaf chwant troi yn ôl atynt. Ond na; cofia dy benderfyniad i fod yn ffyddlon, meddwn wrthyf fy hun, ac ymlaen yr awn. Cyfarfod gweddi nos Lun yn y capel, yn Pisgah nos Fawrth, seiat nos Fercher, Band of Hope nos Iau, a dosbarth nos Wener—gyda chysondeb drwy'r blynyddoedd . . .'[8]

Drwy ei ffrindiau a'i gyd-weithwyr yn y gwaith glo ynghyd â'i deulu cawn ddarlun o fachgen ifanc ysbrydol a hynod o gydwybodol, rhywun a oedd yn cymryd y capel a'r neges Gristnogol o ddifri. Roedd darllen y Beibl a gweddi wedi'u plethu i mewn i'w fywyd. Hoffai ddarllen ei Feibl yn y gwaith ac fe gadwai gopi yn agos iddo dan ddaear ac wedi hynny yn efail y gof. Ac os câi gyfle i siarad am rhyw adnod neu bwnc crefyddol byddai wrth ei fodd. Ond beth sy'n troi gŵr ifanc duwiol a thawel yn ddiwygiwr cenedlaethol? Yn ei Feibl teuluol mae'r adnod 2 Cronicl 7:14, sy'n addo diwygiad i'r rhai sy'n ceisio, wedi ei marcio ganddo. Ar ymyl y ddalen gyferbyn â'r adnod fe ysgrifennodd, 'DIWYGIAD: (1) Offerynau; (2) Amodau; (3) Canlyniadau diwygiad', nodyn a wnaeth flynyddoedd cyn 1904.[9] Ac wrth weddïo dros y blynyddoedd daeth Evan Roberts i gredu y byddai ef ei hun maes o law yn un o'r offerynau yn llaw Duw i newid cenedl.[10]

Wrth weithio yn yr efail yn 1903 crisialodd yr her o ymateb i'r weledigaeth ac yn sŵn y pedoli a'r fegin daeth y prentis ifanc i deimlo'n gryf bod Duw yn ei alw i'r weinidogaeth Gristnogol. Dyma ei esboniad i gyfaill iddo a oedd newydd ymateb i'r un alwad:

> Wrth chwilio, yr wyf yn cael y pethau canlynol yn fy nghymell i hyd yma:-
> (1) Awydd angerddol fy enaid, er ys deg mlynedd, yr hwn nis gellais ei ladd
> . . . (2) Llais y Bobl . . . [gweinidogion ac eraill] (3) Cariad Anfeidrol Duw
> yng nghyd a'i addewid am yr Ysbryd Glân . . . [11]

Fe adawodd yr efail cyn y Nadolig 1903 i ddechrau paratoi ar gyfer arholiadau a mynediad i gwrs paratoad yng Nghastellnewydd Emlyn ym mis Medi. Pregethodd ei bregeth gyntaf ym Moriah, nos Sul, 20 Rhagfyr 1903.[12]

Yn y cyfnod rhwng gadael yr efail yn y Fforest a dechrau yn yr ysgol yng Nghastellnewydd Emlyn fe ddyfnhawyd ei brofiad o Dduw mewn modd na ellir ond ei ddisgrifio fel cyfriniol. Mae'n adrodd y stori ei hunan:

> Rhyw nos Wener y gwanwyn diwethaf pan ar fy ngliniau wrth erchwyn y gwely, cyn mynd i orffwys, cipiwyd fi i fyny i eangder, heb le nac amser,— cymundeb a Duw. Cyn hynny Duw yn y pellter oedd gennyf . . . Cymaint oedd y cryndod arnaf fel yr ysgydwyd y gwely ac y deffrodd fy mrawd ac ofnodd fy mod yn dost. Wedi'r profiad hwnnw dihunwyd fi pob nos ychydig wedi un. Yr oedd yn rhyfedd, oblegid ar hyd y blynyddoedd cysgwn fel craig ac ni byddai i unrhyw ddwndwr yn fy ystafell fy neffro. Wedi i mi ddeffro ychydig wedi un, byddwn am rhyw bedair awr yn ddidor mewn cymundeb Dwyfol. Beth oedd nis gallaf ddweyd ragor na'i fod yn Ddwyfol. Yna tua pump y bore cawn gysgu drachefn hyd gwmpas naw, wedi hynny cymerid fi i fyny i'r un cymundeb Dwyfol, ac felly hyd tan

deuddeg i un o'r gloch. Holent fi yn y tŷ p'am na chodwn yn gynt, ac a
oeddwn ar ddihun etc . . . ond yr oedd yn rhy Ddwyfol i ddweud dim
amdano. Parhaodd hyn am tua tri mis . . . [13]

Er bod profiad Evan Roberts yn amlwg yn dyfnhau yn ystod
gwanwyn a haf 1904, bu rhaid iddo aros tan ddiwedd mis Medi cyn
teimlo nerth newydd, oherwydd yn ôl ei dystiolaeth ei hun daeth y
trobwynt ym Mlaenannerch, ger Aberteifi, yr adeg honno.
Fe ddechreuodd ei gwrs paratoad ar 13 Medi yn Ysgol Ramadegol
Castellnewydd Emlyn. Ar ddydd Mercher a dydd Iau y drydedd wythnos
roedd cyrddau wedi eu trefnu ym Mlaenannerch, rhyw awr o bellter o'r
Ysgol. Cyrddau oeddynt i hybu sancteiddrwydd ac i ddyfnhau'r bywyd
ysbrydol. Daeth y dydd Iau, 29 Medi, yn ddydd bythgofiadwy yn ei
hanes. Ar ddiwedd y cwrdd cyntaf 'gweddiai Seth Joshua i ddiweddu, ac
meddai, "Lord, do This, and This, and This, and bend us."' Nid oedd Seth
Joshua yn pwysleisio'r geiriau ond fe deimlodd Evan fod yr Ysbryd yn
gosod pwyslais ar y geiriau iddo ef; 'Dyna sydd yn eisiau arnat ti . . .'
meddai'r Ysbryd Glân wrtho ac aeth i'r cwrdd nesaf am naw o'r gloch yn
teimlo bod rhywbeth mawr ar fin digwydd.

Wedi dechrau'r cwrdd, cyflwynwyd yr odfa i'r Ysbryd. Yr oeddwn yn
ymwybodol y byddai rhaid i mi weddïo. Tra bu hwn a'r llall yn gweddïo,
gofynais inau i'r Ysbryd, 'Gaf fi weddïo'n awr?' 'Aros dipyn bach, '
meddai yntau. Wedi i eraill weddïo, teimlais *living force* yn myn'd i'm
mynwes, daliai fy anadl ac yr oedd cryndod yn fy nghoesau, ac ar ôl bob
gweddi 'Gaf fi yn awr?' gofynwn; a'r *living force* yn cynyddu, cynyddu—
bron â rhwygo—a chyda fod rhywun yn gorffen, a'm mynwes yn berwi
byddwn wedi rhwygo onibai i mi weddïo. Wedi syrthio a'm breichiau dros
y sêt o'm blaen a'm gliniau ar lawr, byrlymai'r chwys a'r dagrau . . . Llefwn
'Plyg fi! plyg fi! plyg fi!' Yna Oh! Oh! Oh! . . . Duw yn canmol ei gariad
a'm plygodd, a minau heb wel'd dim ynddo i'w ganmol. Wedi fy mhlygu,
dyna don o dangnefedd yn dod drosof . . . [14]

Am hanner awr wedi naw ar fore dydd Iau, 29 Medi 1904 daeth
newid a nerth newydd i brofiad Evan Roberts. Aeth i gyfarfod
Blaenannerch fel disgybl tawel; daeth o'r cyfarfod yn ddiwygiwr
llawn nerth a byrdwn i ddod â'i gyd-Gymry at Grist, a byddai'n barod
hyd yn oed i dalu am y fraint.[15] Mae e'n nodi'r trawsnewidiad mewn
llythyr at un o aelodau eglwys Moriah, Casllwchwr: 'Yr wyf wedi
derbyn tair bendith fawr:- 1. Yr wyf wedi colli pob *nervousness*. 2. Yr
wyf yn awr yn gallu canu drwy y dydd—yr oedd rhyw *physical*

impediment yn fy rhwystro o'r blaen. 3 . . . O! dyna waith rhwydd yw diolch yn awr.'[16]

Yn llawn o egni ysbryd ond heb arweiniad, yn ystod mis Hydref bu'n gweddïo, gan geisio gwybod beth oedd y cam nesaf. Cafodd nifer o weledigaethau a danlinellai iddo ei alwad a'r rhan yr oedd i'w chwarae yn y cyffro oedd yn nesáu. Yn un o'r gweledigaethau hyn gwelai ddarlun o Iesu Grist yn estyn siec i'w Dad am gan mil o eneidiau yng Nghymru, a'r Tad yn ei estyn yn ôl iddo wedi ei lofnodi, yr hyn a'i harweiniodd i weddïo'n ddyddiol am i'r weledigaeth gael ei chyflawni.[17] Cafodd gyfle hefyd i gymdeithasu â ieuenctid ardal Ceinewydd oedd yn cynnal cyfarfodydd yn y cylch o dan arweiniad y Parch. Joseph Jenkins.

Ar Sul olaf mis Hydref, wrth glywed y Parch. Evan Phillips yn pregethu ym Methel, Castellnewydd Emlyn, cafodd Evan Roberts arweiniad clir i fynd adref i Gasllwchwr i gynnal cyfarfodydd tebyg i'r rhai a brofasai. Yno ar ddydd Llun 31 Hydref 1904 bu dechrau wythnos o gyfarfodydd pobl ieuanc. Esboniodd ef ei hunan eu pwrpas a'u dull i'w gyfaill, Sidney Evans:

> Wythnos fendigedig. Yr Ysbryd yn gweithio yn rymus. Dyma y cynllun. Agor drwy ofyn i rhyw un ddarllen, un arall i roi emyn, ac un arall i weddïo. Yna yr wyf yn siarad ychydig eiriau. A dyma'r hyn a ddywedir bob nos: 1. Rhaid cyffesu ger bron Duw bob pechod yng ngorphenol ein bywyd sydd heb ei gyffesu. 2. Rhaid symud yr hyn sydd yn amheus yn ein bywyd. 3. *'Total Surrender'*. Rhaid *dyweyd* a *gwneyd* pob peth ddywed yr Ysbryd wrthym. 4. Cyffesu Crist yn gyhoeddus. Dyna'r cynllun ddatguddiodd yr Ysbryd i mi.[18]

Wedi dechrau araf roedd 65 wedi ymateb erbyn diwedd yr wythnos gyntaf. Erbyn diwedd yr ail wythnos roedd pob oedfa yn llawn o bob oedran ac o bob enwad, a'r gweddïo a'r moli a'r cyffesu yn parhau hyd oriau mân y bore. Erbyn 10 Tachwedd roedd y stori am ddiwygiad yn torri allan wedi cyrraedd y papurau newydd. A stori nid yn unig am ddiwygiad ond hefyd am 'ddiwygiwr ieuanc' gwahanol i'r arferol, yn llawn egni a llawenydd ysbrydol, stori hefyd oedd nid yn unig yn help i werthu mwy o bapurau newydd ond a oedd yn lledu'r sôn am y Diwygiad, ac yn cymell mwy o gyfarfodydd gweddïo dros y wlad a phobl yn galw ar i Dduw ymweld â hwy hefyd.

Ar ddydd Sul 13 Tachwedd gwahoddwyd Evan Roberts i lanw pulpud yn Nhrecynon, Aberdâr. Felly aeth yno a chydag ef ei dîm o bum merch. Aeth yr un Sul hwnnw yn wythnosau. Wedi chwe wythnos o 93 o anerchiadau yng nghymoedd Aberdâr, y Rhondda Fawr, y Rhondda Fach, Merthyr a Bro Morgannwg daeth yn ôl i Gasllwchwr i dreulio'r Nadolig gyda'i deulu.[19] Roedd y cymoedd ar dân, cannoedd yn proffesu ffydd o'r newydd, oedfaon gweddi a mawl yn cael eu cynnal yn ddyddiol mewn capeli a lle gwaith, ac arweinwyr crefyddol yn ymhyfrydu bod Duw unwaith eto yn ymweld â'i bobl. Dyna daith gyntaf y Diwygiwr; bu chwe taith arall yng ngweinidogaeth Evan Roberts.

Wedi'r Nadolig bu yn ardal Abertawe, Cwm Nedd, Merthyr a Dowlais (28 Rhagfyr—2 Chwefror 1905). Bu weddill y gaeaf yn Nant-y-moel, Cwm Ogwr, Maesteg a Chwmafan (8-21 Chwefror). Yn y gwanwyn fe deithiodd i gynnal ymgyrch a drefnwyd gan gapeli Lerpwl (28 Mawrth—18 Ebrill) ac yn Sir Fôn y bu ei ymdrech yn Haf 1905 o ddechrau Mehefin tan fis Gorffennaf. Aeth yn ôl i gymoedd Morgannwg eto ddiwedd 1905 (15 Tachwedd—2 Rhagfyr), a daeth ei deithio ffurfiol i ben gyda chenhadaeth yn sir Gaernarfon weddill y gaeaf a'r flwyddyn newydd (5 Rhagfyr—4 Ionawr 1906).

Y saith taith hon oedd cyfraniad mawr Evan Roberts, ac roedd e'n gyfraniad ac elfennau ynddo a oedd yn anghyffredin, sy'n rhannol esbonio pam yr oedd y papurau cenedlaethol yn croniclo ei hanes ef yn fwy na'r arweinwyr eraill. Wrth arwain cyfarfodydd byddai yn rhoi pwys mawr ar arweiniad uniongyrchol yr Ysbryd ar y pryd. Ar adegau teimlai bod yr Ysbryd yn ei gymell ef i orchymyn rhywbeth; er enghraifft roedd Duw yn datguddio iddo ffurf o weddi y dylai pawb ei gweddïo, neu byddai'r Ysbryd yn rhoi neges iddo wrth glywed canu emyn. Yn aml, yn y misoedd cynnar, byddai Evan Roberts yn fodlon tewi pan fyddai rhywun neu rywrai yn canu neu'n gweddïo ar ei draws—hynny yw, meddai, yr Ysbryd oedd yn arwain y cyfarfodydd. Ac os na theimlai bod yr Ysbryd Glân yn dweud dim wrtho roedd yn ddigon hapus i eistedd yn dawel yn y pulpud nes iddo deimlo rhyw gymhelliad cryf.

Wedi disgrifio'r effeithiau anorchfygol a deimlid yn rhai o'r oedfaon, mae un tyst yn nodi:

> Ac eto nid dan ei ddylanwad ef y deuant. Mae ef ar ei orau am roddi ar ddeall i bawb nad yw ef ei hun yn ddim ond offeryn yn llaw'r Ysbryd tragwyddol i gael y bobl i gyffyrddiad mwy byw, mwy uniongyrchol, a mwy personol a'r Ysbryd Glân nag o'r blaen. Tystia symledd ei eiriau a'i ddull i wirionedd ei dystiolaeth yn hyn.[21]

Wrth ysgrifennu am y cyfarfodydd roedd un arall fel Cynddylan Jones yn cael ei atgoffa am ddysgeidiaeth George Fox a'r Crynwyr am y llais mewnol, a noda bod Evan Roberts yn personoli'r llais mewnol ac yn ei briodoli i'r Ysbryd Glân. Noda hefyd bod y Cymry wedi bod yn rhy barod i anwybyddu'r Ysbryd 'mewn pethau cyffredin bywyd'.[22]

Doedd y bregeth draddodiadol Gymreig ddim yn ganolog yng nghyfarfodydd Evan Roberts er bod nifer o enghreifftiau ohono yn siarad am dros awr, fel yn Nhrecynon (Tach. 04)[23] a'r Pîl (Tach. 04)[24], ac ar adegau cymerai destun.[25] Er ei fod wedi dechrau pregethu er mis Rhagfyr 1903, nid dyma ei arfer yng nghyrddau'r Diwygiad.

Cyffesai yn gynnar iawn nad oedd yn paratoi pregeth; yn lle hynny byddai'n agored i'r hyn yr oedd yr Ysbryd yn ei ddweud wrtho ar y pryd.[26] Heb unrhyw fath ar nodiadau byddai yn defnyddio llinellau o emyn yn aml fel man cychwyn.[27] Roedd y rhan fwyaf o'i anerchiadau yn ymateb i'r hyn oedd yn digwydd yn yr oedfa. Ynddynt byddai droeon yn cyfeirio ei wrandawyr at Grist a'i ddioddefiadau—y groes a Gethsemane—a siaradai dan deimlad dwfn. Yn nechrau Rhagfyr 1904 mae'n annerch yn Tonpentre:

Yr wyf yn gwybod eich bod yn cydymdeimlo ag Ef . . . Welwch chwi Fe yn dod allan o'r Frawdle. Y mae'r goron ddrain ar ei ben sanctaidd a'r gwaed yn llifo i lawr ei ddwy rudd fendigaid; y mae ei gefn yn friwedig ar ôl y fflangellu; ei wyneb prydferth yn ddolurus ar ôl y cernodiau; ac y mae ganddo groes drom ar ei gefn yn cychwyn tua Bryn Calfaria i farw drosoch chwi a finnau. Ac mi wn nad oes yma un na fuasai yn hoffi cael y cyfle o'i helpio i'w chario; ond y mae eisiau i chwi droi y cydymdeimlad yna yn fflam o gariad ato a'i gofleidio fel eich Ceidwad.[28]

Prif fyrdwn neges y Diwygiwr oedd nid ceisio dysgu unrhyw beth newydd ond annog cynulleidfaoedd i ymateb mewn ffydd i'r wybodaeth a oedd ganddynt eisoes, a hynny yn aml yn yr un ffordd ag yr oedd ef ei hunan wedi ymateb. Droeon mae'n defnyddio esiamplau o'i brofiad ei hun. Mae'n sôn am ei 'blygu' ym Mlaenannerch ac am y ffyrdd y bu Duw ar waith ynddo. Nid cyflwyno pregeth a wnâi Evan Roberts yn gymaint â rhannu profiad.

Roedd ei gyfarfodydd yn anghyffredin hefyd oherwydd y lle y byddai yn ei roi i weithgareddau uniongyrchol eraill yr Ysbryd, gan gynnwys gwybodaeth oruwchnaturiol am unigolion yn yr oedfa. Fe ddywedai fod rhywun i gymryd rhan mewn gweddi neu adrodd adnod,[29] fod nifer eto i gyffesu Crist,[30] bod rhyw bechod heb ei gyfaddef[31] neu bod rhyw weinidogion yn siarad yn ei erbyn.[32] Yng Nghwmafan cyhoeddodd nad oedd diben gweddïo dros un yn y gynulleidfa am ei fod ar goll.[33] Bu'r pethau anarferol hyn yn dramgwydd i lawer ac yn brawf o law Duw i eraill. Bu yna nifer yn y canol yn methu penderfynu. Person digon unigolyddol oedd Evan Roberts, y cyntaf o arweinwyr diwygiadol Cymru i beidio â dibynnu ar 'y bregeth' fel ei brif arf i ledaenu'r neges. Ac yn hynny roedd yn rhyw fath ar esiampl o rai o'r arweinwyr Pentecostalaidd a Carismataidd a oedd i ddod. Mae'n siwr bod rhai ohonynt yn edrych ato fel esiampl felly.[34]

Mae'n wir dweud hefyd fod ymateb y bobl yn llai diwinyddol ei gynnwys nag yn y diwygiadau a fu cyn hynny; mae elfen o sentimentaleiddiwch yn llawer o'r tystiolaethau, y canu a'r gweddïo. Ymateb syml, emosiynol yn sŵn moliant oedd ymateb llawer i neges Evan Roberts, ac eto nid yw'r symldra o reidrwydd yn nacáu realiti y profiad. Un peth sy'n cael ei nodi yn aml wrth geisio disgrifio'r Cymry crefyddol cyn y Diwygiad yw bod yr emosiwm a'r sêl a'r realiti wedi cilio nid yn unig o'r gynulleidfa ond o'r pulpud hefyd. Roedd aruthredd a grym yr efengyl wedi'i golli ym marddoniaeth a chelfyddyd y bregeth boblogaidd.

Mewn oes pan oedd Cristnogaeth wedi mynd i raddau helaeth yn ffurfiol ac yn barchus, daeth personoliaeth a phwyslais unigryw Evan Roberts â newydd-deb a bywyd i filoedd o'i gyd-Gymry, ac efallai mai dyna ei gyfraniad mwyaf.

1. *Y Diwygiad a'r Diwygwyr* (Dolgellau, 1906), 16.
2. Ibid., 35-6
3. Idriswyn, *Y Diwygiad a'r Diwygiwr*, 11.
4. *Y Diwygiad a'r Diwygwyr*, 29.
5. Ibid., 14.
6. D. M. Phillips, *Evan Roberts a'i Waith* (Caerdydd, degfed arg., 1924), 91.
7. Ibid., 92.
8. *Y Diwygiad a'r Diwygwyr*, 38. Adroddwyd yr hanes i'r Parch. T. Francis ar ddydd Mercher, 28 Rhagfyr 1904.
9. Ibid., 34.
10. Ibid., 17.
11. *Evan Roberts a'i Waith*, 120.
12. Idriswyn, 10.
13. *Y Diwygiad a'r Diwygwyr*, 38-9.
14. Ibid., 41-2.
15. Ibid., 42.
16. *Evan Roberts a'i Waith*, 185.

17. Idriswyn, 12.
18. *Evan Roberts a'i Waith*, 293. Darn o lythyr 5 Tachwedd 1904.
19. R. Tudur Jones, *Ffydd ac Argyfwng Cenedl*, Cyf. 2 (Abertawe, 1982).
20. Ibid., pennod 5.
21. *Y Diwygiad a'r Diwygwyr*, 83. Abercynon, Rhag. 2, 1904.
22. Cynddylan Jones, 'Diwygiad Uniongyrchol o'r Nefoedd', Idriswyn, 36.
23. Idriswyn, 19.
24. *Y Diwygiad a'r Diwygwyr, 72.*
25. Hafod, Rhag. 16, *Western Mail Religious Revival Publication* 2:10, Gen. 12:1
26. 'I have been asked concerning my methods. I have none. I never prepare the words I shall speak. I leave that to Him.', *Llanelli Mercury*, Dec. 29, 1904.
27. e.e., Ynyshir, Rhag. 9, *Western Mail R. R. P.,* 2:1 neu fel yng Nghwmbwrla, Ion. 3, 1905 yn siarad ar yr adnod oedd y tu ôl i'r pulpud, *Western Mail R. R. P.,* 3:7.
28. *Y Diwygiad a'r Diwygwyr*, 29.
29. *Western Mail R. R. P.,* 4:12, Maesteg, Chwef. 3.
30. Ibid., 3:28. Merthyr, Ion. 30.
31. Ibid., Merthyr, Ion. 30.
32. Ibid., 3:26. Ardal Merthyr, Ion. 26
33. Ibid., 4:24 Chwef. 21
34. Frank Bartleman, *The Roots of Modern-day Pentecost*, 1925 (1980).

J. T. Job (1867–1938)

Dafydd Job

Swn yr ystormydd; eira ar fynydd;
Clychau'r Nadolig i gyd ar dân;
Fflam y DIWYGIAD yn mynd ar gynnydd—
A'r Iesu'n dychwelyd i Wlad y Gân!

Felly y disgrifiwyd Nadolig 1904 gan J. T. Job, gweinidog eglwys y Carneddi, Bethesda. Ond os oedd profiadau'r Nadolig hwnnw'n fawr a bendithiol, bu'r daith a arweiniodd at hynny yn un dros uchelfannau golau a thrwy ddyffrynnoedd pur dywyll.

Brodor o'r De oedd John Thomas Job, wedi ei eni a'i fagu ym mhlwyf Llandybïe yn sir Gaerfyrddin. Fe'i ganwyd yn 1867 i John a Mary Job, ill dau yn hannu o deuluoedd duwiol yn yr ardal. Ef oedd yr ieuengaf o'r tri plentyn a oroesodd. Roedd ei dad yn un o reolwyr glofa Cae'r Bryn.

Gafaelodd dau ddiddordeb ynddo yn ifanc iawn, sef crefydd a barddoniaeth. Tystiai yn ddiweddarach nad oedd 'yn cofio adeg pan nad apeliai'r Beibl yn gryf ataf'.[1] Roedd y teulu yn amlwg yn achos y Methodistiaid Calfinaidd yn Llandybïe, ac ar eu haelwyd hwy yr arhosai'r pregethwyr a ddeuai i wasanaethu'r achos. Er iddynt symud i Rydaman yn 1882, eto parhaodd y cysylltiad â'r achos yn Llandybïe. Dyma ei eiriau am ei fam: 'Dyma ei *text-books* hi—y Beibl, y Llyfr Emynau ac Esboniad James Hughes. Darllenodd bregethau Charles, Caerfyrddin ddwsinau o weithiau drosodd; Pregethau Jones, Tal-y-sarn a Phregethau Islwyn.' Ei geiriau olaf ar ei gwely angau oedd 'Tyn fi, a mi a redaf ar dy ôl'[2]. Dylanwad mawr arall oedd ei ewythr, y Parch. Thomas Job, Cynwil Elfed. Ysgrifennai'r ddau at ei gilydd yn gyson, a trysorai farn ei ewythr.

Yr oedd Islwyn y bardd yn gymaint arwr ar yr aelwyd ag Islwyn y pregethwr. Medrai Job gynganeddu'n ifanc, gan lunio englynion cywir erbyn ei fod yn ddeuddeg oed. Mae'n cyfaddef mai pregethwyr a beirdd oedd ei wroniaid ar y pryd, ac mai'r gorau o'r cwbl oedd y bardd-bregethwr. 'Dyna fy *ideal* i—pregethwr a hwnnw'n fardd.' Wedi iddo symud i Rydaman aeth i Ysgol y Gwynfryn, dan Watcyn Wyn, lle porthwyd ei ddiddordeb mewn barddoniaeth.

Aeth i Goleg Trefeca am bedair blynedd, lle y daeth o dan ddylanwad David Charles Davies. Yn 1893 dechreuodd ei weinidogaeth yn Nazareth, Aberdâr, a'i ordeinio yn 1894, y flwyddyn y priododd ag Etta Davies, Ceinewydd. Enillodd y gadair yn Eisteddfod Genedlaethol Casnewydd yn 1897, y goron yn Lerpwl a'r gadair eto yn Llanelli. Symudodd i'r Carneddi, Bethesda, sir Gaernarfon yn 1898, a'r haul yn gwenu arno. Ond fel y patriarch o'r un enw, daeth tro ar fyd.

Yn 1900 torrodd y streic fawr yn chwarel y Penrhyn. Y diwydiant llechi oedd sylfaen economi'r ardal, ond roedd yr Arglwydd Penrhyn, yn wahanol i'w dad, yn ddi-feind o'i weithwyr a'u hamgylchiadau. Gweithiai'r chwarelwyr dan amodau difrifol a daeth y cwbl i ben yn y streic enwog, a barhaodd hyd at 1903. Gorfodwyd llawer o'r dynion a'r bechgyn ifainc i fynd i gymoedd y De i edrych am waith yn y pyllau glo. Ymfudodd eraill i'r Amerig. Yn y cyfamser, roedd y rhai a dorrai'r streic yn cael tai gwell, a phob mantais. Rhwygwyd y gymdeithas, gyda dioddefaint enbyd ymhlith y teuluoedd. Rhannwyd pobl y pentref yn streicwyr neu'n fradwyr. Effeithiodd yr aflwydd ar y capeli. Ni feiddiai gweinidog ofyn i 'fradwr' gymryd rhan yn gyhoeddus, neu fe fyddai gweddill y gynulleidfa yn cerdded allan o'r cyfarfod. Cymdeithas doredig oedd hon yn 1904.

Roedd Job hefyd wedi wynebu ei dristwch enbyd yn ystod y cyfnod hwn. Ar ben ei ofid o fod yn weinidog yn gweld ei bobl yn dioddef, gwelodd ei ddwy ferch yn clafychu a marw. Yna aeth ei briod yn sâl ac er gwaethaf pob ymdrech, aeth hithau at ei Gwaredwr yn 1901, gan ei adael i ofalu am fab bychan. Erbyn Mehefin 1902 roedd hwnnw yn ei fedd. Flynyddoedd yn ddiweddarach, pan ysgrifennodd ei emyn *'Ar yrfa bywyd yn y byd/A'i throeon enbyd hi'* ysgrifennu o brofiad ydoedd.[3]

Agorodd 1904 felly gyda chwmwl mawr dros ardal. Ond os oedd tristwch, nid oeddynt heb obaith. Mewn dogfen sy'n cofnodi hanes yr achos yn y Carneddi, mynega ysgrifennydd yr eglwys hiraeth am 'ymweliad nerthol oddifry: yr olaf yn unig fedr weddnewid wyneb gwlad'. Yn ei ddyddiadur ar Ionawr y cyntaf diolchodd Job am gael gweld blwyddyn newydd ac ysgrifennodd 'Eiddunaf Oleuni a nerth ganddo Ef i dreio tynnu y gŵys yn weddol union—gan edrych ar Iesu', geiriau a fyddai'n dod i ben mewn modd rhyfedd cyn diwedd y flwyddyn.

Ym mis Mai derbyniodd lythyr oddi wrth ei dad-yng-nghyfraith yng Ngheinewydd yn sôn am ddiwygiad ysbrydol ymysg pobl ieuanc yno. Mae'n rhoi hanes rhai o'r bobl a effeithiwyd, gan gynnwys Florie Evans, Maude Davies a May Phillips.

> The place was last night over-packed. Mae hen feddwon yn dwad y mewn, ag yn y cyfarfod yn gweiddi allan am weddi drostynt ag yn moli Duw cyn mynd allan. Ie, fel hyn mae yma nawr, gobeithio fod parhad ynddo. Mae yn hawdd pregethu a gweddio yma nawr.

Wrth gymryd ei wyliau blynyddol teithiodd i Geinewydd i bregethu a gwelodd yr hyn oedd yn digwydd yno. Ymwelodd â'r De i bregethu eto yn niwedd Hydref, ac yno bu'n aros gyda dau o gyfeillion a fyddent hwythau'n dod o dan ddylanwad y diwygiad, sef Twynog yn y Rhymni, a D. Cunllo Davies yn Nowlais. Mae'n anodd tybio nad oedd y symudiad yn y Cei yn destun eu sgwrsio.

Diau iddo ddweud yr hanes yn y seiat yn eglwys y Carneddi, a'r saint yng nghylch Bethesda. Roedd rhai yno'n cofio diwygiad '59, a 'bu yma drydar distaw ond dwys, yn ystod y misoedd diwethaf, wrth Borth y

Nefoedd.'[4] Trefnodd Eglwysi Rhyddion Bethesda i'r Parch. Hugh Hughes, gweinidog gyda'r Wesleyaid, i bregethu am bedair noson yng Nghapel Jerwsalem, gan ddechrau ar nos Lun, 21 Tachwedd.

Prynhawn dydd Mawrth daeth y chwiorydd ynghyd i weddïo am fendith ar gyfarfod yr hwyr. Roedd dros ddau cant ohonynt yn bresennol. Doedd dim amheuaeth ym meddwl Job—'Mae'r Diwygiad wedi dod yma! Diolch byth!'[5] Y diwrnod canlynol roedd pum cant o wragedd yn y cwrdd gweddi yn y prynhawn. Cynhelid cyfarfod gweddi eto am awr cyn yr oedfa nos, ac yn dilyn cafwyd cyfarfod gweddi i'r bobl ifainc am tua tair awr. Cynyddai'r ymdeimlad o fod rhywbeth arbennig yn digwydd. Trefnwyd bod cyfarfodydd pregethu am bump noson yr wythnos ddilynol, a nododd Job iddi fod yn bythefnos fythgofiadwy. Ac eto roedd yn ymwybodol bod mwy i'w brofi—dyma flaen-don y Diwygiad.[6]

Ymhen tair wythnos roedd Joseph Jenkins yn ymweld â'r Gogledd. Roedd ef a Job yn gyfeillion[7] a naturiol felly oedd iddo ddod i Fethesda. Ar ddydd Mercher, 21 Rhagfyr 21, cyrhaeddodd aelwyd y Fron, ynghyd â Florrie Evans a Maud Davies o'r Cei, a thair geneth 'newydd eu tanio' o Dal-y-sarn. Yr oeddynt i gynnal cyfarfodydd yno am ddwy noson, ac ar y nos Iau cafwyd yr hyn a ddisgrifiodd Job fel '*Hurricane*' yr Ysbryd Glân!'

Ar nos Iau pregethodd Joseph Jenkins ar Philipiaid 2:12-13, a'i bwyslais oedd ar Dduw yn gweithio ynom. Rhaid iddo Ef gael ei ffordd ynom. 'Yr oedd y bregeth drwyddi, yn gorchfygu bob cam y cerddai'. Ceisiodd Job ddisgrifio yr hyn a ddigwyddodd iddo:

> Teimlais *yr Ysbryd Glân* fel cenllif o oleuni yn peri i'm natur siglo drwyddi; Gwelais *Iesu Grist*—ac aeth fy natur yn llymaid wrth ei draed; a gwelais *fy hunan*—a mi a ffieiddiais! A pheth mwy a ddywedaf? Nid oes genyf ond gobeithio nad wyf yn twyllo fy hun. Ond O! y mae Cariad Duw yn Angeu'r Groes yn ofnadwy o rymus![8]

Yn ei ddyddiadur ysgrifennodd: 'Tybed ai dyma noson fawr fy nghadwedigaeth . . . Dyma'r noson, fyth mi gofiaf.' Y bore dilynol aeth Joseph Jenkins a'i gyfeillion yn ôl i Dal-y-sarn, ond parhaodd y fendith yn ei grym ym Methesda.

Gwelodd Job fod yr hyn oedd yn digwydd â'i arwyddocâd mewn sawl ffordd. Yn gyntaf, credai y byddai'n cael effaith llesol ar y gymdeithas doredig ym Methesda. Gwyddai o brofiad gymaint o chwerwedd a chasineb oedd wedi dod i'r ardal yn sgîl y streic fawr.

Roedd angen cymod rhwng teuluoedd a chymdogion. Ychydig o drigolion yr ardal oedd heb fod yn aelodau mewn rhyw gapel neu eglwys yn y cylch, felly ni ellid disgwyl cymaint o gynnydd yn nifer yr aelodau.[9] Ond dan ddylanwad y Diwygiad, bu i amryw ofyn am gael ail roddi eu haddewidion aelodaeth. Cyffesai amryw fod yr Ysbryd Glân wedi rhoi'r gallu iddynt faddau i'w cymdogion. Ym mis Mai, 1905 cafodd wahoddiad i fynd yn fugail i Eglwys Llwynbrwydrau yn y De, ac wrth egluro ei resymau dros wrthod yr alwad dywed:

Credaf y gallaf fod o fendith iddynt yma etto—yn eu gwaith yn 'tynnu i fyny o'r anialwch' a grewyd gan y 'streic' ddiweddar yma: a da gennyf ddweyd fod 'y Diwygiad' presennol wedi hyrwyddo y ffordd i'r cyfeiriad hwnnw yn ddirfawr iawn.'

Ar y llaw arall, ofnai fod rhai o'r proffeswyr yn cadw draw o'r cyrddau oherwydd na fynnent ollwng y chwerwedd a ddaeth yn sgîl y streic. Nid oeddynt yn rhoi cyfle i'r Ysbryd Glân wneud ei waith.

Yn ail, credai mai ymweliad o'r fath oedd angen mawr Cymru a'r byd. Yn ei ddyddiadur ar ddiwedd y flwyddyn ceir y geiriau hyn: 'Diolch i Ti am "Y Diwygiad". Meddianned Gymru i gyd, a Phrydain Fawr oll—ie, a'r byd i gyd! Deled Dy Deyrnas, O, Iesu Annwyl!' Felly roedd yn gyfrifoldeb arno i gofnodi'r hyn oedd yn digwydd, ac annog eraill i geisio'r un fendith. Ymddangosodd adroddiadau o'i eiddo'n gyson yn y *Goleuad*, a bu'n ysgrifennu i gyfnodolion eraill, megis y *British Weekly*, i beri fod yr hanes yn mynd ar led. Gwelodd fel yr oedd hanes y symudiad yn y Cei wedi effeithio ar y saint ym Methesda. Erbyn ymweliad Joseph Jenkins â Bethesda roedd pobl yr ardaloedd oddi amgylch wedi clywed ac wedi cael eu casglu ynghyd i wrando arno. Yn eu plith yr oedd myfyrwyr o Goleg Bangor, a fyddent eu hunain yn cael eu dylanwadu'n fawr gan y Diwygiad. Wrth i'r hanes ymledu deuai ceisiadau iddo yntau am weddi o rannau eraill o'r byd, megis yr Alban, Iwerddon, De Affrica a'r India.

Yn drydydd, credai fod ganddo gyfrifoldeb nid yn unig i annog, ond i fynd. Esgorodd y Diwygiad ar weithgaredd mawr. Ar ddydd Nadolig 1904, oedd yn ddydd Sul, roedd yn dweud yr hanes wrth bregethu ym Metws-y-coed a Llanrwst. Yna yn ystod wythnos gyntaf Ionawr aeth â nifer o bobl o Fethesda i gynnal cyfarfodydd yng Nghapel Curig ac Aber. Yr wythnos ganlynol bu ym Mhen-y-groes, Niwbwrch, Bae Colwyn, Glanconwy, ac yn ôl i Fae Colwyn cyn dychwelyd adref ddydd Sadwrn i gael 'rest' cyn pregethu'r Sul ym Methesda. Bu'n weithgar ym Môn ac Arfon yn arbennig, a phan nad oedd oddi cartref byddai nifer o gyrddau gweddi yn ddyddiol ym Methesda. Yn ei ddyddiadur mae'n nodi iddo fod mewn 96 o gyfarfodydd ym mis Ionawr, a bu'r misoedd nesaf yn ddigon tebyg iddynt. Nid yw'n rhyfedd ein bod yn ei gael yn ei wely ym mis Mawrth am wythnos[10]. Yn ystod yr wythnos hon y ceir yr unig gyfeiriadau ganddo iddo gyfansoddi emynau. Cyfansoddodd ddwy emyn ar thema 'Cofio y Gwaed'. Cyfieithodd ddau emyn o'r Saesneg hefyd, ar gais yr Athro Hugh Williams, Bala.[11]

Ym mis Ebrill clywodd Evan Roberts yn Lerpwl, ond nid oedd yng nghyfarfod Chatham Place lle roedd y 'gelynion'.[12] Cyfarfu ag Evan Roberts ddwywaith ar ôl hynny, unwaith yng Nghaernarfon a'r tro arall ym Môn.

Gwelai Job werth tystiolaeth bersonol. Daeth ambell i weithiwr yn ôl o'r De wedi ei danio gan y Diwygiad yno. Cymerai Job hwy gydag ef i ddweud eu hanes. Defnyddiai hefyd fyfyrwyr o'r coleg ym Mangor. Roedd hefyd yn arferiad cael rhywun i ganu unawd. Mae un enghraifft o Job ei hun, ar ddiwedd anerchiad mewn cyfarfod misol, yn cael cais i ganu. Meddai ar lais swynol a chyda'r byrdwn *'Galw finnau, galw finnau, Iesu annwyl, ar dy ôl'* roedd y lle'n foddfa o ddagrau. Ni chyfyngid y cyfarfodydd i'r capeli ychwaith. Ar ei ffordd o Dŷ-croes i Rhos-y-bol, cynhaliwyd cyfarfod ar y stryd ym marchnad Llangefni, gyda myfyrwyr o Fangor a Miss May John.

Ond os oedd y canu a'r tystiolaethu yn gyfryngau bendith, eto gwelai ddwy nodwedd arall o'r gwaith oedd yn fwy arwyddocaol. Yn gyntaf, credai mai prif gyfrwng dwyn gwaith Duw yn ei flaen fyddai pregethu. Mae'n wir fod adegau pryd y bu'n rhaid distewi. Yng Nghapel Ucha, Clynnog ar nos Sul olaf Ebrill dywed: 'Methu cael cymaint â dweyd fy nhestun heno—gan y gorfoledd! Y lle yn dân o weddïau hyd 9.00 pm!'[13] Yn Llangoed, gyda Job a J. H. Williams, Llangefni i bregethu, aeth y cyfarfod yn gyfarfod gweddi ulw wedi'r bregeth gyntaf—'ac felly ni phregethodd JHW'[14] Fodd bynnag, roedd yn credu mai eithriadau oedd yr enghreifftiau hyn i fod. 'Tuedd rhai, mi wn, y dyddiau hyn, yn nghanol gwres y canu a'r gweddïo, yw meddwl fod "dydd y bregeth" wedi dod i ben. Ond ni fu erioed mwy camsynied. Fe bery "pregethu" hyd ddiwedd y byd.'[15] Yn gyson yn y dyddiaduron mae'n mesur y pregethu, gyda geiriau megis 'y Llewyrch', 'yr eneiniad' pan deimlai fod yr Ysbryd yn bendithio. A'r neges y dylid ei phregethu oedd yr hen efengyl am Iesu Grist a'i groes — 'Hyhi sydd yn ennill eneidiau i fab Duw o hyd, ac yn adeiladu y saint'.[16] Yr ail nodwedd arwyddocaol oedd fod Duw yn rhoi ysbryd gras a gweddïau fel ffrwyth amlwg i'r gwaith. Roedd angen iachâd ar gymdeithas Bethesda wedi'r blynyddoedd a fu. Bu cyfarfodydd gweddi'r chwiorydd, a gynhelid bob prynhawn am fisoedd, yn gyfrwng dwyn llawer i gyffesu eu chwerwedd, gan ei adael wrth droed y groes. Roedd y cyfarfodydd i'r bobl ifainc, a'r cwrdd a ddechreuodd i blant o dan ddeuddeg oed[17] yn fannau lle roedd hefyd yn ymwybodol fod Duw ar waith. Wrth i gorwynt diwedd 1904 a hanner cyntaf 1905 dawelu, gadawyd awel dyner ar ei hôl, gyda'r cyrddau gweddi heb fod mor aml, ond yn parhau'n llawn arwyddion fod y bobl yn ymwybodol o bresenoldeb Duw.

Yn ystod yr haf ymwelodd Job â'r Cei unwaith eto, a phrofi'r fendith oedd yn parhau yno. Nid oedd mor brysur wedi'r haf, ond aeth i ambell fan, ac yn Gronant profodd 'nerth eithriadol oddiuchod'. [18]

Ymhen blynyddoedd ailbriododd, ac yna gadawodd y Carneddi am Abergwaun lle bu'n weinidog am 20 o flynyddoedd hyd ei farw. Parhaodd dylanwad y Diwygiad arno, drwy gyfnod tywyll y Rhyfel Mawr, a mynnodd gredu mai Duw biau'r gair olaf yn hanes y byd ac yn hanes ein cenedl. Yn yr awdl a enillodd iddo'r gadair yn Eisteddfod Castell-nedd 1918[19] mynega ei hyder mai hanes ymwneud Crist â'r genedl oedd ei gogoniant. A dyma fyddai ei dyfodol hefyd. Yn ei eiriau ei hun:

> *Dduw Iôr ein tadau, nefol Dad,*
> *O! achub a sancteiddia'n gwlad;*
> *Cysegra'n dyheadau ni*
> *I geisio dy ogoniant Di.*

1. *Y Traethodydd*, Cyfres 2. Cyf IV, 1916, 173
2. J. T. Job, 'Marw Goffa Mrs. Mary Job', *Y Goleuad* 4 Mai 1898, 12
3. Er hyn mae ei ddyddiaduron o'r cyfnod hwn yn dangos na chwerwodd ei ysbryd o gwbl. Tystiai i ddaioni Duw, ac eiddigeddai ddedwyddwch ei deulu'n mwynhau cwmni yr Oen.
4. J. T. Job yn *Y Diwygiad a'r Diwygwyr* (Dolgellau, 1906), 144
5. J. T. Job, Dyddiadur 1904, Tachwedd 22
6. Ibid., Rhagfyr 3. Mae'r dyddiadur yn llawn o ymadroddion megis 'O, olygfa

ryfedd', 'Ofnadwy o fendigedig', 'Y lle'n foddfa', 'Mae'r Iesu yma'.

7. Joseph Jenkins a weinyddodd ym mhriodas Job ac Etta, ac mae llythyr tyner o'i eiddo yn cydymdeimlo â'r bardd ar farwolaeth ei briod.

8. J. T. Job yn *Y Diwygiad a'r Diwygwyr* (Dolgellau, 1906), 217

9. Ychwanegwyd oddeutu 140 i aelodaeth eglwysi Bethesda yn ystod dau fis cyntaf y diwygiad.

10. Derbyniodd gerdyn post gan Joseph Jenkins ar Fawrth yr ail: 'Llais wedi mynd. Y nervous system yn gwrthdystio. Rhaid i mi dewi am ychydig . . . Ni chefais y fath *fever* o passion pregethu o'r blaen. Dyna *pity* fod ugain mlynedd o gysgu wedi bod.

11. Y ddau emyn oedd 'We come unto our fathers' God', a 'Praise to the Holiest in the heights.'

12. Dyddiadur Mawrth 14, 1905

13. Ibid., Ebrill 30.

14. Ibid., Mehefin 20

15. J. T. Job yn *Y Diwygiad a'r Diwygwyr* (Dolgellau, 1906), 328

16. Ibid., 146

17. Dyddiadur. Dechreuodd y cyrddau plant hyn ar Ionawr 24 gyda 50 yn bresennol— 'yr hynaf ddim uwchlaw 13 a'r ieuengaf oddeutu 4! Pob un yn canu am Iesu Grist â'i holl egni!'

18. Dyddiadur. Rhagfyr 25 1905

19. 'Eu Nêr a Folant' oedd teitl yr awdl, a defnyddiodd lythrennau cyntaf y geiriau i greu enw i'w fab, Enaf, a anwyd yr un flwyddyn.

Nantlais (1874–1959)

Goronwy Prys Owen

Ganed William Williams, y daethpwyd i'w adnabod yn ddiweddarach fel Nantlais, anwylyn cenedlaethau o blant Cymru, yn Llawr-cwrt, Gwyddgrug, Pencader, sir Gaerfyrddin, yn Rhagfyr 1874. Ef oedd yr ieuengaf o ddeg o blant Daniel a Mari Williams, aelodau o'r eglwys yn New Inn, a'r capel hwnnw oedd ei gartref ysbrydol cyntaf yntau. Derbyniodd ei addysg elfennol yn Ysgol y Bwrdd, New Inn, ond oherwydd marwolaeth ei frawd, bu rhaid iddo ymadael â'r ysgol pan oedd yn ddeuddeg oed a dechrau ar brentisiaeth fel gwehydd. Yn ugain oed fe ddechreuodd bregethu, ac yn gynnar yn 1895 aeth i Ysgol Ramadeg enwog Castellnewydd Emlyn. Oddi yno aeth i Goleg Trefeca yn 1897, ond gadael heb orffen ei gwrs gan iddo dderbyn galwad i fugeilio eglwys Bethany, Rhydaman, (ei unig ofalaeth) yn 1900.

Ordeiniwyd ef yn y Sasiwn a gynhaliwyd yng nghapel Heol-y-Dŵr, Caerfyrddin, yn Awst 1901. Yn 1902 priododd ag Alice Maud Jones, wyres y Parchedig Ddr Thomas Job, Cynwyl, a ganwyd iddynt dri mab a dwy ferch, ond bu hi farw yn 1911. Priododd Nantlais drachefn yn 1916 ag Annie Price, prifathrawes ysgol Aberpennar. Ymddeolodd yn 1944, a bu farw 18 Mehefin 1959, a'i gladdu o flaen capel Bethany, Rhydaman.[1]

Dylanwad y Diwygiad

Ni ellir deall na gwerthfawrogi bywyd a gwaith Nantlais heb ystyried y modd y dylanwadwyd arno gan Ddiwygiad 1904–05. Yr oedd yn weinidog ifanc brwd yn 1904 a'i uchelgais oedd bod yn fardd-bregethwr poblogaidd. Gwahoddwyd ef i wyliau pregethu yn y De a'r Gogledd, ac enillodd nifer o gadeiriau eisteddfodol yn ogystal â'r wobr am gyfres o delynegion yn Eisteddfod Genedlaethol Bangor, 1902. Er hynny, teimlai'n anniddig ac ni wyddai beth oedd tangnefedd mewnol.

Ac eto, bu bron iddo golli'r fendith. Digwyddai fod yn pregethu yng nghapel Heol-y-dŵr, Caerfyrddin, ar Sul yr oedd gŵr o'r enw Mr W. R. Lane yn cynnal cenhadaeth yn y dref dan nawdd y Cyngor Eglwysi Rhyddion. Yr oedd cyfarfod yn Heol-y-dŵr y nos Sul hwnnw am wyth o'r gloch, a phenderfynodd Nantlais fynd iddo. Ar ddiwedd y bregeth gofynnodd Mr Lane i bawb blygu'i ben, ac i bwy bynnag a ddymunai gael rhywun i weddïo drosto i godi ar ei draed. Teimlodd Nantlais awydd codi, ond gan fod yno rai o Rydaman yn ymyl, ymataliodd, gan golli'r fendith yn yr oedfa honno.[2]

Flwyddyn neu ddwy ynghynt, cyn bod sôn am y Diwygiad, estynnwyd gwahoddiad i'r Parchedig Joseph Jenkins, Ceinewydd, i wasanaethu yng nghyfarfod pregethu Bethany ar y Sul a'r Llun, 6 a 7 o Dachwedd 1904. Erbyn hynny yr oedd y si wedi cyrraedd Rhydaman fod diwygiad wedi cychwyn yn y Cei, a theimlodd Nantlais y dylai baratoi'r ffordd y Sul blaenorol. Pregethodd ar y geiriau, 'Edifarhewch . . . a chwi a dderbyniwch ddawn yr Ysbryd Glân.' Yn dilyn awgrym un o'r blaenoriaid, cynhaliwyd wythnos o gyfarfodydd gweddi, ond yn ôl ei addefiad ei hun, er i'r cyfarfodydd eu hunain fod yn fendithiol, ('torrodd y tyner law yn genllysg arnom yr wythnos honno') nid oedd Nantlais ei hun wedi dod o hyd i'r fendith. Ymbiliodd wrth ddrws trugaredd drwy nos Wener, ond nid tan ar ôl cyfarfod nos Sadwrn ac ar ôl cyrraedd gartref y gwelodd mai trwy gredu y daethai'r fendith, nid trwy unrhyw ymdrech o'i eiddo ef.

O'r diwrnod hwnnw ymgysegrodd Nantlais yn gyfan gwbl i wasanaethu'r Arglwydd Iesu. Ystyr hynny yn ymarferol oedd cefnu ar y 'cyrddau mawr' a chanolbwyntio ar Fethany, ei eglwys ei hun. Bu'n gweddïo'n hir er mwyn gwybod beth oedd ei ddyletswydd ynglŷn ag anrhydedd Eisteddfodau.[3] Yr oedd wedi llwyddo i ennill amryw o gadeiriau, ond poenai a oedd yr ysbryd cystadleuol hwn yn cydweddu â dylanwad yr Ysbryd Glân. I ddwysáu'r sefyllfa, yr oedd ganddo bryddest, bron wedi ei chwblhau, ar y testun 'Maddeuant' i'w hanfon i Eisteddfod Meirion a oedd i'w chynnal tua Chalan 1905 yn Nolgellau. Dyma pryd y penderfynodd ymwrthod â'r 'nwyd gystadleuol' a rhoi ei holl amser a'i dalent at wasanaethu'r efengyl. Cafodd ysmygu hefyd fynd dros y bwrdd.[4] Ni flinai gofnodi 'mawrion weithredoedd Duw' yn Rhydaman yn ystod dyddiau rhyfeddol y Diwygiad.

Nid oes amheuaeth nad eglwys Bethany a gafodd ei orau, ond fe'i denwyd yn awr ac eilwaith i bregethu mewn mannau eraill. Ymwelodd â Rhosllannerchrugog ym Mawrth 1905 i gynnal cenhadaeth, gan dderbyn cymorth gan Miss M. Z. Davies, 'un o gantoresau yr Adfywiad yn y De'. Canolbwyntiwyd yr ymgyrch ar y Capel Mawr, ac fe orlanwyd hwnnw ym mhob oedfa.[5] Ond dichon mai'r syndod mwyaf yw darllen am y 'Cyrddau rhyfedd yn Ammanford' pan bregethodd Nantlais yn Ebrill 1905 'yng nghyfarfod blynyddol yr Annibynwyr' gyda'r Parchedig Peter Price, B.A., Dowlais, y gŵr a ymosododd mor ffïaidd ar Evan Roberts mewn llythyr i'r *Western Mail*, 31 Ionawr 1905. Caed y fath arddeliad ar weinidogaeth y ddau, meddai'r hanes, nes y torrodd y dyrfa fawr i neidio, canu a moliannu.[6]

Y Bugail a'i braidd

Ymroddodd Nantlais i borthi'r praidd ym Methany a'u bugeilio am ddeugain mlynedd ar ôl y Diwygiad. Bu hwn nid yn unig yn drobwynt yn ei fywyd ei hun, ond yn drobwynt amlwg yn ei bregethu. Tystiai'r Dr Cynddylan Jones fod Nantlais cyn 1904 yn pregethu'r Groes, ond yr oedd honno wedi'i haddurno â blodau hardd. Wedi'r Diwygiad, daliai i bregethu'r Groes, ond yr oedd y blodau erbyn hyn wrth droed y Groes, a phawb yn sylwi ar y Groes yn hytrach nag ar y blodau. Codai ei bregethau o'r cyd-destun a'r cysylltiadau, a'i brofiad cyfoethog yn bywiogi'r cyfan. Llwyddodd i osgói bod yn draethodol ar y naill law, ac yn ysgafn ac arwynebol ar y llall, ac ymwrthodai â dyfyniadau trymion. Daliai'n ddigymrodedd wrth hanfodion y ffydd efengylaidd a

Phrotestannaidd, a chyhoeddai'r gwirionedd beiblaidd heb golli fflam y Pentecost.[7] Yr oedd arddeliad amlwg ar weinidogaeth Nantlais ym Methany. Rhoes le amlwg i'r Dosbarth Beiblaidd, y Cyfarfod Gweddi a'r Seiat, ac mewn deugain mlynedd yr oedd aelodaeth yr eglwys wedi treblu, a chodwyd ysgoldai ym Mantyffynnon ac yn Nhir-y-dail. Byddai'n arbrofi yng ngwasanaethau'r Sul: dyna sut y dechreuwyd 'Corlan y Plant' a fu'n gyfrwng meithrin ysbryd addolgar mewn cenedlaethau o blant eglwysi'r Methodistiaid Calfinaidd. Yn 1927 penderfynwyd fod angen capel newydd a mwy ar yr eglwys, a mynnodd Nantlais godi capel costfawr mewn adeg o gyni, capel a gostiodd £11,000 i'w adeiladu, ac a eisteddai 800 gyda 300 arall yn y festri.[8] Cyfiawnhâi Nantlais y gwariant trwy ddweud fod yn 'rhaid mentro dros Iesu Grist neu golli tir.' Agorwyd y capel newydd yn 1929 a gosodwyd yn y mur ddwy garreg goffa, un am Ddiwygiad 1904–05 a'r llall i gofio'r Maes Cenhadol.[9]

Y llenor

Er i Nantlais roi'r gorau i eisteddfota, ni fu pall ar lenydda. Bu'n gydolygydd *Yr Efengylydd* am 16 mlynedd, sef o 1916 hyd 1933, a *Y Lladmerydd* o 1922 hyd 1926. Golygodd *Trysorfa'r Plant* rhwng 1934 ac 1947. Ysgrifennai ryddiaith ysblennydd, fel y dengys y gyfrol *O Gopa Bryn Nebo* (1967). Yr oedd yn emynydd o bwys fel y dengys *Emynau'r Daith* (1949), casgliad o 57 emyn Cymraeg a 18 emyn Saesneg. Cynhwyswyd 13 emyn o'i eiddo (rhai yn gyfieithiadau) yn *Llyfr Emynau* ei Gyfundeb yn 1927 a 10 yn *Emynau a Thonau'r Plant*, Caernarfon, 1947. Pan gyhoeddwyd *Caneuon Ffydd* yn 2001, cynhwyswyd ynddo 17 o emynau Nantlais. Derbyniodd lythyr oddi wrth y Parchedig Ddr John Owen, Morfa Nefyn, sy'n dystiolaeth i effeithiolrwydd yr emyn 'Pwysaf arnat, addfwyn Iesu'. Cydnabod cydymdeimlad Nantlais y mae yn ei brofedigaeth o golli ei wraig, ac meddai, 'Bu Mrs Owen am yr wythnos olaf mewn gwendid mawr iawn, ond nid mewn poen. Bydd yn dda gennych wybod iddi yn lled agos i derfyn y daith adrodd eich emyn tlws (182) drwyddo, a dywedyd nad aethai hi i'w gwely unrhyw noswaith ers blynyddoedd heb ei weddïo.'[10] Bu'n hynod o doreithiog fel awdur a rhestrir ei brif weithiau yn *Bwletin Cymdeithas Emynau Cymru*, Gorffennaf 1971. Cydnabod y cyfraniad hwn a wnaeth Prifysgol Cymru drwy ddyfarnu iddo'r radd M.A. er anrhydedd yn 1958.

Y frwydr fawr

Ar gais ei gyfaill, y Parchedig Peter Hughes Griffiths, Llundain, ysgrifennodd Nantlais hanes ei ymdrech i wrthwynebu'r 'Mesur Seneddol'.[11] Synhwyrai Nantlais fod argymhellion *Adroddiad Comisiwn Ad-drefnu* Cyfundeb y Methodistiaid Calfinaidd a gyhoeddwyd ar ôl y Rhyfel Byd Cyntaf yn gogwyddo oddi ar lwybr y Tadau ac yn groes i'r fendith a dderbyniodd Nantlais yn 1904. Gwelai arwyddion o hyn yn ysgrif Howell Harris Hughes, 'Y Meddwl Diweddar a'r Gwaith Cenhadol', yng nghyfrol gyntaf *Y Cenhadwr*, yn llawlyfr D. Francis Roberts ar Bumllyfr Moses, ac yn y ffaith fod yr Athro David Williams yn dysgu nad oedd yr hanesion am enedigaeth Crist na'r atgyfodiad yn llythrennol wir. Yr oedd y Comisiwn, dan arweiniad Dr E. O. Davies, am weld y Cyfundeb yn cael ei ryddhau oddi wrth y cyswllt sydd yn y Weithred Gyfreithiol rhwng yr adeiladau a'r Gyffes Ffydd. Dyma a arweiniodd at gyfres o ysgrifau gan Nantlais yn *Y Goleuad*, ac fe'u cyhoeddwyd ar ffurf pamffledyn, *Torri Rhaffau* yn 1925. Mae'r Moderniaid, meddai, wedi llwyddo i godi ansicrwydd ym meddyliau'r aelodau cyffredin am awdurdod y Beibl, ac mae'n ymosod ar gymhellion y sawl a fynnai ryddid i newid y Gyffes Ffydd. Brwydrodd mewn pwyllgorau ac yn llysoedd y Cyfundeb, mewn Cyfarfod Misol a Sasiwn, a hyd yn oed yn y Gymanfa, yn erbyn bwriadau'r Comisiwn.

Gellir dweud fod tri phrif ganlyniad i'r frwydr hon. Yn gyntaf, enillodd Nantlais nifer o gonsesiynau yn yr Erthyglau Datganiadol ar athrawiaeth megis yr Enedigaeth Wyrthiol, marw aberthol Crist ar y groes a'i atgyfodiad ar y trydydd dydd. Yn ail, bu'n ffocws i'r Ffydd uniongred, hen etifeddiaeth y Cyfunfeb, a derbyniodd gefnogaeth gwŷr cadarn fel y Parchedig Ddr Cynddylan Jones, a'r Parchedigion J. Pumsaint Jones a D. Winter Lewis. Eithr teimlodd fod y Prifathro Owen Prys wedi bod yn llai nag anrhydeddus yn ei addewidion iddo. Yn drydydd, cafodd ei siomi yn llawer o wŷr amlwg y Cyfundeb. Ei siomi o'r ochr orau a gafodd yn R. R. Roberts, Caerdydd, a Peter Hughes Griffiths, Llundain, ond ei siomi ar yr ochr arall gan Philip Jones, 'hen gadno cyfrwys' a J. T. Job, 'yr hwn a deimlai'n gas ataf am fy hyfdra yn gwrthwynebu'r awdurdodau. Galwodd fi un tro yn "ffŵl perffaith" a thriniodd fi'n arw yn y trên ym mhresenoldeb cyd-deithwyr dieithr yn y *compartment*.' Er hynny, ni chefnodd Nantlais ar y Cyfundeb, a maes o law fe'i hetholwyd yn Llywydd y Gymdeithasfa yn y De yn 1943, ac yn Llywydd y Gymanfa Gyffredinol yn 1947.

Cynhadledd Rhydaman

Un arall o gymwynasau mawr Nantlais oedd sefydlu 'Cynhadledd Ammanford' yn 1917.[12] Myfyriai ar ei brofiad ei hun ar y penwythnos dyngedfennol honno yn ei hanes ym mis Tachwedd 1904, a gwelodd mai un peth oedd derbyn Crist yn Waredwr, a pheth arall oedd byw iddo bob dydd. Yr oedd yn rhaid i'w fywyd newydd yng Nghrist gynyddu, dyfnhau ac ehangu, ond nid oedd neb yn y cyffiniau i'w gyfarwyddo. Gan hynny, manteisiodd ar bresenoldeb y Parchedigion Seth Joshua a W. W. Lewis, Caerfyrddin, i gynnal cynhadledd fechan ym Methany, gan alw at ei gilydd weinidogion y cylch. Ar ben hyn, yr oedd dwy elfen arall yn chwarae ar ei feddwl. Yn gyntaf, gwelodd fod cynadleddau gyda'r bwriad o ddyfnhau'r bywyd ysbrydol yn cael eu cynnal yn Keswick ac yn Llandrindod, ac aeth Nantlais i Keswick yn 1909 yng nghwmni nifer o weinidogion o Gymru, a chododd hiraeth ynddo am gael rhywbeth tebyg yn Gymraeg i Gymru. Yn ail, ac yntau'n darllen gweithiau Pantycelyn yn 1916 fel paratoad i ddaucanmlwyddiant ei eni yn 1917, gwelodd fod Howell Harris, Daniel Rowland ac yntau yn cyfarfod yn fisol i gyfnewid profiadau, i weddïo, ac i geisio ffordd i barhau'r Diwygiad tanllyd. Teimlodd y dylai yntau wneud rhywbeth tebyg i gadw'n fyw fflamau eirias 1904.

Ar ôl ymgynghori â nifer o'i frodyr, mentrodd alw cynhadledd ym Mai 1917, gyda'r bwriad o ddenu at ei gilydd bobl oedd yn sychedig am Dduw. Ar y posteri a argraffwyd cyhoeddwyd mai'r prif siaradwyr fyddai'r Parchedigion R. B. Jones, W. S. Jones, W. W. Lewis, E. Keri Evans a'r Anrhydeddus Talbot Rice, ficer Abertawe. Dechreuwyd ar brynhawn dydd Mawrth, ac yr oedd hen gapel Bethany bron yn llawn, ond gyda'r hwyr yr oedd yn orlawn. Bu raid symud cyfarfod nos Fercher i Ebeneser, capel y Bedyddwyr. Llanwyd eglwys 'All Saints' nos Fawrth a nos Fercher. Yr oedd Ebeneser erbyn hyn yn rhy fach, ac felly nos Iau trefnwyd cyfarfod yn y tri adeilad.

Mae Nantlais yn rhestru ffrwyth y gynhadledd honno. Yn gyntaf, meddai, llwyddodd i uno Plant y Diwygiad, gan ddyfnhau cariad Cristnogion o bob cefndir eglwysig tuag at ei gilydd, yn Fedyddwyr ac Annibynwyr, yn Fethodistiaid ac Eglwyswyr, y Gospel Hall a'r Mission Hall. Yr ail ffrwyth oedd yr ymdeimlad o haelioni ariannol newydd. Ni wnaed casgliad yn y cyfarfodydd, namyn gadael blychau wrth y drysau. Mae dyfnhau bywyd ysbrydol yn cael ei fynegi mewn cyfraniadau hael. A'r trydydd effaith oedd deffro sêl am achubiaeth y byd. Trefnwyd Cyfarfod Cenhadol gyda'r diben hwn, a diau fod llawer o'r cenhadon a aeth o Gymru i bedwar ban byd wedi eu cynhyrfu gyntaf yn y gynhadledd hon.

Y Wladfa

Yr oedd lle cynnes yng nghalon Nantlais i'r Wladfa Gymreig ym Mhatagonia, ac nid yw'n amhriodol awgrymu fod hyn hefyd wedi cychwyn gyda'r Diwygiad. Yr oedd Eluned Morgan (1870 - 1938), merch yr arloeswr Lewis Jones ac un o brif gynheiliaid y bywyd Cymreig yn y Wladfa, yn ymweld â Chymru yn ystod y Diwygiad, a phrofodd dröedigaeth dan weinidogaeth y Parchedig R. B. Jones. Yr oedd yn bresennol yn y gyntaf o'r Cynadleddau a drefnodd Nantlais yn Rhydaman, a bu'n cynnal gohebiaeth ag ef o 1924 hyd ei marw yn 1938.[13] Trwy'r cyfnod hwn pwysodd Eluned yn daer ar i Nantlais ymweld â'r Wladfa, ac anturiodd yntau yno am dri mis i efengylu, pregethu a darlithio yn 1938. Ychydig a feddyliai wrth dderbyn y gwahoddiad y buasai Eluned yn marw ar y noson y cynhelid ei gyfarfod ffarwél ef â'r Wladfa, ac y byddai'n gwasanaethu yn ei hangladd drannoeth. Ym mis Gorffennaf 1945 darlledodd wasanaeth crefyddol yn Gymraeg i Batagonia.[14]

Tafoli

Pa fodd y mae tafoli cyfraniad Nantlais? Yn sicr, mae ei holl weithgarwch yn tarddu o'r profiad iasol a gafodd o ras Duw yng Nghrist Iesu yn nechrau Tachwedd 1904. Dichon y gellid beirniadu peth ar ei ogwydd i gyfeiriad y ddysgeidiaeth bietistaidd a gysylltir â mudiad Keswick, ond oherwydd ei Gymreictod a dyfnder ei ymdeimlad o hanes y Tadau Methodistaidd, fe'i cadwyd rhag eithafion. Gwnaeth waith efengylwr a safodd yn ddewr dros ffydd y Tadau mewn dyddiau blin. Porthodd ddychweledigion y Diwygiad â'i bregethu ac â'i gyfraniad llenyddol a chyfoethogodd emynyddiaeth y genedl. Gwir y dywedwyd amdano mai ef yw Pêr Ganiedydd plant Cymru.[15]

---

1. Am fanylion bywgraffyddol gweler (1) John Thickens, *Emynau a'u Hawduriaid*, Argraffiad Newydd Gomer M. Roberts, Caernarfon, 1961, 202; (2) *Y Drysorfa*, Mehefin 1960, Rhifyn Coffa Nantlais; (3) *Blwyddiadur y Methodistiaid Calfinaidd 1960;* (4) Dafydd Ifans (Gol.) *Tyred Drosodd: Gohebiaeth Eluned Morgan a Nantlais* (Gwasg Efengylaidd Cymru, 1977), 23-24; (5) *Y Bywgraffiadur Cymreig 1951–1970* (Llundain, 1997).

2. *Y Drysorfa*, Hydref 1954, 207–08, AMC 28334 a'r ysgrif 'Trem yn Ôl' yn *Cyfrol Goffa Diwygiad 1904–905*, golygwyd gan Sidney Evans a Gomer M. Roberts, (Caernarfon, 1954).
3. *Y Genedl Gymreig*, 6 Rhagfyr 1904. Gweler hefyd R. Geraint Gruffydd, 'Nantlais a'r Eisteddfod', *Y Cylchgrawn Efengylaidd*, XI.4, (Awst-Medi 1970).
4. *Cyfrol Goffa Diwygiad 1904–905*, golygwyd gan Sidney Evans a Gomer M. Roberts (Caernarfon, 1954), 90-91.
5. *Yr Herald Cymraeg*, 21 Mawrth 1905.
6. *Yr Herald Cymraeg*, 4 Ebrill 1905.
7. John E. Davies, *Y Drysorfa*, Mehefin 1960.
8. Gwybodaeth oddi ar y we, www.terrynorm.ic24.net/bethany%20chapel.htm
9. AMC, 28334.
10. AMC 28327.
11. AMC 28343.
12. AMC 28338. Gweler hefyd J. D. Williams, *Cynhadledd y Sulgwyn Rhydaman* (Rhydaman, 1967).
13. Cyhoeddwyd yr ohebiaeth yn Dafydd Ifans, (Gol.), *Tyred Drosodd* (Gwasg Efengylaidd Cymru, 1977).
14. AMC 28327.
15. *Y Drysorfa*, Mehefin 1960.

Sidney Evans (1883–1960)

Goronwy Prys Owen

Ganwyd Sidney Evans ar 23 Hydref 1883 yng Nghwm-bach, Treforys, yn un o dri ar ddeg plentyn Thomas a Mary Ann Evans,[1] ond ac yntau'n wyth oed, symudodd y teulu i Gorseinon. Ymadawodd â'r ysgol yn ddeuddeg oed a dechrau gweithio yn y Crown Stores, Gorseinon. Yn bedair ar bymtheg oed fe symudodd i Gasnewydd i ehangu'i brofiad mewn masnach, ond ar ôl ychydig dros flwyddyn, dychwelodd i Abertawe.

Ei fam oedd y dylanwad ysbrydol mwyaf arno yn ei ddyddiau cynnar. Oddi wrthi hi y derbyniodd nodweddion ei feddwl a'i ysbryd. Yr oedd ganddo gof am fynychu ysgol Sul y Graig, cangen o'r Tabernacl, Treforys, ond yng Ngorseinon yr ymaelododd ei fam, yn Libanus, eglwys y Methodistiaid Calfinaidd ac yno y derbyniodd ef ei argraffiadau crefyddol cynharaf. Dechreuodd gymryd rhan yn gyhoeddus yng nghyfarfodydd y bobl ieuainc, ac fe'i profodd ei hun yn athro llwyddiannus ar ddosbarth o fechgyn direidus yn yr ysgol Sul. Yng Nghasnewydd fe ymdaflodd i fywyd eglwys Ebeneser, a dechrau darllen o ddifrif. Bu dau ddylanwad o bwys arno yno, sef J. H. Roberts, ei athro ysgol Sul, a thrafodaethau Cymdeithas y Bobl Ieuainc. Yn Abertawe, dilynai foddion yr wythnos yng nghapel y Trinity, ond dychwelai bob Saboth i Libanus, a chyrraedd yno erbyn Cyfarfod Gweddi'r Bobl Ieuainc cyn oedfa'r bore. Dechreuodd bregethu ar 17 Chwefror 1904. Ymadawodd â'r siop tua'r Pasg 1904 a chychwyn, gydag Evan Roberts yn gydymaith a chyd-letywr, yn fyfyriwr yn Ysgol Ramadeg Castellnewydd Emlyn ar 13 Medi 1904.

Argyhoeddiadau
Ar y Sul olaf o Fedi ar ei ffordd i bregethu yn Solfach, sir Benfro, cafodd gipolwg ar ei dlodi ysbrydol. Meddiannwyd ef gan yr ystyriaeth ei fod yn pregethu Crist yn Geidwad, ond heb ei adnabod ef ei hunan. Llawenhâi fod Seth Joshua yn cynnal ymgyrch efengylu yn y dref, a dechreuodd fynychu'r gyfres ar y nos Lun. Gweddïodd Sidney Evans yn gyhoeddus yn y cyfarfod hwn, ond gwrthododd godi i gyffesu Crist. Nos Fawrth teimlai ei fod mewn mwy o argyfwng, yn arbennig yn wyneb y gorfoledd a fynegai Maud Davies a Florrie Evans, cynorthwywyr Seth Joshua. Ar ôl brwydr ysbrydol yn ei lety nos Fawrth, penderfynodd y byddai raid ildio nos Fercher. Cododd ar ei draed yn set fawr y capel a gweiddi, 'Yr wyf yn caru Iesu Grist, ac yn rhoi fy hunan yn llwyr iddo.'

Drannoeth, 29 Medi 1904, teithiodd cwmni o bobl ieuainc o Gastellnewydd i Flaenannerch i gynhadledd undydd. Seiat holi oedd y cyfarfod cyntaf yn cael ei ddilyn gan gwrdd y gweinyddid y cymundeb ynddo. Yn y cyfarfod hwn y gweddïodd Seth Joshua, 'Plyg *ni*, O! Arglwydd,' ac yr ymatebodd Evan Roberts, 'O! Arglwydd, plyg *fi*, plyg *fi*.' Cymundeb ofnadwy oedd hwnnw i Sidney Evans. Seiat brofiad a gafwyd yn y prynhawn a chyfarfod i'r bobl ieuainc am bump o'r gloch. Yn hwn fe gafodd Sidney wasgfa a chryndod, ond ef a drawodd y pennill, 'Golchwyd Magdalen yn ddisglair' a drodd yn fendith i Mag Phillips, un o ieuenctid Castellnewydd.

Yr oedd cwlwm agos rhwng ysbrydoedd Evan Roberts a Sidney Evans yn eu llety. Ceisient ewyllys yr Arglwydd beunydd am y dyfodol. Sidney a ganfu Evan yn yr ardd y noson y cafodd weledigaeth y lloer, sef nos Sadwrn, 29 o Hydref, ac wrth Sidney y mynegodd Evan yr argyhoeddiad a ddaeth iddo yn ystod pregeth y

Parchedig Evan Phillips yng nghapel Bethel trannoeth, ac y byddai'n dychwelyd i Gasllwchwr.

Y diwygiwr a'i deithiau

Gellid awgrymu fod Sidney Evans wedi cychwyn ar ei daith fel diwygiwr yn sir Aberteifi ar y Sul 6 Tachwedd. Bu cyfarfod gweddi yn ei lety yng Nghastellnewydd ar y nos Iau dilynol, cyfarfod a barhaodd hyd at dri o'r gloch bore Gwener. Erbyn bore Sadwrn yr oedd yn argyhoeddedig ei bod yn rhaid iddo yntau ddychwelyd adref a hynny ar unwaith. Ac fel Evan Roberts yng Nghasllwchwr, dyma'r gwir ddechreuad yn ei hanes yntau.

Mewn troed-nodyn ar ddechrau'i bennod 'Y Diwygiad yn y De' yn *Cyfrol Goffa Diwygiad 1904–05*,[2] dywed Sidney Evans iddo ef a'i gyfaill Sam Jenkins weithio ym Mynwy, Brycheiniog a Maesyfed, Penfro, ac mewn ardaloedd yn y Gogledd na fu Evan Roberts ynddynt. Ceisir olrhain rhywfaint ar y gweithgarwch hwn. Gwasanaethai yn Llanelli yn Rhagfyr 1904 yng nghapel y Triniti.[3] Aeth drachefn i Forgannwg yn ystod yr wythnos cyn Nadolig 1904. Adroddir amdano yn Ebeneser, Dinas, Rhondda, ar 18 Rhagfyr.[4] Oddi yno aeth ef a'i gymdeithion i Aberafan am dridiau,[5] cyn dychwelyd adref dros y Nadolig. Gyda rhai o'i gyfeillion aeth i'r gwasaneth a gynhaliwyd yn Eglwys Sant Teilo, Pontarddulais, a dechreuwyd canu ddwywaith yn ystod pregeth y ficer. Ymuno'n galonnog â'r canu a wnaeth y gynulleidfa.[6]

Tua chanol mis Ionawr 1905 dechreuodd Sidney Evans a'i gydymaith, Sam Jenkins, ar eu hymgyrch ym Mhontlotyn, ger Bargoed, sir Fynwy.[7] Oddi yno aethant rhagddynt i Beaufort a Glynebwy a Thredegar.[8] Ddechrau Mawrth aeth y ddau i'r wlad, i ardal Moserah a Llanofer.[9] Ddiwedd Mawrth yr oedd Evans a Jenkins yn ôl ym Morgannwg. Dechreuwyd yn y Porth[10] cyn symud ymlaen i Dreorci ddechrau Ebrill.[11] Erbyn canol a diwedd Ebrill 1905 yr oeddynt yn cenhadu yng Nghaerdydd.[12] Galan Mai ymwelodd Sidney Evans â Phen-y-bont ar Ogwr, ond oherwydd anwyd, nid oedd Sam Jenkins gydag ef.[13]

Dechreuwyd ar yr ymgyrchu yn sir Frycheiniog ganol Mai 1905 gyda chyfarfodydd awyr agored yn Nhalgarth.[14] Cawsant brofiad brawychus yng Nghrai. Dechreuwyd y gwasanaeth gan Sidney Evans, ac yna cododd gwraig fferm leol o'r enw Mrs Abigail Jones i ledio'r emyn, 'A welsoch chwi Ef?' Fel yr oedd y gynulleidfa'n dechrau canu, ni theimlai Mrs Jones yn dda, a chychwynnodd allan. Cyrhaeddodd y festri a bu farw. Cyflwynodd y gweinidog y newydd trist i'r gynulleidfa a therfynwyd y cyfarfod.[15] Ar y nos Iau, 27 Mai, yr oedd cynulleidfa fawr yng nghapel y Bwlch yn disgwyl am y ddau gennad, ond oherwydd gwaeledd un ohonynt (ni ddywedir pa un), bu raid i'r gweinidogion lleol arwain y cyfarfod.[16] Erbyn deuddydd olaf y mis, fodd bynnag, yr oedd y ddau fel ei gilydd drachefn yn Nhalgarth,[17] a daethpwyd â'r ymgyrch ym Mrycheiniog i ben ddechrau Mehefin yng Nghefncoedycymer.[18]

Tua chanol Mehefin teithiodd Sidney Evans a Sam Jenkins i Ogledd Cymru ar gyfer y cyfnod nesaf yn eu cenhadaeth. Erbyn hyn yr oedd Evan Roberts yn ymgyrchu ym Môn, ond ddydd Gwener, 16 Mehefin ym Mryn-du, trefnwyd cydgyfarfyddiad o'r rhai a fu'n amlwg yn y Diwygiad. Yn bresennol gyda Evan Roberts yn y cyfarfod hwn oedd y Parchedigion Llewelyn Lloyd, (Hebron), T. Charles Williams, (Porthaethwy), a J. H. Williams, (Llangefni), yn ogystal â Sidney Evans a Sam Jenkins.[19] Treuliwyd penwythnos y Sulgwyn ym Mhwllheli, yn Salem a Phen-mownt, heb anghofio'r cyfarfod ar y Maes.[20] Ymwelwyd â Dinbych 15–20 Gorffennaf, gan ganolbwyntio ar y Capel Mawr a'r Capel Saesneg yn Vale Street.[21]

Nodweddion

Datgelir llawer am Sidney Evans yn adroddiadau'r wythnosolion am y cyfarfodydd hyn. Y peth cyntaf i sylwi arno oedd ei wedd allanol. Yn ôl Dr D. M. Phillips, Tylorstown, un bychan o gorff ydoedd, pum troedfedd a hanner o daldra, tywyll ei bryd, gyda phen clasurol o ran ffurf a llygaid llawn treiddgarwch a llais swynol.[22] Nid oedd ei ymddangosiad allanol yn drawiadol, meddai'r Athro Henri Bois, ond yr oedd yn hawdd i gynulleidfa gredu ei fod yn llawn o Ysbryd Duw.[23] Siaradai yn Llanofer gyda gwên ddengar, ond yr oedd tôn ei lais, osgo'i gorff, trem ei lygaid, a thafliad ei law yn mynegi taerineb ei enaid, a'i fod yn llosgi am achub eneidiau.[24] Eithr erbyn dechrau mis Ebrill sylwodd gohebydd *Y Goleuad* ar ei gorff bregus, gan ychwanegu iddo 'orweithio yng ngwres y cynhyrfiad bendigedig.'[25]

Mewn oedfa byddai Sidney Evans yn cynghori, cymell, canu a gweddïo am oriau.[26] Dro arall, yn Llanelli, ymgeleddodd fachgen oedd yn gweddïo dros ei frawd.[27] Ar ddiwedd oedfa arferai brofi'r cyfarfod. Gofynnodd yn Nasareth, Pontlotyn, er enghraifft, ar i bawb oedd yn caru Crist godi ar eu traed.[28] Ond pan wnaeth hynny yn Ninbych, gwelwyd mai ychydig iawn oedd yn bresennol nad oedd yn aelodau eglwysig.[29]

Neges seml oedd gan Sidney Evans. Cydnabyddodd mor gynnar â
Rhagfyr 1904, yn Triniti, Llanelli, nad oedd ganddo ddim newydd i'w
ddweud. Yr oedd ei ffydd yn gorffwys ar yr hen, hen hanes am Iesu a'i
farwol glwyf. Nid eisiau allor newydd sydd, meddai, ond angen
atgyweirio'r hen allor.[30] Mewn man arall dywedwyd am ei weinidogaeth,
'Pwysleisiai ein brawd . . . y pwysigrwydd o edifarhau am bechod, fel ag
i dderbyn y llawenydd sydd o Dduw.'[31] Ac nid buan yr anghofir ei rybudd
fod 'Satan yn ei *satin* yn swyno'r ieuainc ar ei ôl i afael y llawenydd
hwnnw sy'n dibennu mewn tragwyddol wae.'[32] Neges seml mewn
pregethau byr oedd ganddo, meddai Henri Bois.[33] Pwysleisio naturioldeb
Sidney Evans a wna Dr Phillips, Tylorstown, 'Hollol naturiol ydyw ef yn
ei holl waith, ef ei hunan [ydyw] ac nid neb arall.'[34]

Dylid nodi fod Sidney Evans yn cynnal rhai cyfarfodydd yn
arbennig ar gyfer plant. 'Yr oedd rhyw eneiniad dwyfol arnynt,'
meddai un gohebydd. 'Yr un Ysbryd [sydd] yn rhoi i Mr Sidney Evans
feistrolaeth naturiol a llwyr ar y plant, a diau nad anghofia'r
genhedlaeth hon am y tri chyfarfod a gawsant gyda Mr Evans a
rhywun arall hefyd, rhywun mwy, gwell, dwyfol.'[35] Ni fodlonai
chwaith ar wasanaethu yn unig o'r tu fewn i furiau capel. Yng
Ngorseinon ymwelodd â rhai o Sipsiwn y gymdogaeth.[36] Elfen gref
arall oedd gorymdeithio. Yn Llanelli gorymdeithiwyd drwy'r
strydoedd yn ardal y Doc Newydd, gan sefyll o flaen y tafarndai i ganu
a gweddïo.[37] Defnyddiwyd yr un dechneg yn Nhredegar,[38] ym
Mhwllheli[39] ac yn Ninbych[40] yn y Gogledd. Mewn gwasanaeth awyr-
agored ar y Maes ym Mhwllheli canodd Sam Jenkins a siaradodd
Sidney Evans. Yna canwyd amryw benillion, gweddïodd amryw, cyd-
adroddodd y dorf bennill ynghyd â Gweddi'r Arglwydd.[41]

Adweithiau

Bu dwy adwaith benodol i weithgarwch Sidney Evans. Ar y naill law,
dirmygwyd y diwygiwr a'r Diwygiad. Ar y llaw arall, bu ffrwythau
pell-gyrhaeddol i'r eglwysi ac i'r gymuned. Mewn cyfarfod yn
Nasareth, Pontlotyn, ganol mis Ionawr cyhuddwyd ef mai er mwyn
arian yr oedd yn gweithio.[42] Dichon fod a wnelo'r profiad hwnnw â'r
hysbysiad yn *Y Goleuad* rai misoedd wedyn ei fod wedi cyflwyno
£50 i'r Genhadaeth Dramor a £50 i'r eglwys y maged ef ynddi ac yr
oedd yn aelod ohoni, Libanus, Gorseinon.[43] Yng Nghaerdydd
rhoddodd Bois ychydig o fanylion i'w westywraig am y Diwygiad
ond ni ddangosodd hithau fawr o ddiddordeb, eithr mynegodd lai o

wrthwynebiad na'i westywragedd yn Lerpwl a Wrecsam.[44]

Canlyniadau

Trwy Gymru gyfan dychwelwyd miloedd o eneidiau i'r eglwysi, gyda 1500 yn Nhredegar yn unig.[45] Yn amlach na pheidio, nifer bychan a geid. Yn Nhalgarth fe gafwyd 30,[46] gydag wyth yn Ebeneser, Dinas,[47] un yn unig yng Nghefncoedycymer,[48] ac 'ychydig' ym Mhwllheli.[49] Ond nid trwy gyfrif y dychweledigion yn unig y mae mesur llwyddiant y Diwygiad. Yr oedd tri chanlyniad amlwg yn eglwysi'r Rhondda, medd gohebydd *Y Goleuad*. Gwnaed i ffwrdd â ffurfioldeb cyfarfodydd, cynhyrchwyd awydd angerddol am achub eneidiau, a rhoddwyd goleuni newydd ar hen emynau ac adnodau cyfarwydd.[50]

Ni ddylid ychwaith anwybyddu'r effaith a gafodd y Diwygiad ar y gymuned. Yn dilyn cenhadaeth Sidney Evans yn Nhredegar, 'methodd y *football team* â chael digon o chwareuwyr ar gyfer prynhawn Sadwrn. Yr oedd y tafarnwyr wedi dychryn a'r dramâu yn y chwareudy ar *stop*, y cae pêl-droed yn gwacáu am fod yn well gan y bobl ymdeithio i Seion . . . Mae strydoedd aflanaf y dref wedi eu gweddnewid.'[51]

Cyfrinach

Mynegir yn gyson gyfrinach llwyddiant Sidney Evans. Yr oedd yn hawdd canfod, meddai'r Parchedig W. D. Rowlands, Llanelli, ei fod yn ŵr ifanc â chenadwri ganddo, a'i ysbryd yn llosgi'n angerddol i'w chyhoeddi i'w gydgenedl.[52] Synnai Henri Bois nad oedd ganddo yr un stori i'w hadrodd. Mae'n amlwg, meddai, nad trwy huodledd y mae'n cael effaith ar y bobl. Rhaid mai trwy allu ysbrydol, trwy weddïau, gan ei gysegru ei hunan yn gyfan gwbl i Grist.[53] Dengys ei daith, meddai'r Dr D. M. Phillips, ei fod yn llawn o Ysbryd Duw.[54]

Yr angerdd drosodd?

Erbyn misoedd Ebrill a Mai 1905 daw ambell i arwydd fod gwres y Diwygiad yn dechrau oeri. Sylwodd Henri Bois yng Nghaerdydd ddiwedd Ebrill ar yr awgrym hwn yng ngeiriau siaradwyr a gweddïwyr fel ei gilydd, ond yn ei olwg ef yr oedd y Diwygiad yn ail-gydio yn y ddinas.[55] Yr oedd digon o ddiddordeb yn y Diwygiad yn Nhalgarth ganol fis Mai, medd gohebydd y *Brecon County Times*.[56] Eithr yn Ninbych yng Ngorffennaf addefir fod 'y genhadaeth yn cael ei chynnal yng nghanol cyfnod o adweithiad ar ôl y cyfnod o frwdfrydedd mawr a welwyd ym misoedd y gwanwyn.'[57]

Wedi'r Diwygiad

Ar ôl berw mawr y Diwygiad dychwelodd Sidney Evans at ei astudiaethau ar gyfer y Weinidogaeth.[58] Aeth o Goleg Trefeca i Goleg Prifysgol De Cymru a Mynwy, Caerdydd, yn 1909, ac ar ôl astudio Cymraeg, Hebraeg, Groeg ac Athroniaeth, ynghyd ag Arabeg, graddiodd yn 1913 gydag anrhydedd yn yr Hebraeg.[59] Ar ôl cwrs yn y Coleg Diwinyddol yn Aberystwyth, a derbyn galwad i'r Porth, Rhondda, dan adain y Symudiad Ymosodol, fe'i hordeiniwyd yn 1916. Ac yntau yn y Porth, priododd â Mary, chwaer Evan Roberts. Hwyliodd y ddau i'r India yn 1920 i wasanaethu'r maes cenhadol. Dechreuodd fel Prifathro Ysgol Uwchradd Shillong, ac yna yn 1923 penodwyd ef yn Brifathro'r Coleg Diwinyddol yn Cherrapunji.[60] Dychwelodd y ddau i Gymru yn 1945, ac ymgymerodd Sidney Evans â bugeilio eglwys Bethel, Tre-gŵyr. Ef oedd ysgrifennydd Pwyllgor Dathlu Hanner Canmlwyddiant y Diwygiad yn 1954, a chydolygodd, gyda'r Parchg. Ddr Gomer M. Roberts, *Cyfrol Goffa Diwygiad 1904–1905*, yn ogystal â chyfrannu dwy bennod a thudalen ar brif ddigwyddiadau bywyd Evan Roberts. Bu farw ddydd Mawrth, 27 Medi 1960, a'i gladdu ym meddrod y teulu ym mynwent Moreia, Casllwchwr.

1. Yr wyf wedi pwyso'n drwm yn y paragraffau cyntaf hyn ar *Y Diwygiad a'r Diwygwyr*, (Dolgellau, 1906), 376–396. Sylwer nad yng Ngorseinon fel y dywedir yn *Blwyddiadur y Methodistiaid Calfinaidd*, 1961, y ganed Sidney Evans.
2. (Caernarfon, 1954), 40.
3. *Y Goleuad*, 3 Mawrth 1905.
4. Eto, 23 Rhagfyr 1904.
5. *Y Genedl Gymreig*, 27 Rhagfyr 1904 a *Y Diwygiad a'r Diwygwyr*, 194.
6. Eto, 3 Ionawr 1905.
7. *Yr Herald Cymraeg*, 21 Ionawr 1905.
8. *Y Goleuad*, 3 Chwefror 1905 a *Y Diwygiad a'r Diwygwyr*, 298.
9. *Y Goleuad*, 28 Ebrill 1905.
10. *Yr Herald Cymraeg*, 4 Ebrill 1905, *Y Goleuad*, 12 Mai 1905.
11. *Y Goleuad*, 28 Ebrill 1905.
12. Henri Bois, *Le Reveil au Pays de Galles*, Toulouse, [d.d. ond tua Rhagfyr 1906]. Yr wyf yn ddyledus i'm cymdoges, Enid Williams, y Bala, am gyfieithu'r rhannau o'r gwaith hwn y cyfeirir atynt yn y nodiadau hyn.
13. *Y Goleuad*, 2 Mai 1905.
14. *Brecon County Times*, 19 Mai 1905.

15. Eto, 26 Mai 1905.
16. Eto, 2 Mehefin 1905.
17. *Brecon County Times*, 2 Mehefin 1905
18. *Y Goleuad*, 9 Mehefin 1905.
19. Eto, 26 Mehefin 1905.
20. Eto, 15 Gorffennaf 1905.
21. Eto, 21 a 28 Gorffennaf 1905.
22. Eto, 17 Chwefror 1905.
23. Henri Bois, *Le Reveil au Pays de Galles*, 145–147.
24. *Y Goleuad*, 28 Ebrill 1905.
25. Eto, 28 Ebrill1905.
26. Eto, 3 Chwefror 1905.
27. Eto, 18 Rhagfyr 1904.
28. *Yr Herald Cymraeg*, 21 Ionawr 1905.
29. *Y Goleuad*, 28 Gorffennaf 1905.
30. *Y Diwygiad a'r Diwygwyr*, 299, a *Y Goleuad*, 3 Chwefror 1905
31. *Y Diwygiad a'r Diwygwyr*, 298, a *Y Goleuad*, 3 Chwefror 1905.
32. *Y Diwygiad a'r Diwygwyr*, 299, a *Y Goleuad*, 3 Chwefror 1905
33. Henri Bois, *Le Reveil au Pays de Galles*, 145–147.
34. *Y Goleuad*, 17 Chwefror 1905.
35. Eto, 28 Ebrill 1905.
36. Eto, 16 Rhagfyr 1904, a *Y Diwygiad a'r Diwygwyr*, 153.
37. *Y Goleuad*, 3 Mawrth 1905.
38. Eto, 13 Chwefror 1905.
39. Eto, 15 Gorffennaf 1905.
40. Eto, 28 Gorffennaf 1905.
41. Eto, 15 Gorffennaf 1905.
42. *Yr Herald Cymraeg*, 21 Ionawr 1905.
43. *Y Goleuad*, 12 Mai 1905.
44. Henri Bois, 140.
45. *Y Goleuad*, 13 Chwefror 1905.
46. *Brecon County Times*, 2 Mehefin 1905.
47. *Y Goleuad*, 23 Rhagfyr 1904.
48. Eto, 9 Mehefin 1905.
49. Eto, 15 Gorffennaf 1905.
50. 23 Rhagfyr 1904.
51. *Y Goleuad*, 13 Chwefror 1905.
52. Eto, 18 Rhagfyr 1904.
53. Henri Bois, 145–147.
54. *Y Goleuad*, 17 Chwefror 1905.
55. Henri Bois, 145–147.
56. 19 Mai 1905.
57. *Y Goleuad*, 28 Gorffennaf 1905.
58. *Blwyddiadur y Methodistiaid Calfinaidd*, 1961.
59. Dymunaf gydnabod cymorth Dr E. Wyn James ynghylch gyrfa golegol Sidney Evans. Yma eto mae angen cywiro'r *Blwyddiadur*.
60. Ednyfed W. Thomas, *Bryniau'r Glaw* (Gwasg Pantycelyn ar ran Bwrdd y Genhadaeth, 1988), 174.

Jessie Penn-Lewis (1861–1927)

Noel Gibbard

Ganwyd Jessie Jones yng Nghastell-nedd yn 1861. Yn 1877, pan fu farw ei thad, roedd wyth o blant ar yr aelwyd. Yn ôl Jessie Jones ei hun, magwyd hi yng nghôl Methodistiaeth Galfinaidd. Ei thad-cu oedd Samuel Jones, gweinidog amlwg gyda'r Hen Gorff, a pherthyn i'r un enwad oedd rhieni Jessie Jones hefyd. Galwai gweinidogion, ac eraill, yn gyson yn y cartref a daeth yn ganolfan trafod pynciau amrywiol. Ond yn gynnar yn ei bywyd arferai Jessie Penn-Lewis fynychu Eglwys Loegr [yr Eglwys yng Nghymru erbyn hyn], a chafodd gyfle i feithrin ysbryd catholig, yr hyn a'i nodweddai ar hyd ei bywyd. Yn bedair ar bymtheg mlwydd oed priododd â William Penn Lewis, a'r enw canol yn ein cysylltu â thraddodiad y Crynwyr. Cartrefodd y ddau yn Brighton, a dyma oedd cychwyn ei arhosiad hir yn Lloegr, ond ni anghofiodd hi Gymru.[1]

Rhai o nodweddion amlwg ei bywyd cynnar oedd ei gwendid corfforol, a'i hawch am ddarllen. Medrai ddarllen y Beibl yn rhwydd pan nad oedd ond pedair blwydd oed, ac yn ystod ei darllen o'r Beibl, a llyfrau eraill, y crewyd dyhead am wybod mwy am ffordd yr iachawdwriaeth. Parhaodd i ddarllen yn eiddgar yn Brighton. Dydd Calan, 1882, darllenodd eiriau'r proffwyd Eseia, 'Yr Arglwydd a roddodd arno ef ein hanwireddau ni i gyd,' a'r geiriau 'Yr hwn sy'n credu y mae ganddo fywyd tragwyddol'. Credodd fod ei phechodau wedi eu trosglwyddo i'r Arglwydd Iesu Grist, a'u cyfrif iddo ef, ac mai dyma sail ei derbyniad gan Dduw: 'Yn syth, gwnaeth Ysbryd Duw dystiolaethu gyda'm hysbryd fy mod yn blentyn i Dduw, a llanwyd fi gan dangnefedd dwfn'.[2]

Erbyn 1885, roedd y ddau yn Richmond, Llundain. Yma cawsant gartref ysbrydol yn Eglwys y Drindod Sanctaidd, lle y gwasanaethai Evan H. Hopkins, un o arweinwyr selog Keswick. Parhaodd i ddarllen, yn cynnwys llyfrau Andrew Murray a'r Fonesig Guyon, a chafodd gyfle i weithio gyda'r Young Women's Association, gwaith a fu'n agos at ei chalon am flynyddoedd lawer. Ei dyhead mawr oedd am brofiad helaethach o Dduw, ac yn 1892 profodd yr hyn a ddisgrifiai fel bedydd yr Ysbryd. Adnewyddwyd hi yn llwyr, derbyniodd nerth ysbrydol, ac un effaith oedd symud ofn dynion oddi wrthi.³ Ymhen ychydig fisoedd, ym mis Awst 1892, ymwelodd â Keswick, a chyfarfod ag F. B Meyer, ac Albert Head (y cadeirydd), a'i wraig. Cafodd gartref ysbrydol arall yn Keswick.

Y garreg filltir nesaf oedd 1896. Symudodd y ddau i Gaerlŷr, i gylch newydd, ac i gyfnod newydd, oherwydd dyma ddyddiad dechrau cyfres o deithiau i lawer man yn y byd. O 1896 hyd 1898, ymwelodd Jessie Penn-Lewis â Sweden, Denmarc, Y Ffindir a Rwsia.⁴ Ar ei theithiau cafodd gyfle i wasanaethu'r YWCA, a chwrdd â phobl o'r un argyhoeddiadau a phrofiadau. Daeth i gysylltiad ag aelodau o deuluoedd bonheddig, Cristnogol, yn cynnwys y Farwnes Kurke, Sweden; Barwnes Wrede, y Ffindir; Barwn Nicolai, yn wreiddiol o'r Ffindir, a ddaeth yn arweinydd crefyddol amlwg yn Rwsia, a'r Farwnes Leven, Rwsia.⁵ Parhaodd y cyfeillgarwch hyd 1904 a thu hwnt i hynny. Mewn amryw o'r cyfarfodydd ar ei theithiau, profwyd grymusterau'r Ysbryd Glân, a oedd yn hynod o debyg i ddiwygiad. Creodd hyn syched yn Jessie Penn-Lewis am weld Duw ar waith mewn modd anarferol.

Cyfarfu Jessie Penn-Lewis â rhai Cristnogion o Rwsia yn Sweden, ond yn fuan wedyn cafodd wahoddiad i fynd i'r wlad ei hun. Adnewyddodd gymdeithas â'r Farwnes Wrede, y Farwnes Leven, y Barwn Nicolai ac eraill. Un o'r prif fannau cyfarfod oedd ystafell ym mhalas y Farwnes Leven, a fu, unwaith, yn neuadd ddawnsio. Yn aml iawn nid oedd lle i bawb yn yr ystafell helaeth, gymaint oedd yr awydd am glywed y newyddion da. Nid oedd amheuaeth fod yr Ysbryd yn cyniwair yn eu plith.⁶

Parhaodd y teithio a'r gwaith o hybu dysgeidiaeth Keswick. Croesodd Jessie Penn-Lewis i'r Unol Daleithiau, Canada, yr Aifft a'r India. Yn yr India yn arbennig, derbyniwyd ei neges am sancteiddrwydd gan amryw o unigolion blaenllaw, yn cynnwys F. Kehl, Dr Rudisill ac R. J. Ward,⁷ y rhain, fel y cwmni yn Rwsia yn dyheu am adfywiad ysbrydol.

Mae'n siwr fod Jessie Penn-Lewis yn hapus iawn i gael cyfle i ledu dysgeidiaeth Keswick yng Nghymru. Hi oedd un o'r prif gyfryngau i sefydlu cynhadledd y Mudiad yn Llandrindod, yn 1903.⁸ Yma y ffurfiwyd cyfeillgarwch â W. S. Jones, Caerfyrddin; O. M. Owen, Penydarren, ac R. B. Jones, Cwm Rhondda, ac yn fuan wedyn ag Evan Roberts. Cyfarfu sawl traddodiad yn Llandrindod: efengylu ymosodol y Symudiad Ymosodol, traddodiad pregethu Cymru, a phwyslais newydd Keswick ar y bywyd uwch. Ond yr hyn oedd yn gyffredin i bawb a oedd yno oedd yr awydd gweddigar am weld Duw yn ei amlygu ei hun drwy nerth yr Ysbryd Glân. Cyfarfu'r traddodiadau yng Ngheredigion hefyd, lle torrodd gwawr y Diwygiad yn gynnar yn 1904.

Profi a chyflwyno'r Diwygiad

Medrai Jessie Penn-Lewis brofi a chyflwyno'r Diwygiad mewn sawl ffordd. Medrai sôn amdano yn bersonol, ymweld â'r cyfarfodydd yng Nghymru, gohebu â ffrindiau mewn gwledydd eraill, a chyflwyno adroddiadau yn y *Life of Faith* a'r *Christian*. Yn ystod ei hymweliadau â Chymru, medrai uno yn y moli a siarad yn y cyfarfodydd. Sonia amdani ei hun yn siarad mewn cyfarfod yn ystod dyddiau cynnar y Diwygiad. Ofnai yn fawr y byddai'r emosiwn yn troi'n aflywodraeth, a gwelodd yn dda, fel y siaradwr olaf, i ddirwyn y cyfarfod i ben. Ond argyhoeddwyd hi fod hyn yn gamgymeriad, ac y dylai fod wedi gadael i'r Ysbryd Glân arwain, yn hytrach na'i ddiffodd. Mynegodd ei chred: 'Souls must be freed by the Spirit, and they can often only break forth from their bonds by breaking down and breaking out in any way that recurs at the time'.[9] Yn ystod ymweliad arall, treuliodd beth amser yng nghwmni A. T. Pierson, gŵr a ddylanwadodd yn drwm ar y mudiad sancteiddrwydd ym Mhrydain.[10]

Yn y *Life of Faith*, teitl ei cholofn oedd 'The Awakening in Wales', a newidiodd wedyn i 'The Awakening in Wales and Elsewhere'. Wedyn fe gafwyd teitlau gwahanol. Derbyniodd wybodaeth o wahanol fannau yng Nghymru, ym Mhrydain yn gyffredinol ac o wledydd ar draws y byd. Roedd yn derbyn a danfon gwybodaeth am y Diwygiad. Hoffai sôn am yr anarferol, fel hanes y gŵr o'r Iseldiroedd a ddaeth i Gymru heb fawr o Saesneg. Cafodd drafferth ofnadwy i siarad yn y Tabernacl, Caerdydd, ond erbyn cyrraedd Pontycymer medrai siarad yn huawdl.[11] Medrai'r colofnydd sôn am hanesion difyr iawn, heb anghofio y pethau llai dymunol, fel hanes y cyfarfod ofnadwy yng Nghwmafan, 21 Chwefror 1905.[12]

Croniclai hanesion o Norwy, Sweden, Denmarc, Rwsia, De Affrica, Madagascar, Jamaica a'r India. Llawenydd mawr iddi oedd clywed o Rwsia, a bod ei ffrindiau, y Farwnes Leven, y Barwn Nicolai ac eraill, yn dal yn frwdfrydig, a bod gwaith yr Ysbryd yn lledu'n gyflym. Derbyniai newyddion hefyd gan William Fetler, myfyriwr yng Ngholeg Spurgeon, yn ystod ei arhosiad yno, ac ar ôl iddo ddychwelyd i Leningrad. Un arall o ohebwyr Jessie Penn-Lewis oedd y Cymro a'r cenhadwr, J. Pengwern Jones (Methodist Calfinaidd), gogledd ddwyrain India.[13]

Ar wahân i ymweld â Chymru, cafodd Jessie Penn-Lewis gyfle i fynd i'r Almaen ym mis Mai 1905. Aeth i gynhadledd Frienwalde a sefydlwyd gan Pastor Lohman. Pan siaradodd y wraig o Gymru syrthiodd yr Ysbryd Glân ar y gynulleidfa: 'The Spirit "fell" as I was speaking Thurs. morning'.[14] Ei thema oedd cymod drwy'r Groes (Effesiaid 2:14). O dan ddylanwad yr Ysbryd cododd un ar ôl y llall i ysgwyd llaw, a lledodd sŵn wylo drwy'r lle i gyd. Disgrifiodd y siaradwr y cyfarfod fel 'Pentecost'. Tua diwedd Medi 1905, siaradodd Jessie Penn-Lewis mewn cyfarfod ym Mharis, cyfarfod a lywyddwyd gan yr Athro Paul Passy, o Brifysgol Sorbonne, a oedd newydd ddychwelyd o Gymru. Ar ddiwedd y neges, ymatebodd y gynulleidfa mewn llif o weddïau.[15]

Ni fedrai Jessie Penn-Lewis ymweld â Chymru yn aml, ond roedd mewn cysylltiad agos ag arweinwyr fel R. B. Jones ac Evan Roberts. Roedd yn amlwg hefyd yng Nghynhadledd Llandrindod, er bod amryw yn anhapus gyda'i dylanwad, a daeth hyn i'r amlwg yn ystod 1905 a 1906. Roedd gwrthwynebiad i'w phwyslais, a'r ffaith mai gwraig oedd hi, ac roedd gwahaniaethau eraill ymhlith mynychwyr Llandrindod.[16] Ni effeithiodd hyn o gwbl ar ei pherthynas ag Evan Roberts. Erbyn 1906 roedd yntau wedi blino'n lân, a chafodd ymgeledd yng nghartref William a Jessie Penn-Lewis yng Nghaerlŷr.[17] Y flwyddyn honno oedd cychwyn ysgrifennu *War on the Saints* (a gyhoeddwyd yn 1912), cyfrol a baratowyd ar y cyd gan Evan Roberts a Jessie Penn-Lewis. Parhaodd hithau â'i gwaith llenyddol, a pharhau i ymweld â Keswick a Llandrindod. Daeth ei pherthynas â Keswick yn Lloegr i ben yn 1909, a pheidiodd â mynychu Llandrindod erbyn 1911. Erbyn hyn roedd Pentecostaliaeth wedi lledu i wahanol fannau ym Mhrydain, ac ymosododd Jessie Penn-Lewis arno'n chwyrn.[18] Ni chredai ei fod o Dduw.

Dyfalbarhau a wnaeth Jessie Penn-Lewis. Yn 1909 sefydlodd yr *Overcomer*, a chynhadledd Matlock yn 1912. Credai fod eisiau cynhadledd i ganolbwyntio ar ei dysgeidiaeth arbennig hi, sef y pwyslais ar farw gyda Christ. Braidd yn llesg oedd y wraig yn ystod cyfnod y rhyfel, 1914 hyd 1918, ond adnewyddodd, a pharhau i hybu ei dysgeidiaeth yng nghanolfan yr Hayes, Swanwick. Yno, yn 1927, y traddododd R. B. Jones ei anerchiadau ar yr wyth pennod gyntaf o'r llythyr at y Rhufeiniaid.

Er bod Jessie Penn-Lewis yn pwysleisio undeb efengylaidd, gwaith anodd, amhosibl ar brydiau, oedd ei sicrhau. Digwyddodd rhaniadau rhwng rhai amlwg, megis rhyngddi hi ag Austin Sparkes, a rhyngddi hi a Charles Raven.[19] Cymhlethdod pellach oedd gorfod ymgodymu â syniadau o fewn y byd efengylaidd; ymosod yn arbennig ar Bentecostaliaeth, ac amddiffyn lle'r wraig mewn gwaith Cristnogol. Rhoddodd sylw hefyd i'r Ailddyfodiad ac Ysbrydegaeth. Arwain cwmni lleiafrifol a wnaeth y wraig o Gastell-nedd, ond ni ellir mesur ei dylanwad yn ôl nifer ei dilynwyr. Dylanwadodd yn drwm ar unigolion a chynadleddau ym Mhrydain, yr Almaen, gwledydd Sgandinafia, Affrica, Awstralia a'r India.

1. Ffynonellau: Mary N. Garrard, *Mrs Penn-Lewis, A Memoir* (Bournemouth. 1930); y cyfnod cynnar: pennod 1, Brynmor Pierce Jones, *The Trials and Triumphs of Mrs. Jessie Penn-Lewis* (Bridge-Logos, 1997), y cyfnod cynnar: Rhan Un, 1, 2, 3; Mrs Penn-Lewis, 'An Autobiographical Sketch', *The Overcomer,* Rhagfyr 1914.

2. Garrard, *Memoir, 7.*

3. Ibid. pennod 2; Brynmor Pierce Jones,*The Trials and Triumphs,* Rhan Un, 3.

4. Brynmor Pierce Jones, *Trials and Triumphs*, Rhan Dau.

5. Ibid., Noel Gibbard, *On the Wings of the Dove* (Gwasg Bryntirion, 2002), pennod 5.

6. Ibid., 61; Garrard, *Memoir*, pennod V; Brynmor Pierce Jones, *Trials and Triumphs*, pennod 8.

7. Noel Gibbard, *On the Wings of the Dove,* 141-2, 151.

8. Am hanes Keswick, Llandrindod: Brynmor Pierce Jones, *The Spiritual History of Keswick in Wales* (Cwmbran, Gwent, 1989).

9. 'The Awakening in Wales and Elsewhere', *The Life of Faith,* 31 Mai 1905, 437, a hefyd: 13 Rhagfyr 1905, 1113, 25 Ebrill 1905, 361.

10. Ibid., 'The Work in Wales', 29 Tachwedd 1905, 1013.

11. Ibid., 1 Mawrth 1905, 173.

13. Am Fetler: Noel Gibbard, *On the Wings of the Dove,* 61-5; J; Pengwern Jones: 'The awakening in many lands', *The Life of Faith,* 26 Gorffennaf 1905, 609, ibid., 'The Revival in the Khassia Hills', 13 Medi 1905, 776.

14. LLGC, Casgliad Mrs Penn-Lewis, llythyr 27 Mai 1905; *The Life of Faith,* 31 Mai 1905, 436, 7 Mehefin 1905, 455.

15. Noel Gibbard, *On the Wings of the Dove*, 31.

16. Brynmor Pierce Jones, *Trials and Triumphs,* 161, 152; ibid., am 909, 146-7; ibid., *An Instrument of Revival* (Bridge Publishing, 1995), 164.

17. Brynmor Pierce Jones, *An Instrument,* 165-8

18. Noel Gibbard, *On the Wings of the Dove,* 151.

19. Brynmor Pierce Jones, *The Trials and Triumphs,* pennod 22.

3
Anghydffurfwyr
ac Anglicaniaid

Noel Gibbard

Lledodd y Diwygiad fel afon yn gorlifo ei glannau. Digwyddodd hyn trwy wahanol gyfryngau. Daeth Evan Roberts i'r amlwg yn fuan ym mis Tachwedd 1904. Ef, yn sicr, oedd cyfrwng y deffroad yng Nghasllwchwr a Threcynon. Cadarnhau'r gwaith a wnaeth mewn lleoedd fel Pontycymer, Treharris a Dowlais. Mae'n debyg mai dau cant a hanner oedd nifer cyfarfodydd Evan Roberts, a hynny allan o filoedd o gyfarfodydd ar hyd a lled Cymru.[1] Roedd siroedd cyfain, fel Penfro, Mynwy a Fflint, na fu yn agos iddynt o gwbl, a dim ond ychydig iawn o gyfarfodydd a gynhaliodd yn siroedd Caerfyrddin a Meirionnydd.

Teithiodd amryw o'r pregethwyr, o bob enwad, i wahanol fannau, ac yn aml iawn roedd unawdwyr yn eu cynorthwyo. Dyna oedd yn wir am Evan Roberts ei hunan, gyda'r pum merch o Gorseinon, ac yn ddiweddarach, gyda'i chwaer, Mary Roberts ac Annie Davies. Dyna batrwm pregethwyr eraill hefyd: R. B. Jones ag Emlyn ac Arthur Davies; D. M. Phillips â'i nith; Joseff Jenkins â Maud Davies a Florrie Evans; Sidney Evans â Sam Jenkins. Nid oedd yr unawdwyr mwy annibynnol yn brin chwaith, a chyfrannodd amryw ohonynt i ledaeniad y Diwygiad, yn cynnwys Annie M. Rees, S. A. Jones, Tegfan Roberts a Dewi Michael. Gwraig a ddaeth i'r amlwg, yn arbennig yn y Gogledd oedd Mrs Jones, Egryn, a gŵr amlwg yno oedd Evan John Jones.[2] Mewn sawl cylch roedd baich y gwaith ar ysgwyddau'r gweinidogion lleol, fel yn y Rhos, Caergybi, Caerfyrddin, Rhydaman ac Abertawe.

Ymhlith y cenhadon teithiol, y mwyaf brwdfrydig oedd Sidney Evans.[3] Teithiodd, gyda Sam Jenkins fel arfer, bron i bob sir yng Nghymru, yn cynnwys Penfro, Mynwy a Brycheiniog, lle na bu arweinwyr eraill y Diwygiad yn gweithio. Erbyn canol 1905 cyrhaeddodd Gaerdydd, lle arall na bu Evan Roberts yno. Erbyn ymweliad Sidney Evans, roedd y ddinas wedi profi'n helaeth o ddylanwadau'r Ysbryd Glân. Ganol Tachwedd 1904, cyhoeddodd H. M. Hughes, gweinidog Ebeneser (Annibynwyr), gwrdd gweddi, a chanlyniad cynnal y cwrdd hwn oedd trefnu cyfarfodydd ddwy waith y dydd.[4] Ymwelodd diwygwyr o'r Rhondda ac Aberdâr â'r ddinas, a chwythwyd y fflam yn ddisgleiriach.

Lledodd y Diwygiad i amryw o gapeli'r ddinas, ond daeth Ebeneser a Tabernacl, yr Ais (Bedyddwyr), yn brif ganolfannau. O Gaerdydd, medrai'r ymwelwyr o bedwar ban byd deithio i gymoedd y De. Un o'r unawdwyr a groesawyd i Gaerdydd oedd Annie M. Rees. Cyrhaeddodd 15 Rhagfyr, yn sŵn canu 'Hapus Awr'; canodd hithau sawl gwaith, a gadael am ddeg o'r gloch i fynd i gyfarfod arall.[5] Dilynwyd hi gan Mary Roberts a Dewi Michael. Cadarnhawyd y gwaith gan Sidney Evans a Sam Jenkins. Un o nodweddion y gwaith yng Nghaerdydd oedd y gweithgarwch dyngarol. Bu prysurdeb mawr am fisoedd lawer i gwrdd ag anghenion yr anghenus.[6]

Torrodd y Diwygiad allan yr un pryd mewn sawl lle, ond heb gysylltiad rhyngddynt o gwbl. Dyna oedd yn wir am Gasllwchwr, Rhydaman a Rhosllannerchrugog. Ar y llaw arall roedd cysylltiad agos rhwng gwahanol leoedd, fel oedd yn wir am y Rhos, y Bala a Lerpwl. Lledodd y Diwygiad yn y De yn rhyfeddol o gyflym. Lledodd yn y Gogledd hefyd, er nad mor gyflym efallai, ond nid oedd dim amheuaeth am ei rymuster erbyn diwedd 1904, 'Erbyn diwedd Rhagfyr 1904 yr oedd y Diwygiad yn gyffro cenedlaethol.'[7] Nid oes amheuaeth fod hyn yn wir, er bod D. M. Phillips yn dweud am y Gogledd y pryd hwnnw, 'had not experienced the power of the Revival', ar wahân i'r Rhos.[8] Anwybyddodd yr hyn a ddigwyddodd ym Mangor, Blaenau Ffestiniog, y Bala, Egryn a Thaliesin. Enghraifft yw hyn, efallai, o'i duedd i golli golwg ar bawb a phopeth ar wahân i Evan Roberts.

Codi a disgyn a wnaeth tymheredd y Diwygiad. Llosgai'r tân yn eirias yn ystod y cyfnod cynnar; bu ambell fis tawel, ac yna byddai ffrwydro eto. Mewn sawl man digwyddodd hyn dair neu bedair gwaith yn ystod 1905. Er enghraifft, tawel oedd hi mewn ambell ardal ganol 1905, ond ar yr un pryd roedd Evan Roberts yn llawenhau oherwydd y fendith amlwg yn sir Fôn. Profasai'r ynys ddylanwadau nerthol yn gynharach yn y flwyddyn o dan weinidogaeth R. B. Jones, Porth, Rhondda. Digwyddodd adfywio pellach yn ddiweddarach yn 1905.[9] Diffoddwyd y tân mewn mannau yn ystod 1906; parhaodd i losgi'n dawel mewn ambell fan, ac yn Abertridwr roedd y dylanwadau mor nerthol ag yr oeddynt yng nghyfnod cynnar y Diwygiad.[10] Mae'n anodd gweld patrwm pendant. Nid yw hyn yn rhyfedd gan fod yr Ysbryd yn chwythu lle y mynno.

Eglwys Loegr (Yr Eglwys yng Nghymru yn awr)
Sôn a wnaethpwyd hyd yn hyn am y capeli Anghydffurfiol. Cawsant sylw canolog yn yr adroddiadau am y Diwygiad. Ond prin iawn yw'r cyfeiriadau at yr eglwysi Anglicanaidd, ac nid yw D. M. Phillips yn gwneud sylw ohonynt o gwbl, ar wahân i gyfarfod Evan Roberts yn eglwys Llanddona, Môn. Mae iddynt le pendant yn hanes y Diwygiad.

Cydweithio
Croesawyd y Diwygiad gan Esgob Tyddewi,[11] ac arweinwyr eraill yr Eglwys yng Nghymru.[12] Adroddwyd am waith anarferol yr Ysbryd Glân mewn llawer eglwys yn ystod Tachwedd-Rhagfyr 1904 ac Ionawr 1905.[13] Roedd yn gyfnod y dadlau ynglŷn â Deddf Addysg 1902, a ofynnai i Anghydffurfwyr gyfrannu at ysgolion Eglwysig. Golygai hyn fod cydweithio yn anodd iawn, ac mae'n rhyfeddod felly i gydweithio ddigwydd mor aml yn ystod y Diwygiad. Dyna ddigwyddodd yn y Cei, cylch Joseff Jenkins,[14] a hefyd yng nghylch Evan Roberts yng Nghasllwchwr a Gorseinon.[15] Yn yr un ardal, gwahoddwyd Maud Davies ac Annie Davies i eglwys Llandeilo Tal-y-bont (a gludwyd i Sain Ffagan erbyn hyn). Pregethodd y Ficer ar Luc 2:20 (cân Mair), ac annog y gynulleidfa i foliannu Duw. Canodd y ddwy chwaer 'Ni fuasai gennyf obaith am ddim ond fflamau syth', ac wedi hynny parhaodd y Ficer i bregethu. Canodd y merched eto, a thra oeddent yn canu, cerddai'r Ficer i lawr yr eglwys, ac ymunodd y gynulleidfa yn y canu. Dychwelodd y Ficer at yr allor a chanodd y merched unwaith eto. Anghofiwyd am y casgliad.[16] Yr un oedd y patrwm ym Mhontarddulais a Llanedi.[17]

Parhaodd y cydweithio yn Ne Aberteifi, yn y Cei, Cilcennin ac Abermeurig, ac o fewn yr Esgobaeth yn Nyfer a Phencader. Arferai Ficer Abermeurig fynychu cyfarfodydd yr Anghydffurfwyr, a'i gwahodd hwythau i'r eglwys.[18] Un o'i brofiadau oedd clywed y canu yn yr awyr fel yn Niwygiad Beddgelert, 1817, a Diwygiad 1859.[19] Mynychodd Rheithor Aber-porth gyfarfod Evan Roberts ym Mlaenannerch, 14 Mawrth 1905.[20] Yn y cyfarfod hwn cyfeiriodd at rwystr yn y gynulleidfa a chyfeirio at un person wrth ei enw. Roedd golwg flinedig arno, a chredai'r Rheithor fod angen gorffwys ar y cenhadwr, er bod hyn yn syth ar ôl y cyfnod o ymneilltuo yng Nghastell-nedd.[21] Y Ficer, E. D. Glanley, oedd ar y blaen gyda'r cyfarfodydd undebol yn Ystradgynlais. Mewn cyfarfod undebol cytunwyd i'r enwadau gynnal cyfarfodydd ar wahân, ac yna ddod at ei gilydd i wasanaeth undebol.[22] Daeth wyth cant i'r cyfarfod hwnnw a gynhaliwyd yn yr eglwys. Pregethwyd gan Owen Prys (Methodist Calfinaidd), a cymerodd gweinidogion anghydffurfiol eraill ran yn y cyfarfod. Tystiodd y Ficer i ddylanwad iachusol y Diwygiad.[23]

Yn y Gogledd, yn Rhosllannerchrugog, ysgubodd yr Ysbryd Glân ddegau i deyrnas Crist. Parodd hyn lawenydd mawr i Thomas Prichard, y Ficer.[24] Ymunai mewn cyfarfodydd gyda'r Anghydffurfwyr, a theimlai'n gartrefol yn y Diwygiad, ymhlith y glowyr du eu hwynebau ond glân eu calonnau. Gwahoddodd y Parch. Thomas Jones, Rhostyllen a Maud Davies, Ceinewydd, i'r ysgol Sul, ac aeth gyda nhw i ysgol Sul Capel Mawr (Methodistiaid Calfinaidd), lle y traddododd anerchiad dwys. Profwyd dylanwadau amlwg o dan ei weinidogaeth yng Nghynwyd. Pan ddaeth Evan Roberts i Lerpwl, aeth y Ficer i wrando arno, a chael ei fodloni yn fawr.[25] Draw yn y gorllewin, yng Nghaernarfon, cydweithiai'r enwadau i gyd, a chafwyd cynhaeaf bras yn yr eglwys, lle y derbyniwyd bron dau gant mewn cyfnod o bedair wythnos, ac ym Mhenmachno roedd undeb crefyddol neilltuol.[26]

Teimlodd rhai eglwysi unigol awelon yr adfywiad. Cyffrowyd amryw o eglwysi Môn, yn arbennig yng Nghaergybi.[27] Hyd yn oed cyn Tachwedd 1904, meddiannwyd plwyfi Deoniaeth Archellwedd â difrifoldeb a dyhead am ddyfnhau'r bywyd ysbrydol. Gwireddwyd eu dymuniadau yn ystod y Diwygiad, a dywedir, ar sail cofnodion y Ddeoniaeth, 'Comments on the course that the Revival had taken showed that the Churchmen of Archellwedd had not only come to terms with it, but had welcomed it and profited by it.'[28]

'Church Pastoral Aid Society' (CPAS)

Bwriad yr ymddiriedolaeth hon oedd cefnogi offeiriaid ac eglwysi efengylaidd a rhoi cymorth ariannol i'r eglwysi. Croesawodd y mwyafrif o'r eglwysi hyn y Diwygiad. Yn Esgobaeth Llandaf gellid enwi Rhymni, Glyn-taf, Blaenafon, Caerffili, Ferndale, Treherbert, Tylorstown ac Ystradyfodwg. Un o'r rhai mwyaf brwdfrydig oedd Ficer Rhymni, a dyma ei dystiolaeth:[29]

When I was going round the congregation to see if any prodigal had returned, old people over sixty years of age were weeping like little children, on their knees. When the Revival commenced in the West, I called the parishioners together for prayer on Monday, November 21, and on the following Saturday we had hundreds of people in the church. We continued the meetings every evening for the following fortnight, and God blessed us in a special way, for we have received seventy-one names to join the Church, all adults and over sixteen years; out of these about thirty-three have never been confirmed.

Cwrdd diwygiad a gynhaliwyd hanner nos, 31 Rhagfyr 1904, a neilltuwyd yr wythnos gyntaf yn 1905 i fod yn wythnos weddi.[30]

Yn Esgobaeth Tyddewi adroddwyd am adfywio ym Mhen-bre, Brynaman, Cwmaman ac Abertawe. Ar nos Sul, 11 Rhagfyr 1904, rhoddodd Ficer Cwmaman gyfle i'r gynulleidfa gyffesu Iesu Grist. Gofynnodd i bwy bynnag a garai wneud hynny godi ar ei draed, a gwnaeth deg gŵr ifanc, cyhyrog, ymateb:[31]

They were now beckoned to and invited to come forward, which they did — walking through the midst of the large congregation to a place reserved in front of the pulpit. At further weekly and Sunday services similar results followed — though in smaller numbers.

Un o gefnogwyr brwd y CPAS oedd Ficer Blaenafon. Siaradodd yng nghyfarfodydd y Gymdeithas ym Molton, a defnyddiodd sleidiau i gyflwyno golygfeydd o Gymru, 'including one of a Mountain Mission Church where the Revival began in a "Watch Night" service.'[32] Cyfeiriodd at fendith ysbrydol helaeth ym Merthyr Tudful, Rhymni a Llanhiledd.

Roedd arweinwyr cadarn yn Abertawe, yn cynnwys Talbot Rice, Ficer Abertawe (1902-9), a Cecil Lillingston, Ficer Sgeti (1903-8). Un o nodweddion bywyd Talbot Rice oedd ei ysbryd cenhadol, ac arferai gynnal cyfarfodydd awyr agored yn ei blwyf. Roedd yn fugail gofalus hefyd.[33] Plwyf uchel eglwysig oedd Sgeti, ond newidiwyd ef yn llwyr o dan gyfarwyddyd Cecil Lillingston. Pwysleisiai ef werth astudio'r Beibl, a threfnodd gyfarfodydd gweddi cyson. Trefnodd Gymun wythnosol a chyfarfod i'r eglwys ar nos Fercher. Trwy gyfrwng gwaith Lillingston a Talbot Rice, a rheolaeth y CPAS, llwyddwyd i wneud Abertawe yn un o'r canolfannau mwyaf efengylaidd o fewn Eglwys Loegr.[34] Ymwelai clerigwyr efengylaidd amlwg â'r dref a'r cylch, yn cynnwys F. B. Webster, All Souls, Llundain; Barnes Lawrence, Ficer Blackheath;[35] Taylor Smith, un o ffrindiau Talbot Rice, a'i gefnder, Barclay Buxton.[36] Prif gylch y CPAS yn y Gogledd oedd Dwygyfylchi a Phenmaen-mawr. Ym Mhenmaen-mawr ymunai'r Eglwyswyr a'r Anghydffurfwyr hyd yn oed ar ôl 1905. Disgrifir y cyfarfodydd yno fel 'extraordinary gatherings for prayer.'[37]

Cenhadu

Credai'r Eglwyswyr, fel yr Anghydffurfwyr, fod mynd â'r neges i wahanol fannau yn un ffordd o ledaenu'r Diwygiad. Roedd gan yr Eglwys genhadwr cartref yn esgobaeth Tyddewi cyn 1904, sef y Canon Camber Williams.[38] Nodweddwyd ei ymgyrchoedd gan holi personol, a'r pwyslais ar weddi ac astudio'r Beibl. Dyna oedd yn wir am ei genhadaeth yn Nyfer yn Hydref 1904.[39]

Ymunodd â'i holl galon yng nghyfarfodydd y Diwygiad. Yn eithaf aml byddai ymgyrchu Canon Camber Williams, adfywiad lleol a chefnogaeth y CPAS, yn cydgyfarfod mewn ardal arbennig. Digwyddodd hyn yn Nyfer, Casllwchwr ac Abertawe. Yn Nyfer un o'r selogion oedd Mrs Bowen, Llwyn-gwair, sef y teulu a groesawodd John Wesley i'r ardal. Emynau'r Diwygiad oedd hoff emynau'r cyfarfodydd, yn arbennig 'Y Gŵr wrth ffynnon Jacob' ar y dôn 'Bryniau Cassia', a Mrs Bowen yn canu'r organ.[40] Yng Nghasllwchwr, cyrraedd i chwythu'r fegin a wnaeth y cenhadwr oherwydd roedd y tân yn llosgi eisoes. Wrth gadarnhau'r gwaith, roedd yn lledu hefyd, oherwydd roedd mwy o bobl yn tyrru i'r cyfarfodydd, yn arbennig os oedd cenhadwr yn siarad. Byddent hwythau yn mynd yn ôl i'w cylchoedd eu hunain. A dywedir: 'The experience at Loughor was repeated in parish after parish as the revival spread.'[41]

Yr un oedd neges y Canon yng Nghasllwchwr a Cocket, Abertawe. Ei bwyslais canolog oedd gweddi, ac annog y bobl i weddïo am iddynt adnabod eu hunain, a gweddïo i wybod pa waith oedd gan Dduw ar eu cyfer. Tra fyddai'r gynulleidfa yn canu'r emyn olaf mewn oedfa ('Y Gŵr wrth ffynnon Jacob' yn boblogaidd), arferai Camber Williams a James Jones rannu cardiau o sedd i sedd. Arnynt roedd nifer o gwestiynau:[42]

'Have I given myself to God?'
'Do I read some portion of the Bible every day?'

'Do I hold family prayer at home?'
'Do I pray for others?'
'What am I doing to bring those around me to God?'

Pwyswyd ar y gynulleidfa i ystyried y cwestiynau o ddifrif. Un o'r cenhadon a ymwelai yn gyson ag Abertawe oedd W. H. Aitken. Cyfeiriodd y *Church and People* at ei ymweliad yn ystod y Diwygiad: 'A wave of spiritual blessing passed over St Mary's, and continues in the lives of the converted at the time, and in a man's bible class held weekly by the senior curate, which has been a source of blessing ever since.'[43] Dyna oedd y dyfarniad bron bedair blynedd ar ôl y Diwygiad.

Caerfyrddin oedd canolfan Camber Williams ddechrau mis Ebrill 1905. Ymunodd â chenhadon o Loegr mewn cenhadaeth yn y dref. Llywyddwyd y cyfarfod agoriadol gan esgob Tyddewi, a mynegodd groeso i'r Diwygiad. Cymerai Camber Williams rhan yn y cyfarfodydd, ac ef hefyd a weinyddai'r Cymun yn eglwys Sant Ioan am saith o'r gloch y bore.[44]

Digwyddodd cenhadu brwd yn Esgobaeth Llandaf. Neilltuwyd chwe chenhadwr i ymosod ar Dreganna, Caerdydd. Am chwarter wedi saith bob nos, gorymdeithiai'r Eglwyswyr, gan gynnwys y côr yn eu gwisgoedd gwynion, ar hyd y strydoedd. Canwyd emynau'r Diwygiad yn y cyfarfodydd, ac yn ôl David Davies, y Ficer, roedd presenoldeb Duw yn amlwg yn eu plith.[45] Trefnwyd yr ymgyrch cyn y Diwygiad, ond dywed y Ficer i'r Diwygiad roi 'considerable impetus' i'r genhadaeth.[46] Yn yr un esgobaeth, rhyddhawyd Timothy Rees o'i gyfrifoldeb yng Ngholeg Mihangel er mwyn ymweld â'r plwyfi a ddylanwadwyd gan y Diwygiad. Clerigwr Eingl-Gatholig oedd Timothy Rees, ond cafodd groeso cynnes yn y plwyfi. Cydnabyddai fod Duw ar waith, ond credai fod tuedd i fod yn arwynebol mewn rhai mannau. Roedd angen am ddysgu a hyfforddi.[47]

Mae'n sicr i'r Eglwys Anglicanaidd felly elwa o'r Diwygiad. Adnewyddwyd amryw eglwysi a chalonogwyd yr offeiriaid. Llwyddwyd i raddau helaeth i ddiogelu'r fendith oddi mewn i'r traddodiad eglwysig. Roedd y traddodiad hwnnw yn gymorth i osgoi teimladrwydd dilywodraeth. Gofalwyd am gylch eang gan un person; yr esgob yn yr esgobaeth, a'r ficer yn y plwyf. Yn y gwasanaethau, roedd yn bosib cael ffurfweddïau a gweddïau rhydd; canu emynau traddodiadol yr Eglwys a rhai newydd y Diwygiad, cael tystiolaethau personol a'r 'Te Deum'. Ac yn sicr roedd hyn wrth fodd Camber Williams a gofiai gyda diolch am eiriau'r Deon Howell yn mynegi hiraeth am ddiwygiad. Ym marn Camber Williams roedd y Diwygiad yn gyflawniad o addewid Joel, pennod 2, ac Actau, pennod 2.[48] Ar ôl y Diwygiad roedd yn bosibl i rai clerigwyr barhau i gydweithio ar lwyfan y cynadleddau efengylaidd, yn arbennig Llandrindod. Nid oedd y berthynas rhwng yr Anglicaniaid a'r Angydffurfwyr yn fêl i gyd. Ceir enghreifftiau o Eglwyswyr yn gwrthod ymuno â'r Anghydffurfwyr mewn cyfarfodydd diwygiadol, fel yng Nghaerfyrddin, Llanelli a Wrecsam.[49] Yn union ar ôl y Diwygiad oeri a wnaeth teimladau da Esgob Bangor hyd yn oed, a fu mor bleidiol i'r cyffro ysbrydol. Yn ei farn ef roedd 1905 yn 'very exceptional year.'[50] Gwnaeth rhai arweinwyr feirniadu'r Diwygiad, a pharhau gyda'u gwaith ar wahân i'r Diwygiad a wnaeth amryw o eglwysi eraill. Ysbryd cyndyn yw ysbryd enwadol. Ni ildiodd yr Eglwys fodfedd o'i thir, ond yr un oedd yr ysbryd o fewn yr enwadau Anghydffurfiol hefyd, a chafwyd amlygiadau ohono hyd yn oed yn ystod y Diwygiad. Lleddfwyd ef i raddau helaeth mewn nifer dda o ardaloedd o dan ddylanwad yr Ysbryd Glân, ond yn fuan iawn roedd mor uchel ei gloch ag erioed o'r blaen.

1. R. Tudur Jones, *Ffydd ac Argyfwng Cenedl*, cyf. 2, 214.
2. Noel Gibbard, *Caniadau'r Diwygiad*, pennod 5.
3. Adran yr 'Arweinwyr'; 'Sydney Evans', *Diwygiad a Diwygwyr*, D. M. Phillips, *Evan Roberts*, 264-5.
4. R. Tudur Jones, *Ffydd ac Argyfwng Cenedl*, cyf. 2, 151; 'Evangelists at Cardiff', *The Western Mail*, 1 December 1904; 'Docks', *Y Goleuad*, 9 Rhagfyr 1904, 11; *Y Diwygiad a'r Diwygwyr*, 141-3.
5. E.e. 'Cardiff Revival Meetings', *The Western Mail*, 16 Rhagfyr 1904.
6. Gweler pennod 10: 'Dylanwad y Diwygiad ar yr Eglwysi Enwadol'.
7. R. Tudur Jones, *Ffydd ac Argyfwng Cenedl*, cyf. 2, 151.
8. D. M. Phillips, *Evan Roberts*, 328-9.
9. Môn: Ibid; 'R. B. Jones', Adran yr 'Arweinwyr'.
10. 'Cyfarfodydd Diwygiadol yn Elan Road', *Tarian y Gweithiwr*, 13 Rhagfyr 1906, 3.
11. *St David's Diocesan Gazette*, Awst 1905.
12. Ibid., Ionawr-Ebrill 1905; *South Wales Daily News*, 29 Mai 1905, 6; 'Revival services', *The Cardigan and Tivyside Advertiser*, 27 Ionawr 1905.
13. Canon Camber Williams, 'Church and Revival', *St David's Diocesan Gazette*, Ionawr-Ebrill 1905, 'The Revival in Wales', Rhagfyr 1905.
14. 'More about the Welsh Revival', *Church and People*, Mawrth 1905; 'New Quay', *The Cardigan and Tivyside Advertiser*, 27 Ionawr 1905.

15. Roger L. Brown, *The Welsh Evangelicals*, 154.
16. 'Revival Outburst at Church', *The Welshman*, 39 Rhagfyr 1904.
17. 'Sparks from the great fire', *SWDP*, 5 Ionawr 1905; ibid. 'Church and Revival', 8 Rhagfyr 1904.
18. Adroddiadau yn *The Cardigan and Tivyside Advertiser*, 3, 24 Chwefror 1905; *Y Diwygiad a'r Diwygwyr*, 327.
19. *Y Diwygiad a'r Diwygwyr*, 326.
20. NLW 15668B; 'Ymweliad Mr Evan Roberts a Blaenanerch Plwyf Aberporth, sir Aberteifi' *Yr Haul*, Ebrill 1905; David Jenkins, 'The Religious Revival of 1904-1905', *Agricultural Community in south-west Wales at the turn of the twentieth century* (Caerdydd, 1971).
21. Ibid.
22. 'Every barrier down', *SWDP*, 21 Rhagfyr 1904; 'The Revival in Wales', *Church and People*, Ebrill 1905.
23. *Church and People*, Ebrill 1905.
24. 'The Vicar of Rhos's Sympathy', *The North Wales Guardian*, 27 Ionawr 1905; *Church and People*, Mawrth 1905. Canmolodd ffrwyth y Diwygiad, er yn cydnabod ei wendidau: *An After Reflection on the Late Great Revival in Wales* (1908).
25. *The North Wales Guardian*, 17 Mawrth 1905; 'Rhos and Ponkey', *The Wrexham Advertiser*, 1 Ebrill 1905.
26. 'Two Hundred Converts', *North Wales Guardian*, 20 Ionawr 1905; *Y Diwygiad a'r Diwygwyr*, 316.
27. 'The Church of England Thoroughly Aroused', *The British Weekly*, 2 Chwefror 1905, 448.
28. Gwynfryn Richards, 'The Rural Deanery of Archellwedd', *Cylchgrawn Llyfrgell Genedlaethol Cymru*, 18, 1973, 163.
29. 'The Revival in Wales', *Church and People*, Chwefror 1905.
30. Ibid.
31. 'The Revival in Wales', *Church and People*, 252-3.
32. 'The Autumn Meeting', *Church and People*, Tachwedd 1905.
33. Roger L. Brown, 'A Man in a Hurry: Talbot Rice, Vicar of Swansea', *Minerva*, cyf. 4, 1996 (Journal of the Royal Institution of South Wales); F. G. Cowley, A History of St Paul's Church, Sketty (St Paul's Church, Swansea, 2001), 22-4.
34. Roger L. Brown: 'Made the town one of the major evangelical centres within the Church of England,' *Minerva*, cyf. 4, 37.
35. D. M. Phillips, *Evan Roberts*, 345, 346; Noel Gibbard, *On the Wings of the Dove*, 158; *SWDP*, 18 Ionawr 1905.
36. *SWDP*, 18 Ionawr 1905; Ibid., 'Mission at Kilvey', 6 Ebrill 1905.
37. Roger L. Brown, *The Welsh Evangelicals*, 137.
38. Robert Camber Williams (1860-1924): cenhadwr cartref; darlithydd yng Ngholeg Llambed, awdur a golygydd. Ganwyd ef yn Llanystumdwy, Gwynedd. Ef oedd Canon Cenhadol a Thrigiannol Esgobaeth Tyddewi o 1899 hyd 1908. Bu farw yn Llandudno yn 1924; nodiadau oddi wrth Huw Tegid, Bangor, ar sail ei waith ymchwil ar Robert Camber Williams.
39. 'Nevern Mission', *The Cardigan and Tivyside Advertiser*, 21 Hydref 1904.
40. Ibid. a 30 Medi, 28 Hydref 1904; 24 Chwefror 1905. Apwyntiwyd D. W. Thomas a James Jones i gynorthwyo Camber Williams yn gynnar ym 1904: *St David's Diocesan Gazette*, Chwefror 1904.

41. *St David's Diocesan Gazette*, Rhagfyr 1905.
42. 'South Wales Revival Fever', *SWDP*, 5 Rhagfyr 1904; hefyd 31 Ionawr 1905; 'Deanery of Kemes', *Church and People*, Mawrth 1905.
43. Roger L. Brown, *The Welsh Evangelicals*, 132, 138.
44. 'Religious Mission at Carmarthen', *The Carmarthen Journal*, 7 Ebrill 1905, 5.
45. 'Mission at Canton', *The Evening Express*, 25 Chwefror 1905; 'Cardiff church Mission', *The Christian Herald*, 1905, 16 Mawrth, 235; 4 Mai, 338. Enghreifftiau eraill o glerigwyr yn arwain gorymdeithiau: Brynmor P. Jones, *Voices from the Welsh Revival*, 206.
46. *Royal Commission on the Church of England*, 1911, cyf. 2, llyfr 1, 12130-4.
47. Roger L. Brown, *The Welsh Evangelicals*, 153.
48. *St David's Diocesan Gazette*, Ionawr-Ebrill 1905.
49. *Royal Commission on the Church of England*, 1911, cyf. 2, llyfr 1, 3572-4, 2484.
50. Ibid., cyf. 4, llyfr 3, 48494.

4
Lledu yn Lloegr

Noel Gibbard

Y Cymunedau Cymraeg yn Lloegr
Newyddion da i Gymry Cymraeg Lloegr oedd clywed am y Diwygiad
yng Nghymru. Croesawyd ef fel adnewyddiad ysbrydol, ac
adnewyddiad a ddechreuodd yn eu mamwlad. Fel eu cyd-Gymry yn yr
Unol Daleithiau a Phatagonia, credent fod eu crefydd a'u hiaith wedi
eu clymu wrth ei gilydd. Disgwylient yn eiddgar am adfywiad buan.
Dyma oedd yn wir am Gymry Plymouth, Earlstown a Prescott,
Sunderland, Caeredin, Crewe,[1] Lerpwl, Manceinion a Llundain.
Rhoddwyd sylw manwl i'r Diwygiad yn Lerpwl yn y papurau ac yng
nghyfrol Gwilym Hughes. Mae'r digwyddiadau ym Manceinion a
Llundain yn hawlio mwy o sylw.

Manceinion
Fel Lerpwl, roedd Manceinion yn ddigon agos i Gymru i wybod yn
iawn beth oedd yn digwydd yno. Clywodd Cymry'r ddinas am y
Diwygiad yn y Rhos a'r cylch, ac yn ystod Rhagfyr 1904 aeth
amryw o'r ddinas i'r cyfarfodydd yno. Yn eu plith roedd un o
weinidogion Manceinion, oedd wedi darllen ysgrif Elfed ar y
Diwygiad yn y *British Weekly*. Sbardunwyd y gweinidog i gynnal
cwrdd gweddi ac ymweld â'r Rhos.[2] Crewyd ysbryd disgwylgar yn
yr eglwysi, ac yn ystod Ionawr cynhaliwyd cyfarfodydd gweddi, dau
yn Booth Street, ac un yn Moss Side. Nodweddwyd addoli Booth
Street gan ddwyster ac edifeirwch, tra mai neges y Farn oedd yn
amlwg yn Moss Side, a'r 'pangfeydd enaid yn ofnadwy.'[3]
Cynhaliwyd cyfarfod arall yn Medlock Street ddechrau Chwefror.
    Ym mis Ebrill 1905, cyrhaeddodd yr efengylwyr o Gymru.
Arweiniwyd y cyfarfod cyntaf gan Maud Davies a Florrie Evans,
Ceinewydd, ac ymunodd Joseph Jenkins â nhw yn yr ail gyfarfod. Bu
gweddïo dwys yn y cyfarfod hwn, a chanodd Maud Davies yn effeithiol

iawn 'O tyn y gorchudd yn y mynydd hwn' ac 'Ai Iesu mawr, ffrind dynolryw?'[4]

Y cyfarfod mwyaf cofiadwy oedd yr oedfa ar nos Sul yn Heywood Street, pan bregethodd Joseph Jenkins ar Mathew 26:6. Roedd yn peri arswyd, ond ni ellir casglu hynny o'i brif bwyntiau, oherwydd braidd yn drwsgl ydynt: 1. Boneddigeiddrwydd y nefoedd yng ngoleuni mellt uffern. 2. Fod yna wedd ar y dwyfol oedd yn achlysur i ryfyg yr annuwiol. Byrdwn ei neges oedd annog y bobl i blygu, ac apeliai yn arbennig at y rhai ifainc i wneud hynny. Y geiriau olaf a glywodd un gohebydd oedd 'ie, heno i lawr a chi! Rhag i gythreuliaid eich pasio boreu'r Farn, fel creaduriaid mwyaf shabby greodd Duw,' ac eisteddodd i lawr.[5] Cydiodd arswyd yn y gynulleidfa, a gwnaeth y ddwy efengyles ymgais i dawelu'r ofnau. Gweddïodd ambell un, a gwnaeth Joseph Jenkins orffen y cyfarfod. Cyfarfod llawer mwy tawel a gafwyd ar y nos Lun.

Fel yn Llundain, medrai'r Cymry ym Manceinion hybu'r gwaith trwy gyfrwng y Saesneg. Roedd Central Hall y Wesleaid fel cwch gwenyn o dan arweiniad F. S Collier. Gwahoddodd Mrs Evans (Eglwys-bach) a May John i gynnal cyfres o gyfarfodydd yn y Neuadd.[6] Dyma'r achos a fu'n ysbrydiaeth i Mrs Saunders, Abertawe, ac eraill, sefydlu cangen y merched o'r Symudiad Ymosodol. Gwelwyd yr un nodweddion yno ag yn y cyfarfodydd yng Nghymru. Lledodd y dylanwad, a cheir hanes am gyngerdd, hyd yn oed, yn troi yn gwrdd gweddi.[7]

Disgrifiodd yr Americanwr, Dr Geil, yr hyn a welodd yn y Central Hall: 'Each service is in charge of a level headed, warm-hearted male leader, around whom are noble women—such as body-guarded John Wesley in such work.' Yn ôl Geil roedd y lle yn 'converting furnace.'[8] Sylwodd hefyd ar yr amrywiaeth yno: cyfarfodydd yn y capel ac yn yr awyr agored; amrywiaeth emynau, rhai yn hen, eraill yn newydd, a threfnwyd darlithoedd hefyd. Roedd Wesleaid Manceinion, fel Wesleaid de-orllewin Lloegr yn ymwybodol iawn o'u tras. Nid oedd yn bosibl osgoi beirniadaeth, ac un o'r beirniaid oedd Deon Manceinion. Camgymeriad yn ei dyb ef oedd disgwyl am dröedigaethau sydyn, 'Early ripe, early rotten'. Ond cafwyd gair o gefnogaeth oddi wrth W. T. Stead, a oedd yn newyddiadurwr amlwg, a phrofodd hyn yn gysur cryf i blant y Diwygiad ym Manceinion.[9]

Llundain
Mae'n siwr fod amryw o Gymry Llundain yn fwy awyddus nag arfer i fynd yn ôl i'r hen wlad dros Nadolig 1904. Pleser oedd dychwelyd bob

amser, ond y tro hwn roeddent yn dychwelyd i ganol berw'r Diwygiad. Clywsant amdano eisoes yn y Wasg ac oddi wrth ffrindiau a pherthnasau, yn cynnwys rhai yn Ceinewydd, a bu rhai o'r gweinidogion yng Nghymru yn ystod mis Rhagfyr. Dychwelodd amryw o'r Cymry wedi eu tanio gan ysbryd y Diwygiad, a sylweddoli, yn ôl yn Llundain, fod yr un Ysbryd yn gweithio yno hefyd.[10] Roedd yn amlwg yn Jewin, lle roedd mwy yn y cyfarfod gweddi nag ers ugain mlynedd.[11] Pan wawriodd 1905, gwawriodd blwyddyn newydd dda ar eglwysi Cymraeg Llundain.

Teimlwyd rhyw fywiogrwydd newydd mewn sawl capel yn ystod y Sul cyntaf yn Ionawr. Disgynnodd y defnynnau, a disgwyliai'r credinwyr am y cawodydd. Fel arfer, hwyrfrydig iawn oedd y capeli Cymraeg i ddod at ei gilydd, o fewn enwad ac ar draws yr enwadau, ond mentrodd yr Annibynwyr drefnu cyfarfod undebol. Rhoddwyd cyfle yno i'r addolwyr yn gyffredinol gymryd rhan, ac yn lle arwain o'r pulpud, eisteddai'r gweinidogion gyda'r bobl. Am rai blynyddoedd, esgeuluswyd yr wythnos weddi ddechrau Ionawr, ond yn awr galwyd y bobl at ei gilydd unwaith eto.[12]

Profwyd grymusterau'r Ysbryd Glân yng nghapel yr Annibynwyr, King's Cross, lle roedd Elfed newydd gychwyn ar ei weinidogaeth. O ddechrau Ionawr cafwyd cyfarfod gweddi bob nos am dri mis. Cymerai amryw rhan mewn gweddi, sawl un am y tro cyntaf. Mawr oedd y blas ar yr addoli, ac yn aml fe fyddai'n hanner nos cyn gorffen cyfarfod.[13] Yn ôl un gohebydd, roedd cynnydd yn nifer y gweddïwyr yn yr eglwysi Cymraeg, a digwyddodd hyn yn ystod cyfnod o tua mis i chwech wythnos, ac yntau'n ysgrifennu ddechrau mis Chwefror.[14] Cadarnhawyd yr adroddiad gan hanes y gweddïo yn un o gapeli'r Presbyteriaid. Cyn y Diwygiad, deg ar hugain i ddeugain a fynychai'r cwrdd gweddi, ond erbyn Ionawr 1905 cododd y nifer i ddau neu dri chant.[15] Cyfeiriwyd hefyd at y 'nerthoedd grymus' oedd ar waith yn Willesden Green, Falmouth Road, Hammersmith a Walham Green. Digon oeraidd, er hynny, oedd cwrdd J. R. Jones, Pontypridd, yn Castle Street (Bedyddwyr). Mae'n siwr fod y pregethwr yn siomedig, ac yntau wedi dod o ffwrnais y Diwygiad ym Mhontypridd a Chwm Rhondda.[16] Ond gwahanol oedd hi mewn cyfarfod arall yn Castle Street, oherwydd trowyd cyfarfod diwylliannol ar y cyd â King's Cross, yn gyfarfod gweddi.[17]

Nid pregethwyr y Diwygiad yn unig a ddeuai o Gymru. Ar ei ymweliad â Stratford, capel Cymraeg y Symudiad Ymosodol, cafodd

y Parch. W. R. Owen, Port Dinorwic, gwmni'r ddwy efengyles, Maud
Davies a Florrie Evans. Yn y cyfarfod nos Lun, cyfeiriodd W. R. Owen
at ddigwyddiad pan ymwelodd â Willesden Green. Daeth merch ifanc
at ddrws y cwrdd wythnos, a mynd yn ei hôl pan welodd mor ychydig
oedd yno. Roedd y ferch honno yn y cyfarfod yn Stratford, a chododd
ar ei thraed, ond drylliwyd hi gan ei theimladau. Disgrifiwyd y
cyfarfod fel un 'yn llawn o Dduw'.[18]

Bu gweithgarwch heintus yn y rhan fwyaf o eglwysi Cymraeg
Llundain o fis Ebrill hyd fis Gorffennaf, 1905. Gwahoddwyd D. M.
Phillips, Tylorstown, i gyfarfodydd y Pasg yn Jewin (Methodistiaid
Calfinaidd). Ar ddiwedd un cyfarfod torrwyd allan i ganu 'Gwaed y
Groes', heb organ, ond ni welodd neb ei heisiau.[19] Y nos Fawrth
ganlynol cychwynnodd Miss S. A. Jones, Nant-y-moel a Miss Maggie
Davies, Maesteg, ar chwe diwrnod o genhadaeth yn Stratford. Cafwyd
cyfarfod caled nos Fawrth, ond tra gwahanol oedd oedfa nos Fercher
pan oedd rhyddid yr Ysbryd yn amlwg wrth addoli. Ymunodd dwy
efengyles ac un efengylwr â'r cwmni, sef Miss Jones y Maerdy (merch
y Parch. David Jones), Mary Davies, Gorseinon a Phillip Jones, o
Ysgol Ramadegol Pontypridd. Agorwyd yr argae ar y nos Iau.[20] Daeth
dros saith cant o bobl at ei gilydd, mewn adeilad a godwyd i bum cant.
Ar brydiau, roedd y teimladau yn llethol, a'r siaradwyr a'r efengylesau
yn ei chael hi'n anodd siarad. Nos Sul oedd yr oedfa olaf i'r
efengylwyr, ond ni adawodd yr Ysbryd, a dywedir i'r gynulleidfa,
mewn cyfarfod 1 Mai, gael ei hysgwyd drwyddi.

Trefnodd un o swyddogion Mile End, a oedd yn bresennol yng
nghyfarfodydd Stratford, i'r merched o Gymru ymweld â Mile End,
trefniant oedd wrth fodd y gweinidog, David Oliver. Buont yno hyd 7
Mai.[21] Y cam nesaf oedd croesi i Charing Cross, lle gweinidogaethai Peter
Hughes Griffiths, ond methodd ef fynd i'r cyfarfodydd oherwydd
gwaeledd. Cafwyd cyfarfodydd hapus, a llawenydd oedd hynny i un
gohebydd oherwydd sylweddolodd nad oedd 'respectability'r eglwys' yn
rhwystr i ddiwygiad. Yr wythnos ganlynol, ymwelodd y merched ag un
o gapeli'r Saeson. Treuliwyd wythnos arall yn Shirland Road, a'r
cyfarfodydd yng ngofal Joseph Jenkins, M. P. Morgan, T. Jones, Coed-
llai, Maud Davies a Florrie Evans. Gwnaeth aelodau'r eglwys ymdrech
lew i ymweld â'u cyd-Gymry yng nghylch Paddington, er mwyn eu
gwahodd i'r cyfarfodydd.[22] Dilynwyd eu hesiampl gan eglwys Holloway.

Trefnwyd dwy genhadaeth yn Falmouth Road a pharatowyd y
ffordd yn ofalus iawn.[23] Argraffwyd 4,000 o 'fanlenni' yn cynnwys

gwahoddiad i'r cyfarfodydd, a arwyddwyd gan y gweinidog, S. E. Prytherch, gweddi Evan Roberts ar derfyn ei wythnos yng Nghodre'r Coed, Castell-nedd, dau bennill o 'Dyma gariad fel y moroedd', yr emyn, 'O fy enaid c'od dy olwg', ac adnodau. Addawodd yr aelodau ymweld ag esgeuluswyr a rhoi hysbysebion yn y siopau. Arweiniwyd y rhan gyntaf o'r genhadaeth, 19-21 Mai, gan S. A. Jones, Nant-y-moel a Maud Davies. Y nos Lun canlynol arweiniwyd y cyfarfodydd gan Llewelyn Lloyd, ei chwaer, a May John. Cyn i'r genhadaeth hon orffen, cyrhaeddodd Seth Joshua i Wilton Square, ynghyd â Maud Davies a Florrie Evans. Oddi yno aeth Seth Joshua i Jewin, a'i gynorthwyo gan Maggie Davies, Maesteg, S. A. Jones, Nant-y-moel a Mary Davies, Gorseinon. Nid oedd cyfarfodydd Seth Joshua mor gyffrous â chyfarfodydd y merched, ond roedd arddeliad amlwg ar neges y pregethwr yn Jewin.[24]

Nos Sul, 4 Mehefin, cynhaliwyd dau gyfarfod yr un pryd yn Jewin, y naill yn y neuadd o dan ofal Seth Joshua, a'r llall yn y capel o dan ofal y tair efengyles.[25] Ar ôl aros am gryn hanner awr, blinodd y pregethwr aros am gyfle i bregethu, ac aeth i'r capel. Ni pheidiodd y brwdfrydedd yn y neuadd, a phan orffennodd y cyfarfod am ddeg o'r gloch, arhosodd nifer dda y tu allan i ganu emynau. Mewn cyfarfod mewn lle arall, pregethodd Seth Joshua, a'i gynorthwyo gan Maud Davies a Florrie Evans, ac nid oedd yno 'na thwrw nag "excitement".'[26]

Cyfarfodydd Cymraeg a gynhaliwyd gan yr efengylwyr o Gymru, ond defnyddid ychydig Saesneg weithiau, ac roedd y cyfarfod a gynhaliwyd yn Holloway, ganol Mehefin, yn ddwyieithog.[27] Canodd a gweddïodd Hugh Jones, yr efengylydd ifanc; siaradodd a chanodd Maggie Davies, a chododd rhywun i weddïo yn Saesneg, ac ymunodd y gynulleidfa i ganu 'I do believe, I will believe'. Ar ôl i Mary Davies ganu a siarad, canodd y gynulleidfa emynau poblogaidd y Diwygiad, 'Y Gŵr a fu gynt o dan hoelion', 'Dewch at Iesu' a 'Dyma gariad fel y moroedd'. Siaradodd y gweinidog am yn ail yn Gymraeg a Saesneg. Ymhlith eraill a gymerodd rhan oedd y bachgen efengylydd Tommy Roberts. Canodd yntau yn Saesneg, 'I can't forget my mother's prayer'. Roedd ar fin ymadael i ganu yn yr Alban.[28]

Arhosai ambell efengylydd am ddyddiau neu wythnos, tra'r arhosai eraill am wythnosau, a dyna a wnaeth S. A. Jones, Maud Davies a Florrie Evans. Croesawodd R. O. Williams hwy i Holloway yn ystod yr wythnos gyntaf yng Ngorffennaf.[29] Yn y cyfarfodydd, llwyddodd y gweinidog i gadw trefn ar y digwyddiadau, ond heb gaethiwo'r Ysbryd.

Lledu yn Lloegr

Oddi yno aeth Miss Jones, gyda Phillip Jones, Aberaman, i East Ham a Battersea. Aeth Maud Davies a Florrie Evans i King's Cross i gynorthwyo Elfed, yntau'n dal yn frwdfrydig i hyrwyddo'r Diwygiad. Dychwelodd Seth Joshua i Lundain ym mis Hydref, gyda deg o gynorthwywyr.[30] Bu yng ngogledd y ddinas am ddeg diwrnod. Ar y noson olaf, adroddodd y Cymro hanes ei bererindod ysbrydol, ei dröedigaeth, ei waith gyda Frank, ei frawd, a John Pugh, a'i brofiad yng Ngheredigion. Ar ôl y cyfarfod gorymdeithiwyd drwy strydoedd Seven Sisters, Hornsey a Holloway, a llwyddwyd i ddenu amryw oddi ar y stryd i'r cyfarfod am hanner nos. Teithiodd un grŵp i Bermondsey ac un arall i'r East London Tabernacle, a bwriad y cwmni hwnnw oedd mynd hefyd i Palmer's Green a Streatham. Adroddir am wyth cant o lowyr yng Nghymru yn mynd i'w gwaith hanner awr yn gynnar, er mwyn gweddïo am lwyddiant y genhadaeth yn nwyrain Llundain.[31] I lawr yn y De, yn Clapham Junction, gwahoddodd yr eglwys Cynddylan Jones i ddarlithio ar Ddiwygiadau Cymru, ac yntau a David Jones, Maerdy, i bregethu.[32] Parhaodd y cysylltiad rhwng yr efengylwyr a Llundain am fisoedd lawer. Aeth Robert Davies ac Annie Gibbon, y ddau o Bontypridd, yno ym mis Mawrth 1906, hwythau, fel eraill o'r efengylwyr, wedi bod yn amlwg yng nghyfarfodydd y Diwygiad yn ystod 1905.[33]

Teithiai rhai o weinidogion Llundain i wahanol fannau yn y ddinas, ac i ardaloedd cyfagos. Teithient i bregethu ac i adrodd hanes y Diwygiad yng Nghymru. Aeth Elfed i Sidcup i gynnal wythnos o gyfarfodydd, a dylanwadwyd yn drwm ar y rhai ifainc yn y cyfarfodydd hyn. Dyma fynegiant arall o'i awydd i hybu'r Diwygiad.[34] Un o feibion Aberafan oedd D. A. Davies, ond gweinidogaethai yn Lloegr. Erbyn Mawrth 1905, ymwelodd â naw o leoedd er mwyn rhannu stori'r Diwygiad yng Nghymru.[35]

Mae'n amlwg felly fod gweinidogion fel R. O. Williams, David Oliver ac Elfed, yn awyddus i ddiogelu'r fendith a ddaeth trwy'r Diwygiad. Fel gweinidogion roedd cyfle ganddynt i ddylanwadu ar eu pobl. Roedd hyn yn wir o fewn y cylch Cymraeg, ond cawsant gyfle i gyfrannu hefyd yn y cylch Saesneg, Elfed yn arbennig.

Y Cymry a'r Saeson
Yn ôl un adroddiad o Clapham Junction, ymwelai ugeiniau o Saeson â'r cyfarfodydd Cymraeg.[36] Ond roedd gweithgarwch selog ymhlith y Saeson eu hunain hefyd. Nid peth newydd oedd diddordeb amryw

ohonynt yng Nghymru. Yn eu plith roedd selogion Keswick yn Llundain, yn cynnwys F. B. Meyer, Campbell Morgan ac F. Webster, All Souls. Ymwelodd y tri ohonynt â chyfarfodydd y Diwygiad yng Nghymru, ac roedd F. B. Meyer yn arbennig mewn cysylltiad agos â Jessie Penn-Lewis, a'r ddau ohonynt yn bresennol yn Llandrindod yn 1903. Cynhaliwyd tri chyfarfod yn Westminster Bridge Road, lle y gweinidogaethai F. B. Meyer, un yn Rhagfyr 1904 ac un yn Ionawr 1905, o dan nawdd Cyngor Eglwysi Rhyddion, cyn i F. B. Meyer fynd i Gymru, a hynny er mwyn creu diddordeb yn y Diwygiad. Cyn ymweld â Chymru yn Ionawr 1905, cadeiriodd gyfarfod arall yn ei eglwys yn Westminster Bridge Road, o dan nawdd y Cyngor Eglwysi Rhyddion, ac yn y trydydd cyfarfod, ymhlith y siaradwyr oedd Campbell Morgan, Dr Hanson, Dinsdale Young, a'r Cymry, Richard Roberts, Thomas Phillips ac Elfed.[37]

Roedd pob un o'r siaradwyr, ar wahân i Dr Hanson, yn obeithiol eu hysbryd. Croesawai Thomas Phillips y Diwygiad, a llawenhâi yn arbennig oherwydd fod neges y Groes yn y canol. Pwysleisiodd Campbell Morgan dri pheth, sef adfer realiti addoliad, parodrwydd i symud popeth diangenrhaid ('clear the decks'), a'r angen i feddwl am ffyrdd i gadarnhau'r dychweledigion. Yn ôl Elfed, roedd angen cysegru'r rhai a oedd eisoes yn proffesu bod yn gredinwyr, yn ogystal â disgwyl am dröedigaethau sydyn. Cafodd Elfed gyfle hefyd yng nghyfarfodydd Undeb Cynulleidfaol Lloegr a Chymru i sôn am y Diwygiad, ac annog y gynulleidfa i fod yn obeithiol ynglŷn â'r dyfodol.[38]

Yn weddol fuan yn y Diwygiad daeth Capel y Wesleaid yn City Road yn un o'r canolfannau. Mewn cyfarfod gweddi, ddechrau mis Mawrth, cafodd amryw o bobl gyfle i sôn am eu hymweliadau â Chymru.[39] Erbyn dechrau Gorffennaf cyrhaeddodd y merched S. A. Jones, Maggie Davies, Mary Davies a Mary Roberts, a hwythau ar fin dychwelyd i Gymru.[40] Canolfan ddylanwadol arall oedd Cenhadaeth y Methodistiaid yn Lambeth, o dan ofal y Cymro R. Harris Lloyd, o'r Drenewydd yn wreiddiol. Roedd ef yn sicr fod yr adfywiad yno yn rhannol ddyledus i'r Diwygiad yng Nghymru.[41]

Croesawodd R. Harris Lloyd ei gyd-Gymry i weithio gydag ef, sef, Mrs Evans (gweddw John Evans, Eglwys-bach), Gwennie John a Caradoc Jones (Rhosllannerchrugog), myfyriwr yng Ngholeg Spurgeon. Gweinidog Lambeth oedd ar y blaen pan orymdeithiodd dau gant o bobl yn Lambeth, yn cael eu blaenori gan fand pres. Cariai'r gorymdeithwyr lampau Sieneaidd i oleuo'r tywyllwch, ac i dynnu sylw hefyd, mae'n siwr. Gwahoddwyd mynychwyr y tafarnau i ddod yn ôl i'r festri a gwnaeth sawl un ohonynt ymateb yn gadarnhaol.[42] Fel yng Nghymru bu i'r myfyrwyr diwinyddol le amlwg yn y Diwygiad yn Llundain hefyd. Teithiodd amryw o fyfyrwyr Richmond i Gymru, a dychwelyd i efengylu'n frwd.[43] Rhai o selogion y Diwygiad oedd gweinidog ac aelodau y Metropolitan Tabernacle, a Phrifathro Coleg Spurgeon a'r myfyrwyr. Roedd ychydig fyfyrwyr o Gymru yn y Coleg, yn cynnwys Caradoc Jones, a chawsant gyfle i brofi'r Diwygiad yn ystod gwyliau Nadolig, 1904. Cawsant gyfle i adrodd eu profiadau ar ôl dychwelyd i'r Coleg.[44] Ym mis Ionawr, aeth Thomas Spurgeon, gweinidog y Metropolitan Tabernacle, dau o'r diaconiaid a Dr McCaig, Prifathro'r Coleg i Gymru. Cawsant gyfle i fynychu cyfarfodydd yn Nhreforys, Cwmbwrla ac Abertawe, a chymryd rhan mewn ambell gyfarfod hefyd.[45] Ymhen ychydig wythnosau roedd Thomas Spurgeon a Dr McCaig yn ôl yng Nghymru unwaith eto. Y tro hwn ymwelwyd â Phen-y-bont ar Ogwr, Penydarren a Heolgerrig. Uchafbwynt yr ymweliad oedd mynd i lawr i bwll glo ym Mhontypridd, a chynnal cyfarfod yno.[46]

Canolfan tra gwahanol oedd swyddfa'r *Christian Herald* yn Fleet Street. Bu'r papur hwn yn gefn i'r Diwygiad am fisoedd lawer. Roedd Mrs Baxter, gwraig y perchennog, yn un o ffrindiau Jessie Penn-Lewis, a bu'r ddwy yng nghwmni ei gilydd yng nghyfarfodydd y Diwygiad. Roedd amryw o Gymry yn bresennol yn Fleet Street, yr unawdwyr S. A. Jones, Maggie Davies a Mary Davies, a David Oliver, Mile End. Effeithiwyd yn fawr ar y cwmni gan ganu'r efengylesau. Tynnodd y cyfarfod sylw'r *Morning Leader*, ac un o'i benawdau y bore wedyn oedd 'Revival in Fleet Street.'[47]

Gŵr arall oedd yn gysylltiedig â'r *Christian Herald* oedd Percy Hicks, awdur y gyfrol, *The Story of Evan Roberts*. Teithiai o gapel i gapel i ddarlithio ar y Diwygiad, a'i 'lecture' yn boblogaidd iawn. Ni fedrai ddefnyddio'r 'lantern' yn y dydd, ac felly trefnodd i gael 'a grand concert gramaphone' er mwyn cyflwyno'r 'Glory Song', 'Tell mother I'll be there', ac emynau poblogaidd eraill, ynghyd â digwyddiadau ac adroddiadau o fywyd Mr a Mrs Alexander. Ar ei ymweliad â Chymru, cafodd Percy Hicks gwmni'r cerddor W. H. Jude, a chyhoeddodd yntau gyfrol, *Reminiscences of the Great Welsh Revival*.[48]

95

Dal i ledu

Cyneuodd y tân mewn sawl ardal yn Lloegr, a chrewyd perthynas glos rhwng aml i dref a dinas a Chymru. Digwyddodd cynyrfiadau cryfion mewn ambell fan a chenadaethau mwy tawel mewn mannau eraill.

Canolbarth Lloegr

Hwb i'r gwaith yn y Canolbarth oedd y llythyr a ddanfonodd George Cadbury i bawb yng nghylch Bournville, yn cefnogi'r Diwygiad,[49] a'r gweinidog, oedd o Gymru, oedd cyfrwng y fendith yn Willenhall, Wolverhampton. Teimlai'r bobl yno hiraeth am ddiwygiad cyn diwedd 1904. Aeth y gweinidog, D. J. Lawrence, yn ôl i'w famwlad i weld a blasu'r Diwygiad. Pan ddychwelodd i roi'r hanes, bu merch ifanc farw, a difrifolwyd y bobl yn fawr iawn. Y Sul canlynol profwyd grymusterau'r Ysbryd Glân, a gwnaeth chwech ar hugain arddel Crist yn gyhoeddus. Cyrhaeddodd dau efengylydd i gynnal cyfres o gyfarfodydd, ac ymhen pythefnos rhifwyd pum cant o ddychweledigion.[50]

Digwyddodd tanchwa ysbrydol yn Rugby. Tawel oedd y gwaith yn ystod rhan gynnar 1905 ond erbyn mis Medi trawsnewidiwyd y cyfarfodydd yn llwyr. Digwyddodd hyn yn ystod ymweliad y ddau Gymro, Miss Morgan a David Matthews, ffrwyth gweinidogaeth Evan Roberts. Trefnwyd pob cyfarfod ar linellau Diwygiad Cymru. Y drefn oedd canu, anerchiad gan David Matthews, gweddïo agored, ac apêl gan David Matthews, yntau'n troi i'r Gymraeg weithiau, er mai dim ond dau neu dri o Gymry oedd yno. Siaradodd Miss Morgan ar Ioan 11:28-9, a gorffennwyd y cyfarfod am hanner awr wedi deg. Yn ystod yr ymgyrch gwelwyd hanner cant o bobl ifanc yn 'chwalu eu pibellau.'[51]

Fel mewn sawl man yng Nghymru, ymwelwyd â'r tafarnau, ac arwain cymaint ag oedd yn bosibl i'r 'Market Place', lle y cynhaliwyd oedfa rhwng un ar ddeg a hanner nos. Bu cymaint â thri chant yn bresennol mewn oedfa, amryw ohonynt yn eu diod. Arweiniodd hyn i anhrefn ar un achlysur, a phennawd un adroddiad oedd 'Scene at Rugby.'[52] Er bod John MacNeil wedi bod yno, dywedir mai gweinidogaeth David Matthews oedd fwyaf ei dylanwad.[53] Gadawodd Miss Morgan i fynd i Dunton Basset, a bwriad Matthews oedd ymweld â Chernyw, ond parhaodd y cyfarfodydd ar ôl i'r ddau Gymro ymadael.

Gwnaeth John MacNeil baratoi'r ffordd yng Nghaerlŷr hefyd. Cyfrwng arall y fendith oedd gweinidog y Bedyddwyr. Ymwelodd ef â Chymru, a dychwelyd i bregethu cyfres o bregethau ar y Diwygiad yng Nghymru.[54] Profwyd bendith helaethach o dan weinidogaeth Seth Joshua. Cafwyd cyfarfodydd yn yr YMCA, Melbourne Hall ac Oxford Street. Daliai capel Oxford Street 1,200, ac roedd yn llawn bob nos yn ystod ymweliad Seth Joshua. Ambell noson ni fedrai'r Cymro adael y cyfarfod hyd tua hanner awr wedi deg, oherwydd bod cymaint o ymofynwyr pryderus.[55] Ymwelodd amryw o weinidogion Sheffield hefyd â Chymru, a'r canlyniad oedd trefnu cyfarfodydd i weddïo am ddiwygiad.[56]

Efrog, Tyne a Weir a Chaerhirfryn
Yn Leeds, gorllewin swydd Efrog, roedd Samuel Chadwick mewn llawn gydymdeimlad â'r Diwygiad. Ar wahân i gynnal cyfarfodydd, gwnaeth yn siwr hefyd fod y capel ar agor bob dydd o'r wythnos, fel y medrai pobl droi i mewn pryd bynnag y byddai'n gyfleus iddynt. Ni aeth David Matthews i Gernyw, oherwydd roedd ef a Miss Morgan yn ngorllewin swydd Efrog ym mis Mehefin. Cychwynnwyd gyda Chyfundeb Newydd y Methodistiaid a gorffen yn neuadd newydd y Wesleaid yn Boroughgate. Digwyddodd rhai pethau annymunol, 'several undesirable occurrences', ond ni rhoddwyd esboniad ar hyn.[57] Ond ceir awgrym i rai anaeddfed geisio arwain y cyfarfodydd, a bod ambell un ohonynt yn gweddïo'n afresymol o faith.

Un o'r teithwyr mwyaf diflino oedd Illtyd Jones, Llanilltud Faerdref. Cyrhaeddodd Middlesborough yng nghwmni'r ddwy efengyles Miss Davidson a Miss Roberts. Bu'r tri yn gyfryngau effeithiol i'r fendith yn y dref honno. Treuliwyd chwe wythnos yno a chanmolwyd y cyfarfodydd yn fawr iawn. Y noson cyn ymadael, pregethodd Illtyd Jones ar Eseia 40, 'ânt o nerth i nerth.'[58]

Cafodd Illtyd Jones groeso cynnes yn Newcastle, lle roedd diddordeb dwfn yn y Diwygiad yng Nghymru. Yn gynnar yn Ionawr 1905 adroddai'r Bedyddiwr, y Parch. E. Lloyd Edwards hanes y digwyddiadau yng Nghymru wrth ei bobl yng nghapel Wycliffe.[59] Aeth un o gynghorwyr y ddinas i Gymru. Wrth sôn am ei brofiad dywed iddo fynd yno fel 'iceberg' ond yn fuan iawn teimlodd y 'gulf stream of God's love.'[60] Yn ôl y cynghorwr nid oedd yn bosibl trawsblannu cyfarfodydd Cymru i Loegr, ond diwygiad oedd angen y wlad honno hefyd.

Cynorthwywyd Illtyd Jones yn Newcastle gan Annie May Rees a Mrs C. K. Evans, sef gweddw John Evans, Eglwys-bach. Trefnwyd cyfarfod iddynt yn y Westgate Hall am 7.30 yr hwyr, ond roedd y lle yn llawn am 6 o'r gloch. Buont yn ymweld hefyd â'r People's Hall, a'r East End Mission yn Clarence Street. Amcangyfrifwyd bod tua chwe mil yn bresennol mewn ambell gyfarfod yn ystod y genhadaeth hon. Nodweddwyd y cyfarfodydd gan amlygiad o nerth yr Ysbryd Glân a nifer anarferol o dröedigaethau dramatig.[61] Fel yng Nghymru, gorymdeithiwyd ar hyd y strydoedd, er bod awgrym eu bod yn fwy ymosodol yn Newcastle. Ar ôl y cyfarfod, 'between ten and eleven o'clock a Button-hole Brigade went around the city.'[62] Nid yr anarferol yn unig a hawliai sylw yn Newcastle. Roedd y Cymry'n bresennol pan groesawyd yr efengylydd, Dr Geil, i'r ddinas. Gosodai ef bwyslais ar bregethu a dysgu, a phrawf o hyn yw ei ddosbarth beiblaidd o dair mil yn yr 'Exhibition Hall'. Erbyn 26 Chwefror, sef diwedd y genhadaeth, ymwelodd 120,000 â'r cyfarfodydd a rhestrwyd 3,500 o ddychweledigion.[63] Bu amryw o Anglicaniaid yn gefnogol iawn i'r cyffro ysbrydol hwn. Pregethodd un Ficer gyfres o bregethau ar 'Diwygiad.' Credai y byddai'r adfywiad yn dwyn gwahanol rai at ei gilydd, yn Brotestaniaid a Phabyddion. Dylai cariad Crist glymu'r bobl wrth ei gilydd.[64]

Roedd Illtyd Jones ac Annie May Rees yn Sunderland yr un pryd â'r Dr Geil, y cenhadwr a fu yn Newcastle. Yr un oedd ei bwyslais o hyd, sef pregethu a dysgu. Siaradai'n huawdl, weithiau'n gyflym ac uchel a phryd arall yn fwy tawel. Ar ddiwedd cyfarfod un prynhawn Sul, nid oedd Annie May Rees yn fodlon ar yr ymateb, a thorrodd allan i ganu 'Why do you wait?'[65] Bendithiwyd aelodau'r achos Cymraeg yn y cyfarfodydd hyn, a rhannwyd y fendith mewn cyfarfodydd yn nhai ei gilydd. Cafodd Illtyd Jones ddamwain ond ni niweidiwyd ef yn ddifrifol, a pharhaodd gyda'i genhadaeth, a'i gynghori gan y Prifathro William Edwards, Caerdydd.[66]

Unwyd y pwyslais cenhadol, diwygiadol â'r pwyslais ar y bywyd uwch, pan ymwelodd Mr a Mrs Spencer Walton â Sunderland. Ef oedd sylfaenydd y 'South Africa General Mission' a ddenodd gefnogaeth Jessie Penn-Lewis, ac eraill o arweinwyr y Diwygiad yng Nghymru. Yn ystod ei anerchiad, cyfeiriodd Spencer Walton at y Diwygiad yng Nghymru a siaradodd W. D. Dunn ar ei arwyddocâd. Clywodd Sunderland am Mrs Jones, Egryn, hefyd. Cyfeiriodd un papur lleol at ysgrif Beriah Gwynfe Evans yn y Yorkshire Post, ar 'Revival Lights', sef y goleuadau a welodd y wraig o Egryn.[67]

Y De-orllewin

Yn aml ar eu teithiau, croesawyd yr efengylwyr gan wahanol garfanau Wesleaidd. Ymunodd disgynyddion John Wesley yn selog yng ngweithgarwch y Diwygiad. Roeddent yn llawn prysurdeb ym Mryste a'r De-orllewin. Un o'r rhai oedd ar y blaen ym Mryste oedd F. Furrier Hulme.[68] Ymwelodd â Chymru ym mis Ionawr 1905, a llwyddo i ddod yn agos iawn at Evan Roberts.[69] Parhaodd cyfeillgarwch y ddau ar ôl y Diwygiad. Yn ddiweddarach yn 1905 roedd Furrier Hulme yng ngogledd Cymru, yn siroedd Môn a Chaernarfon. Un noson dywyll, aeafol, arweiniwyd ef a Samuel Chadwick, Leeds, gan E. Morgan Humphries, i gapel Disgwylfa, wrth draed yr Elidir. Ar brydiau credai'r ddau na fyddent byth yn cyrraedd y noson honno.[70]

Ym mis Chwefror 1905, croesawodd Furrier Hulme dîm o efengylwyr o Gymru.[71] Roedd yn dîm braidd yn anarferol, a dweud y lleiaf, sef May John a Cynddylan Jones. Magwyd Cynddylan yn sŵn Diwygiad 1859, cyn i *Sŵn y Jiwbili* ymddangos, a phlentyn y *Jiwbili* oedd May John, ond roedd Cynddylan yn barod i'w chefnogi. Fel y dywedai ef ei hun, os nad oedd yn 'fflamio' roedd yn medru 'cochi'.[72] Pregethu oedd cryfder Cynddylan, tra mai canu oedd cryfder May John. Canai'n ddwys, yn sefyll, ond weithiau ar ei gliniau, a gwên ar ei hwyneb bob amser.[73]

Unodd eglwysi cylch Bedminster i weddïo am ddiwygiad, a chredai un o weinidogion cylch Kingswood na welwyd dim tebyg yno er dyddiau George Whitfield a John Wesley.[74] Gwnaeth pum cant o bobl broffesu tröedigaeth yn ystod cyfnod o bum wythnos, ac ymunodd tri chant ag eglwys y gweinidog. Cyfanswm y dychweledigion yn y cylch oedd tair mil, a ffurfiwyd cwmni o 73 o weinidogion i ofalu amdanynt. Ymhlith y gweinidogion gweithgar, ar wahân i Furrier Hulme, oedd Albert Hall, Cenhadaeth y Ddinas; Ffoulkes Roberts, Annibynnwr, a W. Hudson Smith, Wesle. Tyrrai'r bobl i wrando Albert Hall, a hyd yn oed yn y cyfarfod gweddi roedd cymaint â phum cant yn bresennol.[75] Cyfarfu Ffoulkes Roberts ag Evan Roberts ym Mhen-y-graig, Cwm Rhondda.[76] Ar ei ddychweliad i Fryste, ymunodd ef ag amryw weinidogion mewn cyfarfodydd gweddi. Roedd Hudson Smith yr un mor frwdfrydig yn Old King Street, ac A. E. Bray yn St George's.[77]

Lerpwl oedd yr unig le, y tu allan i Gymru, lle y cynhaliodd Evan Roberts gyfarfodydd. Ond fe ymwelodd â Bryste. Mae'n wir mai ymweliad personol oedd hwn, sef mynd i aros am ychydig gyda Furrier Hulme, ond cytunodd i gymryd rhan mewn mwy nag un cyfarfod. Bore Sul y Cymundeb gwrthododd Evan Roberts weinyddu'r sacramentau oherwydd ei fod heb ei ordeinio. Roedd y pwyslais litwrgaidd braidd yn ddieithr iddo, ond llwyddodd i ymuno yn galonnog yn y Gyffes, y Diolchgarwch a'r 'Te Deum.' Ar ddiwedd y cyfarfod siaradodd yn rhugl yn Saesneg. Yn yr hwyr siaradodd yn Busly Park, cyfarfod a lywyddwyd gan Furrier Hulme. Canwyd 'Take my life and let it be' yn ystyrlon ddigon, yn arbennig y pennill 'Take my will and make it Thine', a gwnaeth llawer ymateb i'r gwahoddiad i arddel Crist ar ddiwedd yr oedfa.[78] Wrth siarad â Furrier Hulme yn bersonol, mynegodd Evan Roberts ei deimladau a'i argyhoeddiadau. Siaradai'n gyson am bwysigrwydd croeshoeliad gyda Christ, a'r awydd am brofi nerth yr efengyl yn ei lawnder. Darllenodd *Entire Sanctification Attainable in this Life*, llyfr a ganmolwyd gan Dr Horton, ac roedd yn fynegiant o ddyhead calon y Cymro. Credai'r diwygiwr fod tymheredd y Diwygiad yn disgyn, ond golygai hynny 'settled conviction' and nid 'stagnation.'[79] Gresynai hefyd, oherwydd y pwyslais ar iachâd corfforol, a geid mewn rhai cylchoedd. Hysbysodd Furrier Hulme ef iddo dderbyn dau lythyr i'w trosglwyddo i'r diwygiwr, un o Awstralia a'r llall o Norwy. Mewn ychydig wythnosau roedd Evan Roberts a Furrier Hulme gyda'i gilydd ar ymweliad â Chaerloyw.[80]

Profodd Gwlad yr Haf, Dyfnaint a Chernyw yn helaeth o weithrediadau'r Ysbryd Glân. Ymwelodd Kate Matthews, Caerdydd, â Chaerfaddon, o leiaf ddwy waith. Yn ystod ei hail ymweliad gwnaeth cant a hanner ymateb i alwad yr efengyl.[81] Un o'r cyfryngau a ddefnyddiwyd yng Nghernyw oedd Rhys Harries. Adroddodd hanes ei ymweliad â Chymru, a bu hyn yn gyfrwng bendith i nifer o eglwysi.[82]

Un arall a greodd gyffro yng Nghernyw oedd T. D. Roberts, 'a converted jockey'.[83] Ymddangosodd enwau newydd o Gymru hefyd. Trefnodd y Wesleaid yn ofalus ar gyfer ymweliad y Parch. a Mrs Ambrose Williams, Olwen Davies a Miss Williams. Dechreuwyd yr ymgyrchu ar y Sul yn St Columba a symud ymlaen i Newquay, Newlyn, St Austell, Truro, Padstow a Bodmin.[84]

Roedd gan amryw yn Nyfnaint ddiddordeb yn y Diwygiad yng Nghymru o'r cychwyn cyntaf. Mewn cyfarfod yn gynnar yn Ionawr 1905, ceisiodd un o'r sir honno siarad mewn cyfarfod ym Moriah, Casllwchwr, ond methodd yn lân oherwydd brwdfrydedd y cyfarfod. Yna, yn sydyn am hanner nos, galwodd y gynulleidfa am y gŵr o Ddyfnaint, a chafodd rhwydd hynt i siarad.[85] Enwir Torrington yn arbennig fel man a brofodd gawodydd trymion, ac roedd cynnwrf ysbrydol yn Barnstaple, Bideford, Exeter a Plymouth.[86]

1. 'Plymouth', *Y Tyst*, 24 Mai 1905, 12; 'Prescott', *Y Cymro* (Lerpwl), 9 Chwefror 1905, 5; 'Sunderland', *Y Goleuad*, 12 Mai 1905; Caeredin, 'Nodion o Edinburgh', *Y Goleuad*, 17 Tachwedd 1905, 11; 'Pwyllgor y Cymry ar Wasgar', *Blwyddiadur y Methodistiaid Calfinaidd am y flwyddyn 1906*; 'Crewe', Welsh Gazette, 2 Mawrth 1905, R. Tudur Jones, *Ffydd ac Argyfwng Cenedl*, cyf. 2 (Abertawe, 1982), 188.

2. W. S. Jones, *Y Diwygiad yn Rhosllannerchrugog*, 19; 'The Religious Revival', *The Witness*, 20 Ionawr 1905, 5.

3. 'Manchester', *Y Goleuad*, 24 Chwefror 1905, 11.

4. Ibid., 'Y Diwygiad yn Manchester', 19 Mai 1905, 7.

5. Ibid.

6. 'Revival at the Manchester Central Hall', *The Methodist Times*, 30 Mawrth 1905, 221

7. 'Concert changed into Prayer Meeting', *The Evening Express*, 8 Ebrill 1905, 4.

8. 'As others see us', *The Methodist Times*, 24 Awst 1905, 628.

9. Am y ddau: 'Revival Sidelights', *The Witness*, 3 Chwefror 1905, 3.

10. 'Llythyr Llundain', *Y Tyst*, 14 Rhagfyr 1904, 9; 'Y Diwygiad yn Llundain', *Y Goleuad*, 23 Rhagfyr 1904, 12l; H. Elvet Lewis, *With Christ among the Miners*, 133.

11. 'Nodion o Lundain', *Y Tyst*, 3 Mai 1905, 12; D. Oliver, 'Y Diwygiad yn Llundain', *Y Goleuad*, 12 Mai 1905, 12.

14. 'The Welsh Revival', *The British Weekly*, 2 Chwefror 1905, 445.

15. 'Llundain a'r Diwygiad', *The London Welshman*, 14 Ionawr 1905, 3.

16. Ibid., a hefyd, 7 Ionawr 1905, 11.

17. R. Tudur Jones, *Ffydd ac Argyfwng Cenedl*, cyf. 2, 188.

18. 'Llundain', *Y Goleuad*, 17 Mawrth 1905, 11.

19. 'Y Diwygiad yn Llundain', *Y Goleuad*, 12 Mai 1905, 12.

20. Ibid.

21. Ibid., 12-13; ibid., 'Y Diwygiad yn Llundain', 30 Mehefin 1905, 12.

22. 'Y Diwygiad yn Llundain', *Y Goleuad*, 30 Mehefin 1905, 12; 'Lady Revivalists in London', *SWDN*, 18 Mai 1905, 6; 'The Revival Flame', *Revival Times*, 16 Mehefin 1905, 14.

23. 'London Revival Scenes', *SWDN*, 22 Mai 1905, 6

24. Ibid.

25. 'The Welsh Revival in London', *The Christian Herald*, 15 Mehefin 1905, 521.

26. Parch. Gwilym H. Havard, 'Ymweliad y Parch. Seth Joshua a Llundain', *Y Goleuad*, 23 Mehefin 1905, 12.

27. 'Holloway, London', *The Evening Express*, 17 Mehefin 1905, 3.

28. Ibid., 26 Hydref 1905.

29. 'Llundain', *Y Goleuad*, 10 Tachwedd 1905, 5.

30. *The Christian Herald*, 22 Mawrth 1906, 273.

31. R. Tudur Jones, *Ffydd ac Argyfwng Cenedl*, cyf.2, 191.

32. 'Llundain', *Y Goleuad*, 10 Tachwedd 1905, 5.

33. *The Christian Herald*, 22 Mawrth 1906, 273.

34. R. Tudur Jones, *Ffydd ac Argyfwng Cenedl*, cyf 2, 191

35. 'Hanes y Diwygiad Cymraeg yn Lloegr', *Y Tyst*, 22 Mawrth 1905, 7; ibid. am John Lloyd James (Clwydwenfro) yn mynd i Gaergrawnt a Lincoln adrodd yr hanes, 29 Mawrth 1905, 13.

36. 'Clapham', *Y Goleuad*, 10 Tachwedd 1905.

37. *Cambrian Daily Leader*, 16 Rhagfyr 1904; *The Witness*, 6 Ionawr 1905, 2; 'Last Thursday's Conference', *The British Weekly*, 2 Mawrth 1905, 544; 'Cyfarfod Mawr Llundain', *Seren Cymru*, 24 Chwefror 1905, 6.

38. 'F. B. Meyer's Impressions of Thursday's Revival Conference', *The British Weekly*, 2 Mawrth 1905, 551.
39. 'The Revival in London', *The Methodist Times*, 16 Mawrth 1905, 177.
40. Ibid., 'Welsh Wesleyan Chapel City Road', 13 Gorffennaf 1905, 491.
41. 'The Rev. R. Harris Lloyd and the South West Mission', *The British Weekly*, 25 Mai 1905, 171.
42. 'Welsh Evangelists in London', *The Evening Express*, 29 Ebrill 1905, 4. Roedd R. Harris Lloyd yn enedigol o'r Drenewydd; Cymro brwd a bu'n llwyddiannus yn yr Eisteddfod Genedlaethol, 'Inspiration from Wales', *SWDN*, 26 Mai 1905, 6.
43. 'Richmond Men and the Welsh Revival', *The Methodist Times*, 2 Chwefror 1905, 69.
44. Am y myfyrwyr Cymraeg: Winifred M. Pierce, *Knight in Royal Service* (London, 1962), 6, 14; Noel Gibbard, *On the Wings of the Dove* (Bryntirion Press, 2002), 62.
45. E.e., 'At Morriston', *The Evening Express,* 4 Chwefror 1905, 3; ibid., 'Gospel of Joy', 9 Ionawr 1905, 2. Am rai o'r cyfarfodydd: D. M. Phillips, *Evan Roberts*, 335, 340.
46. 'Revival Surprise', *The Evening Express*, 4 Chwefror 1905, 3; D. M. Phillips, *Evan Roberts*, 352, 353.
47. 'Y Diwygiad yn Llundain', *Y Goleuad*, 2 Mehefin 1905, 13; *The London Welshman,* 27 Mai 1905, 11; D. M. Phillips, *Evan Roberts*, 295, 335.
48. 'A Lecture on the Great Revival—My Personal Experience', *The Christian Herald*, 15 Mehefin 1905, 521; am W. H. Jude: Noel Gibbard, *Caniadau'r Diwygiad* (Gwasg Bryntirion, 2003), 52-3.
49. 'About the Revival', *The London Welshman*, 4 Chwefror 1905, 2.
50. 'How the Revival came to Willenhall', *Revival Times,* 29 Medi 1905, 247, 250.
51. Cafodd Rugby gryn sylw, e.e.: 'Diwygiad yn Rugby', *Seren Cymru*, 13 Hydref 1905, 9; 'Y Diwygiad yn Rugby', *Tarian y Gweithiwr*, 12 Tachwedd 1905, 6; 'The Revival in Rugby', *The Methodist Times,* 9 Tachwedd, 1905, 806; *The Newcastle Weekly Chronicle*, 21 Hydref 1905, 8.
52. *SWDN*, 16 Hydref 1905, 6.
53. 'Y Diwygiad yn Rugby', *Tarian y Gweithiwr*, 12 Tachwedd 1905, 6.
54. 'The Revival in England', *The British Weekly*, 2 Chwefror 1905, 448.
55. 'The Awakening in Wales and Elsewhere', *The Life of Faith*, 24 Mai 1905, 416; 'Leicester', *The Evening Express*, 25 Mawrth 1905, 3; R. Tudur Jones, *Ffydd ac Argyfwng Cenedl*, cyf. 2, 190.
56. 'Sheffield', *The British Weekly*, 9 Chwefror 1905, 9.
57. 'The Welsh Evangelists at Ottey', *The Methodist Times*, 22 Mehefin 1905.
58. 'Middlesbrough', *The Evening Express*, 15 Ebrill 1905, 3.
59. 'Local and District News', *The Newcastle Weekly Chronicle*, 14 Ionawr 1905, 9.
60. Ibid., 'The Welsh Revival', 21 Ionawr 1905, 9.
61. 'The Revival in England', *The British Weekly*, 26 Ionawr 1905, 424; 2 Chwefror, 448; 'Newcastle', *The Christian Herald*, 9 Chwefror 1905, 126; 4 Mai, 388.
62. *The Christian Herald*, 9 Chwefror 1905, 126.
63. R. Tudur Jones, *Ffydd ac Argyfwng Cenedl*, cyf. 2, 190. Erbyn dechrau 1905, trafaelodd Geil 1,000,000 o filltiroedd i bregethu'r efengyl; roedd yn enedigol o Doylestown, Penn.; ysgrif, gyda llun, *The Sunderland Weekly Echo and Times*, 31 Mawrth 1905, 13.
64. 'Churches and chapels', *The Newcastle Weekly Chronicle*, 18 Mawrth 1905, 7.
65. 'Geils Mission', *Sunderland Weekly Echo and Times*, 7 Ebrill 1905, 13.
66. *The Evening Express*, 18 Chwefror 1905, 3; 'The Revival', *SWDN*, 13 Mai 1905, 6.
67. 'Geils Mission', *Sunderland Weekly Echo and Times*, 7 Ebrill 1905, 6.

68. Llun Ferrier Hulme a nodyn byr: *The Christian Herald*, 9 Mawrth 1905, 213.
69. D. M. Phillips, *Evan Roberts,* 334.
70. *Cyfrol Goffa*, 56.
71. 'The Revival', *The Methodist Times,* 2 Mawrth 1905, 140
72. *Cyfrol Goffa*, 83.
73. 'The Welsh Revival', *The Witness,* 24 Mawrth 1905, 5.
74. J. Edwin Orr, *The Flaming Tongue*, 40.
75. 'A Continuous Revival', *The Christian Herald*, 18 Mai 1905, 433.
78. 'Revival Phrases', *The Evening Express*, 25 Mawrth 1905, 2.
77. Ibid., Eraill o Gymru ym Mryste ar y pryd: llun 'The Cardiff Revivalists Who conducted a Mission at Bristol', Miss Sutton, Miss Shute, W. S. Ayling, Tom Kennard, ibid., 11 Mawrth 1905, 2.
78. 'The Movements of Evan Roberts', *The Methodist Times*, 7 Rhagfyr 1905, 864; Ibid., 'After Twelve months', 14 Rhagfyr 1905, 897-8.
79. 'After Twelve months', *The Methodist Times*, 14 Rhagfyr 1905, 897-8. Credai Ferrier Hulme, fel amryw yng Nghymru, fod chwarae peldroed yn arfer 'llygredig', 'Revival and football', *The Evening Express*, 9 Ionawr 1905, 4.
80. 'Evan Roberts at Gloucester', *The Christian Herald*, `12 Ebrill 1906, 344.
81. 'The Revival in England', *The British Weekly*, 13 Ebrill 1905, 4.
82. J. Edwin Orr, *The Flaming Tongue*, 41.
83. 'Cornwall', *The Evening Express*, 1 Ebrill 1905, 3.
84. 'Welsh Missioners Invade Cornwall', *The Methodist Times*, 5 Hydref 1905, 716.
85. 'Felt I must speak', *The Evening Express*, 9 Ionawr 1905, 4.
86. J. Edwin Orr, *The Flaming Tongue*, 41.

5
Lledaeniad: Yr Alban ac Iwerddon

Noel Gibbard

Fel Cymru, roedd gan yr Alban draddodiad diwygiadol cryf. Bu anghydweld yn y ddwy wlad hefyd, ynglŷn â dylanwad Charles Finney a D. L. Moody. Parhaodd yr awydd am dywalltiad o'r Ysbryd Glân ymhlith y ddau bobl, ond yn yr Alban roedd mwy o bwyslais nag yng Nghymru ar efengylu. Mae'n wir i'r Symudiad Ymosodol gael ei ffurfio yng Nghymru, ond roedd mwy o eglwysi unigol yn gweld eu cyfrifoldeb i ennill y di-gred yn yr Alban. Dyfnhaodd hyn yr awydd i weld Duw yn gweithio ar raddfa eang yn y wlad.

Caeredin
Roedd dyfodol Joseph Kemp, y Bedyddiwr, yn eithaf gobeithiol.[1] Roedd mesur o fendith ar ei weinidogaeth yn Hawick, ac nid oedd unrhyw rheswm dros iddo symud oddi yno. Ond daeth galwad o Gapel Charlotte, Caeredin, galwad na fyddai llawer o weinidogion yn ei hystyried o gwbl. Erbyn diwedd y bedwaredd ganrif ar bymtheg ychydig iawn oedd nifer yr aelodau, ac ystyriwyd gwerthu'r lle i fod yn warws. Pan gyfeiriwyd at y capel mewn cyfarfod o Fedyddwyr ychydig cyn iddo dderbyn yr alwad, dymunodd Joseph Kemp drugaredd Duw ar bwy bynnag a fyddai'n mynd yno. Ac yn awr dyma ef ei hun yn disgwyl am y trugaredd hwnnw.[2]

Dechreuodd Joseph Kemp ar ei weinidogaeth yn 1902. Torchodd ei lewys a rhoi arweiniad cadarn i'r bobl. Cynyddodd nifer y mynychwyr ac adnewyddwyd ysbryd gweddi yn eu plith. Credai'r gweinidog fod mwy o fendith ar y ffordd, a baich ei enaid oedd gweddïo am dywalltiad o'r Ysbryd Glân, yng Nghaeredin ac yn yr Alban yn gyffredinol. Ond roedd gofid ymhlith y bobl oherwydd iechyd y gweinidog, a chynghorwyd ef i fynd i Bournemouth am wyliau. Derbyniodd y cyngor, ond dim ond am ddiwrnod y bu yno, oherwydd clywodd eisoes am y Diwygiad yng Nghymru. Prysurodd yno fel hydd am yr afon ac aros am bythefnos.[3]

Dysgodd Joseph Kemp lawer yn ystod y bythefnos yng Nghymru. Sylweddolodd y dylid pwyso mwy ar yr Ysbryd Glân nag ar ddyn; bod eisiau mwy o daerineb mewn gweddi, ac y medrai canu fod yn ystyrlon mewn diwygiad. Ni chlywodd y fath ganu erioed yn ei fywyd. Roedd wrth ei fodd gyda 'Mae D'eisiau di bob awr', 'When I survey the wondrous Cross' a 'There is a fountain filled with blood'. Meddiannwyd ef gan lawenydd a gorfoledd yr efengyl, ac ymhyfrydai hefyd yn neges ganolog y Diwygiad, sef gwaith achubol Crist ar y Groes.[4]

Yn ystod ei arhosiad yng Nghymru, gwnaeth Joseph Kemp ffrind yn J. J. Thomas, Maesteg. Pan ddychwelodd yr Albanwr i Gaeredin, trefnodd i'r Cymro fynd gydag ef i gynorthwyo yn y gwaith o efengylu.[5] Croesawyd hwy yn frwdfrydig yng Nghapel Charlotte, ac er mwyn cael hanes y Diwygiad yn fanwl trefnwyd sawl cynhadledd yn y capel. Cynhaliwyd y gyntaf 22 Ionawr 1905, pan siaradodd Joseph Kemp; John Anderson, Glasgow; Mr Robertson, Carrubber's Mission, Caeredin; y Parch. Peter Fleming, ac eraill a fu yng Nghymru. Yn y Gynhadledd ar 25 Chwefror, tynnodd Joseph Kemp sylw at rai o nodweddion y Diwygiad yng Nghymru, yn arbennig yr ymateb digymell, realiti presenoldeb Duw a diffuantrwydd y tystiolaethau, yn arbennig y rhai oedd yn sôn am gymodi.[6] Cynhaliwyd y cynadleddau yng Nghapel Charlotte, ond roedd yn gyfle i eraill o'r un argyhoeddiad ddangos eu cefnogaeth. Roedd amryw o rai felly yn y ddinas a chwmni selog iawn yn Leith.[7]

Dal i ddod i mewn oedd y llanw yng Nghapel Charlotte. Yn ystod cyfnod o chwe mis, derbyniwyd 125, i wneud cyfanswm yr aelodau yn 443. Cafwyd cyfarfod bedydd nodedig ar 16 Mawrth, pan fedyddiwyd deg o bobl. Gwnaeth Joseph Kemp apêl i eraill gyffesu Crist yn y bedydd, ac ymatebodd hanner cant yn ddiymdroi.[8] Roedd J. J. Thomas yn dal yn yr Alban yn ystod mis Mawrth 1905. Aeth gyda Joseph Kemp i Hawick, sef hen faes gweinidog Charlotte Street. Ei olynydd yno oedd D. M'Nicol, a bu yntau hefyd yng Nghymru. Trefnodd gyfarfodydd gweddi yn Hawick, a gwahodd y ddau o Gaeredin i gadarnhau'r gwaith. Dechreuodd J. J. Thomas ar ei waith ar 21 Mawrth, a bu ymateb ffafriol o'r cychwyn cyntaf. Siaradodd Joseph Kemp mewn cyfarfod ar 13 Ebrill, ac arhosodd J. J. Thomas am bythefnos arall.[9]

Mae'n ddiddorol cofio fod Lilian Edwards, merch y Prifathro William Edwards, Caerdydd, yn mynychu Capel Charlotte yn y cyfnod hwn, tra oedd yn paratoi i fod yn genhades yn yr India.[10] Mae'n siwr ei bod hithau a J. J. Thomas yn falch o groesawu Awstin a'i ffrindiau i Gapel Charlotte. Ffurfiodd Awstin grŵp o efengylwyr i deithio yn yr Alban. Yn gynnar ym Mehefin, siaradodd Awstin yng Nghapel Charlotte, a'i gynorthwyo gan Annie Gibbon ac Ethel Powell. Ar y Sul, yn Nghapel Ebeneser, Leith, adroddodd Awstin hanes y Diwygiad yng Nghymru. Y gweinidog yno oedd J. D. Roberts a bu yntau, fel amryw eraill o weinidogion Caeredin, yng Nghymru. Gwahoddodd Llywydd Eglwys Unedig Rydd yr Alban y Cymry i frecwast, a bu'r cwmni yn brysur yn cynnal cyfarfodydd ar y Llun. Mae'n amlwg fod eraill o Gymry yn y tîm oherwydd yn ystod y dyddiau nesaf enwir y Parch. Ceitho Davies, Gertie Gronow, a Cassie Jenkins, merch ifanc dwy ar bymtheg mlwydd oed, hithau newydd gyrraedd o ganol ffwrnais yr Ysbryd ym Morgannwg. Aeth dwy Gymraes arall, Mattie Williams a Sarah Morgan i gynnal cyfarfodydd ym Mreckenbridge, Dyffryn Leven.[11]

Un o gyd-Fedyddwyr Joseph Kemp oedd John Shearer, Galashiels, rhwng Caeredin a Hawick. Gwelodd ei eglwys yn dda ei ddanfon i Gymru am ychydig amser.[12] Roedd yn bresennol yn oedfa ryfedd Cwmafan, a chafodd gyfle i fod mewn oedfa o dan ddaear yng Nglofa'r Morfa. Profiad gwefreiddiol oedd disgyn i'r pwll am bump o'r gloch y bore yn sŵn 'Diolch Iddo.' Fel Joseph Kemp, rhyfeddodd at arweiniad yr Ysbryd, y canu gorfoleddus, ac eto nid oedd anrhefn. Cafodd gyfle hefyd i gwrdd ag Evan Roberts, a oedd ym marn yr Albanwr yn ddyn Duw. Deallodd mai cyfrwng lledaeniad y Diwygiad oedd Evan Roberts, ond i'r tân gael ei gynneu cyn iddo ddychwelyd i Gasllwchwr. Nododd ddau berygl mewn diwygiad, y perygl o efelychu heb ddylanwad yr Ysbryd, ac anghofio fod Duw yn gweithio'n dawel yn ogystal â dod fel llif yr afon. Gellid profi diwygiad trwy sylwi ar gynnydd y cwrdd gweddi a'r ddyletswydd deuladd, 'In this form the Revival wave has already reached Scotland.'[13]

Dal yn ei angerdd oedd y tân yng Nghapel Charlotte, a hynny ar hyd 1905, 1906, 1907 a hyd yn oed 1908. Yn ôl gwraig y gweinidog: 'In 1906 the movement seemed to have found its level, and arrangements were made to re-organise the work on generally accepted church lines.'[14] Ond erbyn y Sul olaf o 1906, chwythodd y gwynt yn anterth ei nerth unwaith eto. Ffrwydrodd y teimladau y noson olaf yn 1906, a'r diwrnod cyntaf yn 1907: 'Crushed, broken, and penitent on account of the defeated past, many of us again knelt at the Cross; and as the bells rang in the New Year, we vowed by God's grace to press into our lives more service for Him, to be more like Him in spirit, and walk, and win to Him our fellow-men.'[15] Trefnwyd cyfnodau o weddi. Mewn un cyfarfodd, teimlwyd fel Eseia gynt ym mhresenoldeb Duw (Eseia, pennod 6) ac un tro treuliwyd noson gyfan mewn gweddi, o ddeg o'r gloch yr hwyr hyd wyth o'r gloch y bore.[16]

Yn ôl Joseph Kemp roedd tair nodwedd amlwg i'r deffroad, sef argyhoeddiad dwfn o bechod a arweiniai i faddeuant a newid buchedd; ysbryd byw y cyfarfodydd gweddi a dyfalbarhad mewn gweddi.[17] Ymhlith y ffrwyth amlwg oedd cynnydd yn nifer y gweddiwyr, cariad at y Beibl a nifer fawr o drôedigaethau. Un o'r cyfryngau effeithiol i gadarnhau'r dychweledigion oedd yr Ysgol Feiblaidd ar brynhawn Sul. Agorwyd hi cyn y Diwygiad, gyda saith o aelodau, ond erbyn canol 1906 rhestrwyd 222 a dau o fyfyrwyr eiddgar.[18] Mae cynnydd yr aelodau yn arwyddocaol hefyd. Dyma rai ffigurau: 1902 - 96; 1903 - 117; 1904 - 134; 1905 - 175, 1906 - 120, a'r aelodaeth erbyn hynny yn rhifo 609.[19]

Glasgow a'r cylch

Bu tyrru o Glasgow hefyd i Gymru a chyrhaeddodd amryw cyn diwedd Tachwedd 1904, a llawer yn ystod Ionawr 1905. Mewn cyfarfod yn Ebeneser, Caerdydd, gweddïodd y Parch. B. Logan, o'r 'Tent Hall', am i'r tân ddisgyn yn yr Alban. Ymatebodd y gynulleidfa yn frwdfrydig trwy ganu'r geiriau poblogaidd 'It is coming now'.[20] Wedi dychwelyd i Glasgow adroddodd yr hanes wrth gynulleidfa o ddwy fil o bobl mewn cyfarfod a drefnwyd ar linellau cyfarfodydd Cymru. Pwysleisiai Logan, er hynny, mai ffrwd oedd Diwygiad Cymru a lifodd i'r fendith a oedd yn bod eisoes yn yr Alban. Ond mae'n amlwg fod y berthynas â Chymru yn bwysig iddo, oherwydd trefnodd gyfarfod arall i sôn am ei brofiadau yn Ne Cymru.[21]

Erbyn Ionawr 1905, roedd John Anderson yn ŵr profiadol, wedi dwyn tystiolaeth i'r efengyl am ddeugain mlynedd. Cefnogodd D. L. Moody pan ymwelodd yr efengylydd â'r Alban, ac ef a agorodd y Bible Training Institute yn Glasgow, ac awgrymu hefyd mai John Anderson a ddylai fod yn Brifathro.[22] Neges felys i'w glust oedd clywed am y Diwygiad yng Nghymru, a dyma yntau, fel sawl un arall o'r Alban, yn prysuro i Gymru. Cyfeiria at hyn, a'r ymateb pan ddychwelodd i Glasgow, mewn dau lythyr a anfonodd at Evan Roberts.Yn y cyfarfod croeso bu'n rhaid agor ystafell ychwanegol i dderbyn y bobl, a hyd yn oed wedyn nid oedd digon o le i bawb. Taniwyd y bobl o'r newydd, ac amlygiad o hyn oedd yr ysbryd gweddi yn eu plith. Sicrhaodd yr Albanwr Evan Roberts fod pobl yr Alban yn gweddïo drosto.[23] Profwyd cyffroadau'r Ysbryd yn Paisley Road, Glasgow, a'r gweinidog, John Harper, ar y blaen gyda'r gweithgarwch. Cefnogid yr eglwys hon gan y Pioneer Mission, a'r ysgrifennydd, E. A. Carter, yn llawenhau oherwydd y fendith yno.[24] Roedd ei lygad ar bob arwydd o adfywiad, ym Mhrydain, Ewrop a Rwsia. Ef a gynghorodd William Fetler i fynd yn ôl i Rwsia ar ôl gorffen ei gwrs yng Ngholeg Spurgeon. Dylanwadodd y Diwygiad yng Nghymru ar Fetler hefyd, a pharhau ar ôl iddo ddychwelyd i Rwsia.[25]

Nid dim ond y capeli a'r Coleg yn Glasgow a effeithiwyd gan y Diwygiad yng Nghymru. Sefydlydd Cenhadaeth Ffydd yr Alban oedd J. G. Govan. Pan glywodd am y cyffro yng Nghymru, darllenodd bopeth posibl am y digwyddiadau, a phenderfynu ymweld â'r wlad. Yn fuan iawn argyhoeddwyd ef fod y gwaith o Dduw, 'deep, genuine, Holy Ghost revival.'[26] Nid trefniadau dynol oedd yn gyfrifol amdano, ond nerth Duw, a sylweddolwyd hwnnw mewn gweddïo dyfal. Roedd amlygiadau anarferol o waith yr Ysbryd, ond roeddent yn unol â'r Ysgrythur. Roedd yn sicr i'r Diwygiad fod yn fendith i'r Genhadaeth, 'has been much influenced by the Welsh Movement.'[27] Ni phrofwyd adfywiad cyffredinol, ond profwyd sawl diwygiad lleol; adnewyddwyd ysbryd gweddi, a chadarnhawyd y Genhadaeth yn ei menter ffydd. Cyfeiriodd Govan at waith hynod oedd yn digwydd dros y ffin yn sir Durham. Wrth sôn am Gymru tueddai orliwio'r fendith, a sôn am dafarndai yn cau, chwareuon yn peidio a dim gwaith gan yr heddlu.[28]

O Gymru i'r Alban

Daeth amryw o'r Alban i Gymry, ond fel y nodwyd yn hanes Caeredin, teithiodd amrwy o Gymru i'r Alban hefyd. Rhwng Mawrth a Mai 1905, ffurfiwyd o leiaf ddau grŵp i fynd i'r Alban. Gadawodd y cyntaf tua chanol mis Mawrth, yn cynnwys pedwar dyn, R. M. Richards, Caerdydd; A. W. Morris, Caerdydd; David Thomas, Pontycymer, a C. Penrose, Maenorbŷr, Penfro. Aelodau eraill y grŵp oedd y merched, Mrs Davies, Aberdâr; Miss Rachel Thomas, Aberpennar; Miss Mary Davies, Gorseinon; Miss Cissie Morgan, Treharris; Miss Katie Mathias, Caerdydd; Miss Nelly Dutton, Caerdydd, a Miss Elliot, Caerdydd.[29]

Mewn cyfarfod yn St George's Cross Tabernacle, lle y gweinidogaethai Jack Findlay,[30] A. W. Morris oedd y siaradwr, gŵr tal, gosgeiddig, a gwallt lliw arian. Nid oedd yn huawdl, ond roedd yn llawn brwdfrydedd, ac yr oedd yn amlwg ei fod yn sensitif i arweiniad yr Ysbryd Glan.[31] Canwyd nifer o emynau; siaradodd Morris yn fyr; canodd dyn ifanc a'i ddilyn gan ferch ifanc, mewn Cymraeg, ac unodd y gynulleidfa yng ngeiriau Saesneg y gân. Mae'n rhaid mai Rachel Thomas oedd hon, oherwydd cyfeiriwyd at yr unawdydd fel 'Miss Thomas, the sweetest singer of all.'[32] Ymwelsai amryw o'r cylch, o St George's, y Tent Hall a Paisley Road â Chymru, ac roeddent wrth eu bodd yn croesawu'r Cymry yn ôl i'r Alban. Cofiai pobl Motherwell am y Cymry oedd yno yn y gwaith haearn, yn ystod cyffro 1859, yn llawn brwdfrydedd: 'many of them with burning fervour helped on the good work.'[33]

Ar y dydd Sadwrn olaf o fis Mawrth, cynhaliwyd cyfarfod blynyddol y 'Lanarkshire Christian Union' yn Neuadd y Dref, Motherwell. Rhoddodd Pastor Findlay hanes y cyffro ysbrydol yn Glasgow, gan gydnabod cyfraniad gwerthfawr y Cymry. Dilynwyd ef gan R. M. Richards, Caerdydd, a rhoddodd yntau beth o hanes y Diwygiad yng Nghymru, a chyflwyno Eseia 54, adnod 2 fel neges i'r Alban.[34] Dychwelodd A. W. Morris i Gaerdydd, yn llawenhau fod saith cant o bobl wedi holi am ffordd iachawdwriaeth mewn cyfnod llai na phythefnos. Arhosodd y lleill yn yr Alban, a daeth eraill atynt, sef Miss Evans a Miss Hancock, dwy ifanc iawn o Gaerdydd.[35]

Cynhaliwyd y cyfarfodydd mewn gwahanol fannau, yn y capeli, yn yr awyr agored, a llwyddodd y grŵp Cymraeg gael benthyg adeilad y syrcas yn Glasgow i gynnal cyfarfodydd am wythnos. Yn y cyfarfod cyntaf canwyd dau emyn i ddechrau, siaradodd un o'r diwygwyr, ac yna rhoddwyd cyfle i wneud ceisiadau am weddi. Nid oedd ball ar yr ymateb. Yr un oedd eu cynnwys ac a gafwyd yng ngheisiadau Cymru, ond yn yr Alban darllenwyd rhestr o geisiadau i'r gynulleidfa. Ymhlith y rhain roedd cais am weddi dros aelodau o deuluoedd, dros y Rhesymolwyr oedd yn dosbarthu tractiau y tu allan i'r adeilad a thros ddynion ifainc anghenus oedd yn cerdded ar hyd Stryd Sauchichell. Distawodd y gynulleidfa am ychydig er mwyn i bawb gael cyfle i weddïo'n dawel. Canwyd emyn a dechreuwyd gweddïo'n uchel. Cafwyd cyfnod arall o dawelwch, emyn, ac apêl i bawb a dderbyniodd Grist fel Gwaredwr i sefyll, ond nid oedd llawer o ymateb. Canodd un o'r Cymry 'Are you coming home tonight?' ac yn sŵn y gân gwnaeth llawer o bobl ymateb. Ychwanegwyd yn gyson at rhengoedd y gweithwyr.[36]

Ffurfiodd Awstin gwmni o dystion i ymuno â'r tystion yn Glasgow. Dyna paham, mae'n sicr, y gorffennodd adrodd hanes y Diwygiad yn y *Western Mail*. Ymhlith ei gwmni oedd Miss Edith Jones a Cesiah Jones, Ynys-y-bŵl, a Miss Cassie Jenkins, Hopkinstown. Cydweithient gyda W. Breckenridge, efengylydd amlwg yn yr Alban. Ymosododd y milwyr ar gaerau Helensburgh, cylch y dosbarth canol, oedd hyd yn hyn heb brofi dylanwad y Diwygiad. Llywyddwyd y cyfarfod cyntaf gan Awstin; canodd y merched, yn Saesneg a Chymraeg, a siaradodd Breckenridge. Rhoddodd Awstin ei adroddiad cyntaf o hanes y Diwygiad yng Nghymru. Rhoddodd yr adroddiad nesaf ar y nos Sul, a chanodd y merched hefyd.[37]

Capel y Bedyddwyr, Hellensburgh, lle y gweinidogaethai D. W. Roberts, oedd y man cyfarfod nos Lun, a chafwyd cymorth Sarah Morgan, Trehafod, a Mattie Williams, Pontypridd. Ar y dydd Mawrth, ymunodd Awstin a Chymru eraill, Miss Jones, Ynys-bŵl, Cassie Jenkins, Hopkinstown, a Mr R. E, Merchant, Port Talbot, i gynnal cyfarfod yn Springburn. Aethpwyd yn ôl i'r Tent Hall, Glasgow, 'where the work is similar to that carried on at the Cardiff Tabernacle.'[38] D. W. Roberts oedd un o'r gweinidogion oedd yn trefnu teithiau i'r Cymry.

Disgrifiodd Awstin dri diwrnod o gyfarfodydd, yn eithaf manwl, a dyma grynodeb o'i adroddiad:[39]

Sadwrn: Grove Street Institute; cenhadaeth feddygol. Y tïm: M. J. Jones, Ynys-y-bwl; Ethel Powell ac Annie Gibbon, Pontypridd. Cafwyd cymorth goruchwyliwr y Genhadaeth, a merch y sylfaenydd, M'Gill. Atseiniai 'Diolch Iddo', drwy'r gynulleidfa. Roedd Kate Morgan Llewelyn, Mary Davies a'i thad yn bresennol.

Sul: 10.30 a.m. cwrdd gweddi y Boys' Brigade; 11.30 cyfarfod i'r Albanwyr a'r Cymry yn llawn o dân y Diwygiad.

Prynhawn Sul: Eglwys y plant. Awstin yn egluro lle'r plant a'r bobl ifainc yn y Diwygiad yng Nghymru. Cafwyd cymorth Annie Gibbon, M. J. Jones ac Ethel Powell. Mattie Williams, Sarah Morgan ac eraill yn cynorthwyo Breckenridge, a Cissie Jenkins a Cesiah Jones yn cynorthwyo D. W. Roberts. Am 5.30 cyfarfod i'r dosbarthiadau beiblaidd.

Dydd Llun: yn Neuadd yr Institiwt. Ymhlith y cefnogwyr oedd golygydd y Govan Press, a ddiolchodd am gyfraniad Annie Gibbon yn Barrhead, ychydig ddyddiau'n flaenorol. Canwyd emynau Cymraeg a Saesneg. Y ffefrynnau oedd 'Dyma gariad fel y moroedd', a'r 'Glory Song' (Annie Gibbon); 'Never lose sight of Jesus' a'r 'Silver Cord' (M. J. Jones).

Erbyn hyn roedd Awstin yn barod i ymadael er mwyn cynnal gwasanaethau mewn mannau eraill yn yr Alban. Pan adawodd fore Mawrth, casglodd tyrfa fawr i ffarwelio ag ef. Trefnodd Awstin i Robert Davies, Pontypridd, gymryd ei le yn yr Institiwt.[40] Gadawodd sawl un ei waith er mwyn mynd i'r Alban. Creodd hyn broblem i Miss Jones, o Gwm Rhondda. Cafodd neges oddi wrth Awdurdod Addysg Aberpennar i ddychwelyd yn syth, neu golli ei swydd. Ni ddywedir beth oedd ei hymateb.[41] Medrai Maggie Condie, un o weithwyr Cenhadaeth y Wesleaid yn Stryd Cyfartha, Caerdydd, aros yn ddibryder. Treuliodd gyfnod yng Nghaerdydd, a symud i ganol y berw yn Nowlais, cyn teithio i'r Alban. Ei phrif waith oedd cynorthwyo yng Nghapel y Bedyddwyr, Tolecross, ger Glasgow. Trefnwyd cyfarfodydd gweddi am bythefnos cyn ei dyfodiad. Mewn cyfnod o wythnos yn unig, tystiodd saith deg o bobl i brofiad o dröedigaeth. Mae'n amlwg fod Maggie Condie yn ddyledus i ŵr o Gaerdydd am gefnogaeth (ariannol o bosibl), oherwydd gofynnodd i William Clyde, gweinidog Tolecross, ddanfon adroddiad o'i gwaith i Gaerdydd. Mae'n bosibl mai pennaeth y Genhadaeth yn Nghaerdydd oedd y person hwnnw. Dim ond canmoliaeth uchel oedd yn yr adroddiad.[42]

Bu ail wythnos y Genhadaeth yn fwy bendithiol na'r wythnos gyntaf a rhifwyd wyth deg o ddychweledigion. Un nodwedd amlwg o'r Genhadaeth oedd awydd dwfn cymaint o bobl i ddwyn rhai i'r cyfarfodydd, ac roedd rhieni yn dwyn eu plant, a'r plant yn dwyn eu rhieni i sŵn yr efengyl. Tystiolaethwyd i ras Duw, rhai yn tystiolaethu yn dawel, eraill yn fwy dramatig. Amser cinio, ddwy waith yr wythnos, safai William Clyde a Maggie Condie y tu allan i gatiau'r gwaith yn Tollcross. Safai'r genhades ar focs mawr i arwain côr yn canu 'Never lose sight of Jesus'. Gwyliai'r gweinidog yn bryderus oherwydd nid oedd yn siwr iawn a fyddai'r bocs yn dal ei phwysau. Bu ymateb da i'r cyfarfodydd hyn.[43] Amgylchynnwyd Glasgow gan bocedi o fendith. I'r de oedd Rutherglen, Cambuslang, Hamilton a Motherwell. Fel yng Nghymru, gorymdeithiwyd yn selog ym Motherwell.[44] I'r gorllewin ffurfiai Govan, Partick Thistle, Clydebank, Springburn a Bellshill, hanner cylch yn ôl i Motherwell. Gŵr poblogaidd yn Rutherglen a Cambuslang oedd Hugh Jones o Gastell-nedd, 'decorator' wrth ei alwedigaeth, ond a welodd yn dda roi amser i efengylu.[45] Cefnogwyd ef gan ei gyflogwyr yn ystod y pum wythnos y bu yn yr Alban. Roedd yn un o bregethwyr cynorthwyol y Wesleaid, yn efengylydd effeithiol a chanwr dymunol. Cafodd yntau gefnogaeth dwy o'r merched, sef Lizzie Bevan ac Annie Williams.[46] Nid oedd y gwaith yn ddirwystr bob amser. Dywedir am un cyfarfod:[47] 'The feeling was so high the other night that the police had to stop the religious meeting at Station Square. It was the miners' pay night and matters had become rather lively owing to Catholics questioning the speakers.'

Ond os oedd gwrthwynebiad, cysur oedd gwybod fod gŵr fel Alexander Findley, yr Aelod Seneddol dros ddwyrain Lanark, yn rhoi sêl ei fendith ar yr adfywiad.[48] Gwefreiddiwyd y gynulledifa yn Hamilton pan adroddodd gŵr o Motherwell hanes y Diwygiad yng Nghymru.[49] Cadarnhawyd y gwaith yn y cylch hwn gan James Macfarlane, cyn-lowr a neulltiai ei amser bron yn gyfan gwbl i efengylu, a Harkness, pianydd cyfarfodydd Torrey ac Alexander. Ar un achlysur daeth saith cant o bobl at ei gilydd i gyfarfod arbennig, sef cyfarfod i'r rhai a fendithiwyd mewn gwahanol ffyrdd yn ystod yr wythnosau blaenorol.[50]

Gerllaw, yn Blantyre, roedd Cymro arall yn ddiwyd iawn, sef J. J. Thomas, Maesteg, y gŵr a fu'n weithgar eisoes yng Nghaeredin. Tra yn Motherwell bu rhaid iddo orffwys am ychydig, ond wedi adnewyddu, ailgydiodd yn ei waith yn Blantyre. Cydweithiai â'r Parch. M'Millan mewn cyfarfodydd yn y capeli ac yn yr awyr agored. Gwerthfawrogwyd ei bregethu mewn Saesneg rhugl, a'i ganu disgybledig.[51]

Erbyn Mehefin 1905, recordiwyd dros gant ac ugain o ddychweledigion yn Partick, lle roedd Miss Clarke o Gaerdydd yn cynorthwyo Charles Barraclough. [52]

Ar wahanol gyfnodau, disgynnodd yr Ysbryd mewn nerth yn Clydebank, yn arbennig ym Mawrth a Tachwedd. Hwb i'r Diwygiad yn y cylch yn gyffredinol oedd Cynhadledd y Diwygiad a gynhaliwyd ym mis Medi.[53] Croesawodd capel y Bedyddwyr, Bellshill, y 'diwygwyr Cymraeg enwog'.[54] Braenarwyd y tir iddynt gan lafur y pum brawd Fraser, a chydnabyddid un ohonynt, John, fel Spurgeon yr Alban. Gweithiai'r pump ohonynt yn y 'Dub's Locomotive Works' gan neilltuo'r nosweithiau i efengylu.[55] Unodd yr Albanwyr a'r Cymry yn ystod mis Mai, a chawsant gymorth y 'Glasgow Townhead

Glory Band'.[56] Gadawodd y Cymry ddiwedd y mis, ond aros a wnaeth yr Ysbryd. Cyfrifid y dychweledigion yn ôl y cannoedd, a bedyddiwyd cant a hanner yn eglwys y Bedyddwyr yn unig cyn diwedd y flwyddyn.[57] Mae'n amlwg fod Awstin yn gartrefol yn yr Alban. Roedd yn dal yno ym mis Mehefin 1905 a llafuriai gyda Jack Findlay mewn gwahanol ardaloedd. Ar un nos Sul gweinidogaethai'r ddau yn yr 'Henderson Memorial Church', a bu'n rhaid cau'r gatiau i rwystro mwy o bobl i fynd mewn i'r capel. Canodd Ethel Powell 'Dyma gariad', a 'Never lose sight of Jesus', a chanodd Annie Gibbon 'There is a green hill far away', a 'Just lean upon the arms of Jesus'. Unodd yr ychydig Gymry oedd yno yn y 'Diolch Iddo'. Ar y dydd Llun aeth Awstin ac amryw o'r Cymry i'r 'Bible Training Institute' ar wahoddiad John Anderson, y Prifathro. Siaradodd Robert Davies, Pontypridd, a'r Parch. Ceitho Davies a chanwyd gan Annie Gibbon, Cassie Jenkins ac Edith Powell. Canodd Cassie Jenkins y fersiwn Saesneg 'Here is love like mighty torrents' ac wedi hynny canodd y tîm y fersiwn Cymraeg. Yma eto seiniwyd y 'Diolch Iddo'. Un o gefnogwyr brwd y tîm oedd James Wilson, masnachwr, a gwnaeth yntau annerch y gynulleidfa cyn diwedd y cyfarfod.[58]

Nid oedd ball ar deithio'r Cymry. Aeth Awstin a rhai o'r merched i'r ochr ddwyreiniol, i Perth, Dundee ac Aberdeen. Cafodd Awstin gymorth pellach pan gyrhaeddodd Gertrude Davies o'r Cymer, Porth.[59] Mentrodd Mattie Williams a Sarah Morgan draw i Leven.[60] Un o'r efengylwyr yn Denny, Falkirk oedd Dr Geil, y bu rhai o'r Cymry yn cydefengylu ag ef yn ngogledd Lloegr. Mr Morgan a Miss Player oedd y Cymry oedd yn cenhadu yno, ac ymunodd Miss Condie a Miss Evans â nhw ym mis Awst:[61] 'All the modern methods of aggressive open-air work, and a torch-light procession were tried to arouse the interest of the people, and large audiences were gathered to the inside meetings.' Bu ffrwyth gweledig i'r ymgyrch, a phroffesodd saith deg o bobl ffydd bersonol yng Nghrist.

Ar ôl gadael Glasgow symudodd Charles Penrose, Maenorbŷr, a rhai o'r merched i Perth a Dundee, a'u dilyn gan J. Tudor Rees.[62] Cafodd yntau groeso brwd yn Dundee gan chwech ar hugain o weinidogion a chan gannoedd o bobl yn y cyrddau gweddi.[63] Roedd y wasg o'i blaid hefyd, a chymorth pellach oedd adroddiad R. White, Forfar, o'i ymweliad â Chymru.[64] Ymwelodd pum gweinidog o Aberdeen â Chymru, a chawsant gyfle i adrodd yr hanes ar ôl dychwelyd. Yn ôl un ohonynt credai iddo gael y profiad mwyaf posibl yr ochr hyn i'r nefoedd. Soniodd un arall am yr awyrgylch ysbrydol. Un arall yn sôn am yr effaith ar y gydwybod, a bod nifer o bobl yn talu hen ddyledion. Ym marn un o'r pump roedd arwyddion amlwg fod Duw ar waith yn yr Alban.[65] Bu dau Gymro yn amlwg yn Aberdeen, sef J. J. Thomas[66] a Hugh Jones.[67] Bu'r ddau ohonynt yn weithgar eisoes yn ngogledd Lloegr a rhannau o'r Alban. Cafodd Hugh Jones gymorth Miss Egan, o gylch Wrecsam, ac roedd y Cymro siwr o fod yn llawen o glywed pobl Aberdeen yn diolch am weddïau myfyrwyr y Bala. Agorwyd dau adeilad i'r cyfarfodydd, y naill yn dal 2,500 a'r llall yn dal 3,500, ac nid oedd anhawster o gwbl eu llenwi. Ar y cyfan roedd y wasg yn gefnogol, 'ond mae ambell i 'granc' eisiau talu pwyth i rai boneddigion sydd yn dwyn y genhadaeth ymlaen'.[68]

Mae un dyn bach ar ôl, os bach hefyd. Crewyd perthynas glos rhwng Seth Joshua a'r Alban yn arbennig rhyngddo a William Ross.[69] Cadarnhawyd y berthynas â'r wlad yn ystod Diwygiad 1904–5. Un arall o gyfeillion Seth Joshua oedd y Parch. D. McIntyre, Glasgow.[70] Yn ystod ei ymweliad yng Ngorffennaf 1905, pregethodd y Cymro yng nghapel McIntyre, yn Alloa a Bridge of Allan, a'i destun oedd I Brenhinoedd 2. Ei thema oedd y llwybr i Bentecost. Cyfeiriodd at ei dröedigaeth, a'i lwyr gysegriad, oedd yn cynnwys rhoi'r gorau i smygu. Cyn diwedd y cyfarfod, gofynnodd Seth Joshua i rai ddod â'u cadeiriau i le gwag yn y tu blaen fel y gallent weddïo gyda'i gilydd. Cododd un gŵr a dod ymlaen i gyflwyno ei wats i wasanaeth Duw, digwyddiad tebyg i'r hyn a ddigwyddodd ym Môn yn un o gyfarfodydd R. B. Jones. Mewn un man, mynegodd ei lawenydd o gael gweithio heb gyfyngiadau amgylchiadau cnawdol. Soniodd hefyd am farn un person, bod gwahaniaeth rhwng cyfarfodydd Cymru a chyfarfodydd yr Alban. Yr awgrym oedd fod mwy o ymgyrchu yn yr Alban er bod diwygiad yno hefyd. Ym marn Seth Joshua yr hyn sy'n cyfrif mewn ymgyrch a diwygiad yw natur y ffrwyth. Symudodd Seth Joshua o Glasgow i Stirling.[71]

Iwerddon
Lledodd dylanwad y Diwygiad i Ogledd a De Iwerddon. Dulyn oedd y prif ganolfan yn y De.

Dulyn

Y Parch. P. Johnns, goruchwyliwr yr 'Irish Church Mission' oedd y prif gyfrwng rhwng Cymru a Dulyn. Ymwelodd â Chwm Rhondda a chyfarfod J. H. Howe, y gŵr a ffurfiodd gôr i hybu'r Diwygiad. Trefnodd Johnns i Howe a'r côr, a Winnie Davies, ddod i Ddulyn. Cyfarfyddwyd yng nghanolfan y Genhadaeth.[72] Llywyddai'r gweinidog, ac arweiniwyd y canu gan J. H. Howe a Winnie Davies. Pwysleisiai Howe bwysigrwydd y geiriau, ac aros weithiau i'w hegluro, fel y gwnaeth gyda'r cyfeiriad 'he was bruised.' Hoffai'r gynulleidfa Winnie Davies oherwydd ei phersonoliaeth ddymunol, ei llais melys a'i hacen Gymraeg.

Medrai Winnie Davies droi o'r Gymraeg i'r Saesneg, fel y gwnaeth yn y cyfarfod cyntaf. Yn yr un cyfarfod, gweddïodd yn Saesneg, ac aeth pob aelod o'r côr ar ei liniau a chanodd hithau gyda Howe hefyd. Yn ystod y cyfarfod darllenwyd rhannau o'r Ysgrythur gan Johnns, a rhoddodd hanes ei ymweliad â Chymru. Profwyd y cyfarfod, a thra roedd hynny'n digwydd, canodd Winnie Davies 'Throw out the life-line.' Tra oedd y gynulleidfa yn gadael parhaodd Winnie Davies i annog pawb i ddod at Grist.[73] Diwedd Ebrill a dechrau Mai 1905, roedd grŵp o Gymru yn cenhadu yn Rotunda, Dulyn. Danfonodd W. T. Morgan, Pontypridd, oedd yn aros gyda Gage Dougherty, lythyr at Awstin, yn rhoi hanes calonogol o'r cyfarfodydd yn Nulyn. Cafodd y ddau gymorth efengylesau o Gymru. Hyd at 4 Mai rhestrwydd tri chant a dau o ddychweledigion.[74]

Ulster

Pan gyfarfu Synod Armagh a Monaghan yn Ebrill 1905, trafodwyd dau brif bwnc, achos eglwysig yr Eglwys Bresbyteraidd yn yr Alban a'r Diwygiad yng Nghymru.[75] Cydnabyddwyd gwaith da'r Diwygiad, a datgan llawenydd mai'r capeli oedd crud y Diwygiad, ond gresynai'r Synod fod cymaint o 'tramp preachers' yn tynnu'r bobl i bob cyfeiriad.[76] Annog i weddi am ddiwygiad a wnaeth Henaduriaeth Belfast a Chymanfa Gyffredinol yr Eglwys Bresbyteraidd. Yn y Gymanfa lluniwyd penderfyniad i annog y gweinidogion, yr henuriaid a'r aelodau i ddyfalbarhau mewn gweddi. Rhoddwyd adroddiad hefyd gan Dr Taylor o'i ymweliad â Chymru. Disgwylid Seth Joshua i gyfarfodydd y Gymanfa, ond gorfodwyd ef i droi yn ôl ar ôl cychwyn ar ei daith, oherwydd afiechyd.[77]

115

Cyrchai'r tyrfaoedd i'r Rhos, Wrecsam, ac yn eu plith roedd ymwelwyr o Ulster. Iddynt hwy fe fedrai'r Diwygiad fod yn wrthglawdd yn erbyn Pabyddiaeth. Gwnaethant gais am weddi yn un o'r cyfarfodydd dros y 'down-trodden, priest-ridden Ireland.'[78] Fel y rhai yn y Rhos a Dr Taylor, roedd William Corkey a Hedley Brownrigg yn awyddus i brofi'r Diwygiad yng Nghymru. Mynychodd Browning gyfarfodydd yng Nghaerdydd a Phen-y-bont ar Ogwr.[79] Caerdydd oedd cyrchfan cyntaf Willam Corkey, ac yn y cyfarfod yn y Tabernacle, eisteddai nesaf at yr Athro J. Y. Simpson, o'r Coleg Newydd, Caeredin, sef y gŵr oedd yn ceisio parhau gwaith Henry Drummond yn y dref honno. Cafodd Corkey gyfle i fynd i bentref glofaol, a rhyfeddodd at y canu, a'r ffaith fod y mamau yn dod i'r cyfarfodydd â'u babanod yn y siol. Yn ôl Corkey blinwyd yr arweinwyr gan 'extravagancies and unhealthy elements', ond diflannodd y rhain erbyn hynny.[80]

Llwyddodd Seth Joshua i gyrraedd Iwerddon ym mis Medi 1905. Dechreuodd eu gyfarfodydd yn yr Assembly Rooms, ac Arthur Davies, a fu'n amlwg fel canwr yng Nghymru, yn unawdydd. Pregethodd Seth Joshua ar Genesis 32:9-32, a soniodd am Evan Roberts a'i weddi 'Plyg ni', i eglurebu hanes Jacob ym Mheniel. Yn yr hwyr gwefreiddiwyd y gynulleidfa gan ganu Arthur Davies o 'There is a green hill far away.'[81] Testun Seth Joshua yn yr oedfa hon oedd Lefiticus 12:11, a dywedyd am ei bregethu:[82] 'He has a winsomeness in dealing with an audience that is truly delightful. His illustrations are very much to the point, and his setting of the truth convincing.' Llanwyd y neuadd bob noson o'r genhadaeth. Ymunodd eraill o Gymru ag ef yn ystod y mis. Bu J. H. Howe a'i gôr yn gymorth parod iddo, ac felly hefyd Florrie Evans, Maud Davies, Edith Jones a C. Jones. Yr un oedd trefn yr oedfaon â'r un a fabwysiadwyd gan y tîm yn Llundain.[83]

1. Joseph William Kemp (1871-1933): *Dictionary of Scottish Church History and Theology*, ed. Nigel M. de Cameron (Caeredin, 1993).
2. William Whyte, *Revival in Rose Street* (Caeredin, d.d.), 33; *Joseph W. Kemp, by his wife* (Caeredin a Llundain, d.d.), 19.
3. Whyte, *Revival in Rose Street*, 34; *Joseph W. Kemp*, 21, 29.
4. *Joseph W. Kemp*, 29-30.
5. Whyte, *Revival in Rose Street*, 35; cyfeiriad at Mr Thomas; J. J. Thomas, Maesteg, oedd hwn. Cyfeiria R. Tudur Jones ato fel o Bontycymer, *Ffydd ac Argyfwng Cenedl*, cyf. 2, 193, ond yn yr adroddiadau o'r Alban Maesteg a geir; gweler isod.

6. *The Baptist Times*, 3 Chwefror 1905, 87; 'Edinburgh', *Scottish Baptist Magazine*, Ebrill 1905; *Joseph W. Kemp*, 30.

7. 'Leith Ministers and the Revival', *Edinburgh Evening News*, 16 Ionawr 1905, 2.

8. *Scottish Baptist Magazine*, Awst, Ebrill, 1905.

9. Ibid., Ebrill 1905; 'Welsh Revivalists at Hawick', *The Weekly News*, 25 Mawrth 1905, 6

10. Lilian Edwards, *A Welshwoman's work in India* (1940), 6-7.

11. 'Scotch Revival', *The Evening Express*, 10 Mehefin 1905, 3.

12. 'Church News', *Scottish Baptist Magazine*, Mawrth 1905.

13. Ibid., John Shearer, 'The Revival in Wales', Ebrill 1905. Un arall o weinidogion yr Alban a ymwelodd â Chymru oedd Hugh Black (1868-1953): *Dictionary of Scottish Church History and Theology*, 'The Revival', *SWDN*, 14 Ionawr 1905, awgrymiadau Hugh Black am ddiogelu'r dychweledigion.

14. *Joseph W. Kemp*, 31

15. Ibid., 33.

16. Ibid., 35, 36.

17. Ibid., 37-8.

18. Ibid., pennod VI.

19. Ibid., 42; 'Charlotte Street Chapel', *Scottish Baptist Magazine*, Mawrth 1906; 'The Revivals at Charlotte Street Chapel', Mawrth 1907.

20. D. M. Phillips, *Evan Roberts*, 276; 'Successful meetings at Cardiff', *The Evening Express*, 16 Ionawr 1905, 3.

21. 'Revival Wave in Glasgow', *The Weekly News*, 21 Ionawr 1905, 13.

22. 'Mr John Anderson', *The Scottish Evangelist*, rhif 7, 74, 1904–5.

23. Llythyr o'r BTI, *The Evening Express*, 11 Chwefror 1905, 3.

24. 'Revival Rays', *The Revival Times*, 15 Chwefror 1905, 1. Bu bendith amlwg ar weinidogaeth John Harper yn Paisley Road; symudodd oddi yno i Lundain; collodd ei fywyd yn y Titanic, gwefan Paisley Road.

25. Noel Gibbard, *On the Wings of the Dove* (Bryntirion Press, 2002), 64.

26. I . R. Govan, *Spirit of Revival* (Llundain, Caeredin, 1938), 134.

27. Ibid., 137.

28. Ibid., a rhydd ei sylwadau ar y mudaid tafodau, 135-6.

29. Llun o'r grŵp: *The Evening Express*, 25 Mawrth 1905, 2; 'The Welsh Revival', *The Witness*, 24 Mawrth 1905, 5; 'The Great Revival in Wales and Elsewhere', *The Christian Herald*, 27 Ebrill 1905, 366-7.

30. Am David Jack Findlay (1858-1938), *Dictionary of Scottish Church History and Theology*; yn ôl yr ysgrif, roedd Findlay yn llawen i fod yn 'good old fashioned Fundamentalist'; cofiant iddo gan A. Gammie, *Pastor D. Findlay* (1940).

31. 'Paid by Glasgow merchant', *The Evening Express*, 25 Mawrth 1905; c.f. R. Tudur Jones, *Ffydd ac Argyfwng Cenedl*, cyf. 2, 193; *Yr Herald Gymraeg*, 28 Mawrth 1905.

32. 'Glasgow' *The Weekly News*, 25 Mawrth 1905.

33. Ibid., 'Motherwell'.

34. 'The Scottish Revival', *SWDN*, 5 Ebrill 1905, 6.

35. 'Revival in Glasgow', *The Evening Express*, 8 Ebrill 1905, 4.

36. 'Revival Wave in Lanarkshire', *The Weekly News*, 8 Ebrill 1905, 11.

37. 'Scotland Revived', *The Evening Express*, 29 Ebrill 1905, 3; enwau'r grŵp, ibid. 20 Mai, 2.

38. Ibid.

39. 'Story of Revival', *The Evening Express*, 31 Mai 1905, 3.

40. Ibid.

41. *SWDN,* 5 Mai 1905, 6.
42. 'Scotland', *The Evening Express,* 20 Mai 1905; ibid, 3 Mehefin, gyda llun.
43. 'News of the Revival', *SWDN,* 25 Mai 1905, 6.
44. Ibid., 'Motherwell', 25 Mai 1905, 6.
45. Popular Revivalist', *The Lanarkshire,* 20 Mai 1905, 3.
46. Ibid., 'Stirring Revival Schene', *The Weekly News,* 27 Mai 1905, 7.
47. *The Weekly News,* 27 Mai 1905, 7.
48. 'The Scottish Movement', *SWDN,* 10 Mai 1905, 6; 'Revival enthusiasm', *The Lanarkshire,* 20 Mai 1905, 3
49. 'Hamilton', *Scottish Baptist Magazine,* Mai 1905.
50. 'Overwhelmed by Conflagration', *The Weekly News,* 1 Ebrill 1905, 11.
51. 'The Scottish Movement', *SWDN,* 10 Mai 1905, 6; 'Revival enthusiasm', *The Lanarkshire,* 20 Mai 1905, 3.
52. 'Progress of the Revival', *Scottish Baptist Magazine,* Mehefin 1905.
53. Ibid., 'Clydebank', Ebrill, Tachwedd 1905.
54. 'Belshill', *The Lanarkshire,* 17 Mai 1905, 3.
55. 'The Revival in the West of Scotland', *The Weekly News,* 25 Mawrth 1905, 12.
56. 'Belshill', *The Lanarkshire,* 30 Mai 1905, 3.
57. 'Belshill', *The Scottish Baptist Magazine,* Ionawr 1906.
58. 'In Scotland', *The Evening Express,* 3 June 1905, 2.
59. Ibid., llun Gertrude Davies.
60. 'Scotch Revival', *Scottish Baptist Magazine,* Ebrill 1905
61. Ibid., Medi 1905.
62. 'The Revival in Glasgow', *The Evening Express,* 8 Ebrill 1905, 4.
63. 'The Revival', *The Christian Endeavour Times,* 4 Mai 1905, 518.
64. *Scottish Baptist Magazine,* Mai 1905.
65. 'Aberdeen Ministers and the Welsh Revival', *The British Weekly,* 9 March 1905, 571.
66. Ibid.; R. Tudur Jones, *Ffydd ac Argyfwng Cenedl,* cyf. 2, 193.
67. Y Parch. Hugh Jones, Pontcysyllte: 'Y Diwygiad yn Aberdeen', *Y Goleuad,* 24 Mawrth 1905, 12. Bu Miss Egan a Mrs Jones, Egryn, yn cymryd rhan yn y cyfarfodydd yng Nghefnmawr: 'Cefnmawr and district', *The Wrexham Advertiser,* 15 Ebrill 1905.
68. Ibid.
69. Geraint Fielder, *Grace, Grit and Gumption* (Fearn and Bridgend, 2000), 62-4
70. Ibid., 142-3.
71. 'The Awakening in Wales and Elsewhere', *The Life of Faith,* 5 Gorffennaf 1905, 544.
72. 'Dublin', *The Evening Express,* 29 Ebrill 1905, 3; 'Meeting in Dublin', *The Witness,* 14 Ebrill 1905, 2.
73. *The Evening Express,* 29 Ebrill 1905, 3.
74. 'The Flame in Scotland and Ireland', *The Christian Herald,* 18 Mai 1905, 432; J. Edwin Orr, *The Flaming Tongue,* 31.
75. 'Synod of Armagh and Monaghan', *The Witness,* 28 Ebrill 1905, 3.
76. Ibid., 'Presbytery of Belfast', 3 Mawrth 1905, 5.
77. Ibid., 'The General Assembly', 13 Mehefin 1905, 5; R. Tudur Jones, *Ffydd ac Argyfwng Cenedl,* cyf. 2, 194, yn dweud ei fod yno.
78. 'Rhos and District', *The North Wales Guardian,* 17 Chwefror 1905.
79. 'The Great Welsh Revival', *The Revival Times,* 21 Gorffennaf 1905, 90
80. William Corkey, *Glad did I live* (Belfast, 1962), 96-7.
81. 'The Rev. Seth Joshua's Visit', *The Witness,* 15 Medi 1905, 6; 22 Medi, 8.
82. Ibid., 15 Medi 1905, 6.
83. Ibid., 29 Medi 1905, 7; 'Dublin', *The Evening Express,* 22 Ebrill, 1905, 3.

6
Beirniaid y Diwygiad

Noel Gibbard

Yr oedd croeso i'r Diwygiad, a gweld bai hefyd. Cwynwyd oherwydd y swn hyd oriau mân y bore, a bod rhai yn methu â chysgu'r nos o'r herwydd.[1] Roedd yr oriau hir yn ormod i ambell un, a'r unig beth i wneud oedd cysgu yn yr oedfa![2] Erbyn diwedd Ionawr 1905 gofalai Evan Roberts nad oedd ei gyfarfodydd i barhau yn fwy na dwy awr a hanner.[3] Ym marn rhai emosiwn y Cymry oedd yn gyfrifol am y teimladrwydd eithafol, ond roedd y Saeson hwythau yn Lloegr, a rhai mewn gwledydd eraill, yn moliannu yr un mor frwdfrydig â'r Cymry.[4] Medrai'r wasg groesawu a beirniadu, ond ar y cyfan croeso oedd ar ddudalennau'r papurau. Prin oedd yr ymosodiadau ar y Diwygiad gan olygyddion y papurau, ond cafwyd llythyrau a chyfresi beirniadol gan unigolion.[5] Cyhuddwyd y wasg o rhoi gormod o le i Evan Roberts, ac roedd hyn yn wir am ambell bapur. Annheg, er hynny, yw cyhuddo'r gohebwyr o fod yn euog o ormodiaith ac o gamarwain y cyhoedd. Ymhlith y gohebwyr ffyddlon oedd 'Awstin', 'Llygad Llwchwr', Gwilym Hughes, E. Morgan Humphreys ac 'Idriswyn'. Gellir dibynnu ar eu hadroddiadau, a digon teg oedd golygyddion y papurau enwadol hefyd.

Pregethu

Cyfeiriwyd yn aml at y diffyg pregethu yn Niwygiad 1904–05. Dywedir mai canu a gweddïo oedd ei nodweddion amlwg. Gellir deall y feirniadaeth, oherwydd cynhaliwyd nifer mawr o gyfarfodydd heb bregeth o gwbl. Ni fu gweinidog Cwmafan yn ei bulpud am dri mis, a dim ond pum pregeth a bregethwyd ym Mhontycymer yn ystod yr un cyfnod o amser.[6] Methai rhai bregethu er iddynt wneud ymdrech i wneud hynny, rhai'n cael eu llethu gan deimlad, ac eraill yn cael eu boddi gan foliannu'r gynulleidfa. Ar ôl methu siarad arferai'r pregethwr ddod i lawr i ymuno â'r gynulleidfa. Medrai'r gynulleidfa, nid y pregethwr, feddiannu oedfa.

119

Dywedir, gan rai, fod y diffyg hwn yn cymharu'n anffafriol â Diwygiad 1859. A ellir cyfiawnhau'r feirniadaeth? Gwaith anodd a fyddai gwneud hynny. Cyfeiria 'Twynog' at gyfarfod yn Rhymni yn ystod deffro ysbrydol 1859, pan dynnodd y merched eu hetiau a dechrau dawnsio.[7] Bu canu a moliannu hyd oriau mân y bore. Mewn cyfarfod yn Aber-porth, apeliwyd am dawelwch i'r pregethwr, ond 'Gwnaeth yr apêl y dorf yn saith [waith] mwy cynhyrfus.[8] Bendithiwyd pregeth Owen Thomas yn Llangeitho, a chymaint oedd y dylanwad nes 'Boddwyd llais y pregethwr.'[9] Ofer oedd ei ymgais i barhau. Dyma ddywedwyd am un o gyfarfodydd Dafydd Morgan: 'Pregethodd Dafydd Morgan yno y noson olaf, ond ychydig a glybuwyd o'i anerchiad.'[10] Bu gweiddi a neidio ym Morfa Nefyn yn un o gyfarfodydd y diwygiad hwnnw.[11]

Mae'n wir fod mwy o ganu yn 1904 nag yn 1859, ond nid oedd y pregethwyr yn dawel. Pregethodd R. B. Jones oddi cartref dros ddeugain o weithiau yn ystod 1905, ar wahân i'w daith ym Môn a Chaernarfon.[12] Ni chafwyd gwell pregethwyr yn 1904–05 na Joseph Jenkins a John Williams, Lerpwl. Pregethodd Joseph Jenkins ym Methesda ar Philipiaid 2:12-13, ac ymateb J. T. Job oedd: 'Nid wyf yn tybio i mi glywed pregeth yn fwy effeithiol erioed', ac ychwanegodd: 'Pentecost gwirioneddol ydoedd.'[13] Erbyn diwedd y cyfarfod roedd pawb yn dawnsio. Yn Sasiwn Caernarfon, Haf 1905, pregethodd John Williams ar 'Ddameg yr Heuwr'. Roedd gradd o siom gan nad oedd Evan Roberts yn bresennol, ond 'anghofiwyd Evan Roberts a phopeth yn y difrifwch a feddiannai bawb fel y codai John Williams y llen ar bob cymeriad.'[14] Dylanwadodd y Diwygiad ar bregethu John Williams. Parhaodd i bregethu barn, ond rhoddodd fwy o sylw i gariad Duw.

Nid oedd pob un o bregethwyr y Diwygiad, o bell ffordd, yn disgwyl am gyffro teimladol wrth bregethu. Dywedir am Keri Evans: 'He placed little importance, if any, upon eloquent sermons. His emphasis was on unction, not eloquence.'[15] Un o'i gyfeillion oedd W. W. Lewis, pregethwr a fynnai dawelwch wrth bregethu. Pan neidiodd un gŵr i'r sêt fawr a dweud 'Ond yw'n fendigedig Mr Lewis?' yr ateb oedd 'Ydi e? Gall llo neidio.'[16] Fel W. W. Lewis mynnai David Evans, Pen-y-bont ar Ogwr hefyd gael llonydd i bregethu.[17]

Methwyd â phregethu mewn rhai cyfarfodydd ym Methany, Rhydaman, ond roedd yno bwyslais ar bregethu. Y Sul olaf o Hydref 1904 pregethodd Nantlais yn ei bulpud, a'i ddilyn, bron yn union, gan

Joseph Jenkins, Ceinewydd a Seth Joshua o'r Symudiad Ymosodol.[18] Yng Nghaerfyrddin roedd pregethu, ynghyd â gweddi, yn ganolog yn y paratoi ar gyfer y Diwygiad, a phregethu a ddefnyddiwyd i chwythu'r fflam ym mis Tachwedd.[19] Helaethwyd Trinity, Tonypandy, oherwydd y fendith a brofwyd hyd Dachwedd 1904, a phan ailagorwyd y capel, yn anterth y Diwygiad, trefnwyd wythnos o gyfarfodydd gweddi, i baratoi'r ffordd i wyth o bregethwyr yr wythnos ddilynol.[20] Cychwyn y Diwygiad yn Aberdulais oedd 'pregeth rymus' gan y gweinidog.[21] Gellir enwi sawl lle yn y Gogledd lle gosodwyd bri ar bregethu. Dilynwyd R. B. Jones yn y Rhos, gan bregethwyr lleol, W. W. Lewis, Caerfyrddin, y Cadfridog Booth ac Elfed Lewis. Yn ystod dyddiau cynnar 1905 trefnwyd cyfarfodydd pregethu yn y gwahanol gapeli yn y pentref.[22] Cyfryngau'r fendith ym Methesda oedd Hugh Hughes (Wesle), Joseph Jenkins, Maud Davies a Florrie Evans, a gwasanaethodd pum pregethwr o'r Gogledd yn ystod Ionawr 1905.[23] Arwydd o werth pregethu yn y Bala yw'r hyn a ddywedwyd am ymweliad John Williams, Lerpwl, ac W. R. Owen, Brynmenai: 'Mae'n amhosibl sylweddoli gwerth y pregethau hyn yn eu dylanwad ar y Bala a'r cylchoedd. 'Hyd heddiw [blwyddyn a hanner yn ddiweddarach] fe adseinir rhannau o'r pregethau yng ngweddïau pobl ieuainc yr ardaloedd.'[24] Un o nodweddion y gwaith yn Llanfairfechan oedd y cyfarfodydd pregethu, a chynhaliwyd rhai ohonynt ar ôl y cwrdd gweddi.[25]

Ond onid y pregethwr mud y gelwid Evan Roberts ei hun? Yn sicr ddigon nid oedd yn bregethwr tebyg i R. B. Jones neu Joseph Jenkins. Ond nid oedd yn fud chwaith.[26] Ystyrier ei gyfarfodydd yn ystod cyfnod cynnar y Diwygiad. Ambell waith siaradai ar destun ysgrythurol fel 'Na feddwer chwi gan win', Genesis 12:12, hanes Sacheus, a Mathew 28, yr adnod olaf.[27] Hoffai wneud sylwadau ar ddarlleniad o'r Ysgrythur. Gwnaeth hynny ar ôl darlleniad o bennod olaf Malachi; darn o lyfr y Datguddiad, a Hebreaid 11.[28] Yn y cyfarfod olaf hwn, siaradodd ei gyfaill Furrier Hulme, Bryste, hefyd, 'a stirring speech' yn ôl yr adroddiad. Dull arall a fabwysiadai Evan Roberts oedd gofyn am Ysgrythurau, ac nid oedd ball ar yr ymateb, a rhoddwyd lle hefyd i ddarllen yr Ysgrythur.[29]

Medrai'r diwygiwr ddewis pwnc fel 'Ffydd', neu'r 'Bywyd Cristnogol'.[30] Pan siaradodd ar y pwnc olaf hwn, holodd y gynulleidfa gan ddisgwyl ateb. Gorffennodd trwy ddelio â'r pedwar pwynt i egluro ffordd ufudd-dod i Dduw, sef y pedwar pwynt a gyflwynodd yr wythnos gyntaf yng Nghasllwchwr, ac yn Nhrecynon, wythnos 13 Tachwedd.[31] Medrai emyn apelio ato, a defnyddiai ef yn sail ei neges, fel y gwnaeth gyda 'Throw out the life line'.[32] O ran amser, amrywiau ei anerchiadau yn fawr iawn. Mewn ambell gyfarfod anerchiad byr a roddai, a phryd arall siaradai yn fyr iawn sawl gwaith yn ystod yr un cyfarfod. Pan dorrai rhywun ar ei draws, arhosai am ychydig ac yna mynd yn ei flaen. Pan gymerodd 'Na feddwer chwi gan win', yn destun, siaradodd am hanner awr, ond am awr yn ddiweddarach yn yr un lle, 'listened with rapt attention'.[33] Hanner awr oedd ei neges 6 Tachwedd; awr, 19 Tachwedd, ac awr a chwarter yn Nhrecynon, 13 Tachwedd.[34] Ac yn Trinity, Abertawe, traddododd anerchiad maith, a hynny yn Saesneg, ond peth prin iawn oedd hynny.[35]

Roedd ymdrech i gyfarwyddo'r bobl. Cynghorwr oedd Evan Roberts ac nid gweinidog profiadol, ond mae'n anodd deall ei ddistawrwydd mewn sawl cyfarfod. Nid oedd digon o gynnwys i'w negeseuau, ond efallai mai'r gwendid mwyaf oedd ei ymweliadau sydyn â chyfarfodydd. Cyrhaeddai yn sydyn, a gadawai yr un mor sydyn. Yn aml iawn nid oedd yn bresennol am ddigon o amser i lywio'r cyfarfodydd. Mae'n siwr iddo hefyd bwyso'n drwm ar ysbrydoliaeth y foment, a chael ei symud gan emosiwn y gynulleidfa. Anodd felly oedd rhoi lle canolog i bregethu sylweddol.

Enwadaeth

Nid oedd yn bosib anghofio'n llwyr am enwadaeth. Mae'n wir i'r Diwygiad hybu cydweithio rhwng enwadau o fewn Anghydffurfiaeth, a hyd yn oed mewn rhai ardaloedd rhwng Eglwyswyr ac Anghydffurfwyr. Ond nid oedd pawb yn llawenhau oherwydd y cydgyfarfod. Ofnai pobl y Porth,[36] a Cynog Williams, Trecynon, fod tuedd i roi lle blaenllaw i'r Methodistiaid Calfinaidd, ar draul yr enwadau eraill. Adroddwyd am farn Cynog Williams o dan y teitl: 'Is Evan Robert's Mission becoming more sectarian?'[37] Gofidiai ambell Fedyddiwr nad oedd bedydd crediniol yn cael digon o sylw. Ym marn un Bedyddiwr roedd y bedydd mor bwysig, os nad yn bwysicach, na thystiolaeth bersonol o iachawdwriaeth.[38] Roedd hon yn farn eithafol, ond roedd gofid ymhlith y Bedyddwyr oherwydd yr hyn a dybient hwy oedd yn esgeulustod o un o'r ordinhadau.

Y mwyaf huawdl oedd George Price, Llwydcoed. Ysgrifennai a siaradai yn gryf ar y mater. Mewn cyfarfod yn ei gapel yn Llwydcoed, cododd ar ei draed i gyhoeddi wrth y gynulleidfa nad oedd bedydd yr Ysbryd yn dileu bedydd crediniol mewn dŵr. Gwrthwynebwyd ef gan y tanbaid Roger Rogers, a'i gefnogi gan amryw yn y gynulleidfa. Dadleuent mai cwrdd gweddi a drefnwyd ac nid trafodaeth ar fedydd. Gadawodd y rhai nad oedd yn Fedyddwyr a chynnal cyfarfod yng nghapel yr Annibynwyr.[39] Ni fedrai neb dawelu George Price a mynegodd ei farn yn yr *Aberdare Leader*.[40] Targedodd y cynadleddau er hyrwyddo'r bywyd ysbrydol. Heriodd yr arweinwyr yn Llanelli i egluro 1 Pedr 3:15, a beirniadai Keri Evans am gynnwys ei bregeth ar Actau 2:38.[41] Ar wahân i'r *Aberdare Leader* bu gohebu hefyd yn y *Porth Gazette* a'r *Llanelly Mercury*.[42]

Beirniaid eithafol

Beirniadwyd y Diwygiad gan rai y tu mewn a thu allan i'r eglwys. Llawenhau a wnaeth A. Penry Evans o gael troi cefn ar y 'dross of last winter's revival.'[43] Ofnai Gwilym O. Griffith fod y Diwygiad yn beryglus o emosiynol.[44] O'r tu allan nid oedd yr 'Aberdare Ethical Society' yn garedig iawn i'r Diwygiad, ac ymosododd y *Lancet* yn chwyrn ar y Diwygiad.[45]

Ond, yn sicr, yr enghraifft fwyaf annheilwng o ymosod negyddol oedd ysgrifau Tom Davies yn y *Western Mail*, saith deg o flynyddoedd yn ddiweddarach. Yn ôl yr awdur, Evan Roberts 'whipped his congregation into a babbling torment', 'held most of Wales in the palm of his hand', ac am yr adroddiadau dywed; 'repeat each other's lies', ac yn ôl Davies gwrthododd Evan Roberts fynd i Gaerdydd oherwydd ei bod 'an almost monoglot English-speaking city'.[46] Anodd adnabod y gŵr a ddisgrifir fel 'wild man', 'instinctive showman', a'r 'charlatan'.[47] Sut y medrai ddweud fod Cymru gyfan yn nwylo Evan Roberts? Ni fu'n agos i rannau helaeth o Gymru. A sut y gall gyfeirio at Gaerdydd yn 1905, fel 'almost monoglot English-speaking city'? Ni ellir dychmygu'r *Western Mail*, papurau eraill, a phobl fel D. M. Phillips, David Matthews, Elfed, ac eraill, yn palu celwyddau. Nid yw'n syndod nad oes unrhyw drafodaeth gall ar natur diwygiad yn y tair ysgrif gan Tom Davies.

Peter Price

Y sialens gryfaf i'r Diwygiad oedd llythyr Peter Price, gweinidog Bethania, Dowlais, yn y *Western Mail*.[48] Mae ei ymosodiad ef yn dra gwahanol i'r ymosodiadau eraill a wnaethpwyd. Credai'n gryf mewn diwygiad, a bu'n brofiadol o ddylanwadau nerthol yr Ysbryd yn Lerpwl a Dowlais. Pan ddaeth i Ddowlais, daeth i eglwys a brofodd 'gyffroadau crefyddol grymus,'[49] ond ni chredai fod gwir ddiwygiad o dan arweiniad Evan Roberts. Dadleuai Peter Price fod dau diwygiad. Nid oedd amheuaeth fod diwygiad real a dwys yn y wlad, ond roedd tân dieithr hefyd. Yr hyn a welai ef o dan arweiniad Evan Roberts oedd 'a sham revival, a mockery, a blasphemous travesty of the real thing.' Wrth drafod Evan Roberts ei hun, cyfeiriodd gweinidog Bethania at y 'stock sayings', parodrwydd y diwygiwr i arwain yr Ysbryd Glân, a gofyn hyd yn oed a oedd wedi ei freintio ag un o nodweddion y bod dwyfol.[50] Gofynnodd Peter Price chwe cwestiwn i Evan Roberts [crynodeb]:[51]

1. Pa ysbryd a ddywedodd wrtho fod rhywun yno heb dderbyn Crist?
2. Pam na ddywedai yn blaen na ddeallai Saesneg?
3. Pam mynd i oedfa ar ôl i'r tân gynneu?
4. Pam mynd i leoedd lle'r oedd diwygiad eisoes?
5. Pa ysbryd sy'n achosi iddo golli ei dymer?
6. Pa ysbryd ddywedodd wrtho am ddamnio pobl?

Arwyddodd y llythyr fel 'Peter Price (BA. Hons). Mental and Moral Sciences Tripos, Cambridge (late of Queen's College, Cambridge), Minister of Bethania Congregational Church, Dowlais, South Wales.'

Mae'n anodd dilyn ymresymu Peter Price. Os oedd gwir ddiwygiad yn y wlad, pam na fyddai'n disgrifio ei nodweddion, a dweud ym mha le y digwyddodd? Gwrthrych ei feirniadaeth yw Evan Roberts ei hun: 'The chief figure in the mock revival is Evan Roberts.'[52] Ond gwelwyd yr un nodweddion mewn cyffroadau mewn lleoedd na fu'r diwygiwr yn agos iddynt. Os oedd y rhain hefyd i'w condemnio, pa le oedd y diwygiad real? O ystyried y chwe chwestiwn, mae'n amhosibl ateb rhai ohonynt. Yr unig un o bwys yw'r olaf, sef ei fod yn euog o wneud gosodiadau ysgubol. Ffôl iawn oedd awgrymu na fedrai Evan Roberts Saesneg. Gwir, roedd ei ymddygiad yn rhyfedd ar brydiau, ond nid yw cydnabod hynny yn golygu condemnio'r Diwygiad yn gyffredinol. Trueni hefyd i Peter Price wisgo ei ddysg ar ei lewys.

Ni ellir amau didwylledd Peter Price, ac roedd yn iawn hefyd i rybuddio yn erbyn rhoi'r awenau i'r teimladau. Pregethai yn ystod y Diwygiad gydag arddeliad amlwg, a chyd-bregethu â rhai o arweinwyr y Diwygiad, yn cynnwys Nantlais a Keri Evans.[53] Trafododd D. J. Roberts y feirniadaeth yn deg iawn, ond dywedodd ar ddiwedd y drafodaeth: 'Ymataliodd rhag sôn dim rhagor am y diwygiad, ond adroddodd hanes yr hyn oedd wedi digwydd yn Nowlais cyn Ionawr 1905.'[54] Na, yn wir, ni wnaeth ymatal. Codwyd y mater pan bregethodd Peter Price yn Llwydcoed ym mis Mawrth 1905. Yn Lerpwl ym mis Medi, yr un flwyddyn, cydnabyddodd fod effeithiau da i'r Diwygiad, ond gresynu at y 'triciau yn enw'r Ysbryd Glân.'[55] Cyfeiria un gohebydd at hyn: 'his last effort of notoriety has been at a periodical conference of his denomination.'[56] Gwnaeth un gwrandawr sylw ar bregethu Peter Price yn Nhylorstown: 'rhai yn awgrymu ei fod yn euog o ryw bethau y cyhuddai ef Evan Roberts o fod yn euog o hwynt.'[57] Ni ddywedodd beth oedd 'y rhyw bethau.'

Hyd yn oed mor ddiweddar â 1926, ni chollodd Peter Price gyfle i feirniadu'r Diwygiad, ac roedd yn llawn mor ymosodol ag yr oedd yn 1905.[58] Daliai i gyfeirio at ddyddiau'r fendith yn Lerpwl, a bod y gwir ddiwygiad wedi cael ei dagu. Erbyn hyn ymosododd ar enwadaeth a'r wasg:[59]

Enwadaeth a Phapur Newydd—y naill er mwyn *Enw* a'r llall er mwyn *Elw* dagodd y Gwir Ddiwygiad—yr hwn oedd fel Gwanwyn yn dyfod i mewn i gyflwr y wlad—yn araf ac yn ddistaw ond yn effeithiol. Ond, beth sydd yn gyssegredig i falchder a hunanoldeb?

Vyrnwy Morgan—rhyddfrydwr ymosodol

Nid llythyr i'r *Western Mail* a ysgrifennodd Vyrnwy Morgan, ond llyfr swmpus i ddelio'n fanwl â'r Diwygiad.[60] Mae'n fanwl ond mae'n ailadroddus hefyd. Gall gyfeirio at nodweddion y Diwygiad yn ddigon cywir. Cyfeiria at y pwyslais ar gariad Duw, y pwyslais ar ufudd-dod, neges y Groes a gwaith yr Ysbryd Glân, a'r lle a roddwyd i'r plant a'r ifanc. Gall gyflwyno beirniadaethau digon teg: y rhoddid gormod o sylw i Evan Roberts, goddrychedd y diwygiwr, ei ddiffyg diwinyddiaeth, a'i osodiadau ysgubol, yn arbennig ei ymddygiad yng Nghwmafan.[61]

Er hynny methodd Vyrnwy Morgan â'i ddisgyblu ei hun. Hyd yn oed pan fydd y feirniadaeth yn deg, rhaid iddo fod yn ysgubol. Beirniadodd Evan Roberts yng Nghwmafan, ond cyfeiria at hyn lawer gwaith (tt. 50-1, 73, 89, 95, 107, 109). Esgeuluswyd pregethu mewn sawl ardal, ond dywed Vyrnwy Morgan fod y pregethwyr yn 'powerless.'[62] I'r gwrthwyneb, mewn sawl ardal yng Nghymru hwy oedd yr arweinwyr. Gall elfennau o hygoeledd ac ofergoeliaeth lithro i ddiwygiad, mae'n wir, ond ni ellir cyfiawnhau gosodiad fel hwn: 'It was on the anvil of superstition that Evan Roberts forged his fame.'[63] Cyll ei limpyn yn lân pan ddywedodd: 'It [y Diwygiad] gradually deteriorated into an orgy of singing and praying, like a pagan feast.'[64] Os felly, ni ddylid disgwyl dim da o'r Diwygiad, ond cydnebydd Vyrnwy Morgan ei hun fod yna ochr gadarnhaol i'r adfywiad. Nodweddir ei feirniadaeth gan ysbryd chwerw.

Gwraidd hyn, mae'n siwr yw diffyg unrhyw gydymdeimlad â diwinyddiaeth y Diwygiad. Hawlia fod diwinyddiaeth Evan Roberts a diwinyddiaeth y Diwygiad yn wahanol.[65] Cysgod cyfarfod Cwmafan sydd ar y feirniadaeth hon, siwr o fod, a phwyslais Evan Roberts ar golledigaeth enaid. Roedd amrywiaeth barn ymhlith y diwygwyr ar rai materion, ond roeddent yn un yn eu pwyslais ar waith anarferol yr Ysbryd, yr angen am iawn dros bechod, ac ysbrydoliaeth yr Ysgrythur. I'r arweinwyr roedd yr erthyglau hyn yn ganolog i'w gwaith. Gall Vyrnwy Morgan ddweud am y diwygiad: 'Calvinism was very manifest.'[66] Dywed hyn oherwydd y pwyslais ar ildio'r ewyllys, ond arwydd o Arminiaeth oedd hynny mewn gwirionedd. Roedd meddwl am Galfiniaeth yn ormod iddo, oherwydd iddo ef yr unig uniongrededd o bwys oedd uniongrededd cariad. Ar sail cariad y dylid datblygu y ddwy thema o Dadolaeth Duw a brawdoliaeth dyn. Nid oes uffern na digofaint Duw, a nam ar y natur ddynol yw pechod. Yn ôl Vyrnwy Morgan rhaid dychwelyd at awdurdod Crist: 'Christ is the Master and the Bible is the servant; and it is time to remove the Bible from the unwarranted place that has been assigned to it.'[67]

Beirniaid eraill

Yn yr un traddodiad y mae Henry Jones a Iorwerth C. Peate. Rhydd y blaenaf dro athronyddol i'w ddadl, a gweld popeth yng ngoleuni ei ddiwinyddiaeth ryddfrydol a'r traddodiad ymneilltuol Cymraeg, a wna'r olaf.[68] Rhyddfrydwr pendant oedd J. Tywi Jones hefyd. Wrth drafod y diffyg pwyslais cymdeithasol ymhlith arweinwyr y Diwygiad, noda Tywi Jones yn arbennig eu tawelwch ynglŷn â heddychiaeth. Gresynai bod rhai ohonynt hyd yn oed yn annog yr ifanc i fynd i Ryfel 1914–18. Nid yw'n enwi neb ond mae'n siwr mai John Williams oedd un o'r rhai oedd ganddo mewn meddwl. Os dyma oedd Cristnogaeth byddai'n well gan Tywi Jones 'ei rhegu na'i phroffesu.'[69] Diwygiad iddo ef oedd dwyn dynion i fyw yn ffordd Iesu Grist, a'r rhwystrau i hynny oedd imperialaeth, argyhoeddiad llawer o bobl nad oedd angen Cristnogaeth, a'r syniad y dylai pawb ddioddef yn dawel pa mor wael bynnag oedd cyflwr cymdeithas.

Cytunai Tegla Davies â safbwynt J. Tywi Jones. Ym marn Tegla, dylanwadodd imperialaeth Lloegr mewn dwy ffordd ar Gymru, sef mewn dylanwad ar y colegau diwinyddol, a thrwy greu ysbryd goddefol mewn cymdeithas. Tra oedd y tyrfaoedd yn clodfori'r pregethwyr mawr, roedd cannoedd o bobl yn byw mewn tlodi, a rhai yn dibynnu ar hanner coron y plwyf [25 ceiniog]. Aeth crefydd yn fath o ddihangfa, a gresynai, fel Tywi, fod pregethwyr yn annog yr ifanc i ryfel.[70] Ni chredai y byddai uno'r enwadau yn ateb y problemau, na chwaith ddiwygiad fel Diwygiad Evan Roberts. Perthyn i'r gorffennol oedd y Diwygiad hwnnw yn ôl Tegla: 'Fflach olaf yr hen gyfnod oedd hwnnw, cyn marw.'[71] Yr angen mawr oedd am 'ddiwygiad' yn yr ystyr o 'reformation'.[72] Ond mae diwygiadau traddodiadol-hanesyddol yn digwydd mewn sawl gwlad trwy'r byd heddiw—nid y 'fflach olaf' oedd 1904–05. Digwydd ambell un mewn lleoedd cwbl annisgwyl. Ni ellir rhwymo'r Ysbryd Glân, a phenderfynu pryd y dylai weithio. Mae'n bosibl y daw i Gymru eto.

Beirniadaeth o'r tu mewn

Nid oedd selogion y Diwygiad hwythau yn ddall i'w wendidau. Bu Evan Roberts ei hun yn bur feirniadol o rai agweddau ar y Diwygiad. Credai, fel Mrs Penn-Lewis, i ysbrydion aflan feddiannu'r gwaith mewn sawl man. Datblygodd y ddau y thema hon yn y llyfr *War on the Saints* (1912). Yr un oedd ei farn yn 1926:

> Gwyddom, fel mae gwaetha'r modd, fod amseroedd diwygiad yn gyfleusterau digymar i alluoedd y tywyllwch (Eff. 6:12) i ddynwared a ffugio Duw a'i waith. Gan na ellir galw popeth goruwchnaturiol yn ddwyfol, gofynnir i Dduw 'rwymo'r gŵr cryf'. Ped fai'r rhai hyn wedi ymyrraeth llai, buasai'r diwygiad wedi byw'n hwy ac wedi cyffwrdd cylch eangach nag a wnaethai eisoes.[73]

Elfed a J. Irvon Davies

Beirniaid caredig oedd Elfed a J. Irvon Davies. Cydnabyddai Elfed fod eithafion a gofynnodd am bwyll o'r herwydd. Ofnai hefyd y gellid efelychu'r gwir ddiwygiad.[74] Deliodd J. Irvon Davies â thri phwynt yn ei bregeth ar Rufeiniaid 12:1.[75] Yn gyntaf, cysylltodd 1904 â diwygiadau'r gorffennol, a nodi fod amlygiadau corfforol wedi digwydd ynddynt hwythau. Yn ail, pwysleisiodd y berthynas annatod rhwng y corff a'r ysbryd. Yn olaf, y perygl mewn diwygiad, wrth ddwysau'r teimladau, oedd gosod gormod o bwys ar yr amlygiadau corfforol, gan atgoffa ei ddarllenwyr bod y rhain yn ymddangos mewn gwleddoedd paganaidd. Rhaid, medd J. Irvon Davies, i bob diwygiad ei brofi ei hun, a dyma ei bwyslais yn y bregeth ar Eseia 44:3-4. Cyfeiria at Fynydd y Gweddnewidiad, a'r disgwyliadau ar ôl profiad pen y mynydd: 'They want to know whether those on the mount, when they come down to the lower and more practical levels of life, will be able to hold fast their profession.'[76]

J. H. Howard a J. Young Evans

Dau arall a gyflwynodd feirniadaeth oedd J. H. Howard a J. Young Evans. Gweithiodd Howard yn ddiwyd iawn yn ystod y Diwygiad a bendithiwyd ef yn helaeth yn ystod y cyfnod hwnnw. Un o'i ofnau oedd gor-emosiwn; nid oedd yn hapus bod cymaint o rai dibrofiad yn arwain yn y cyfarfodydd, a thrueni, yn ei farn ef, i weithwyr Evan Roberts fynd i'r Gogledd. Dywedodd Howard hynny wrth y diwygiwr, y noson cyn iddo ymadael am Lerpwl.

Ond ei brif feirniadaeth oedd methiant y Diwygiad, yn ei farn ef, i greu ymwybyddiaeth gymdeithasol gadarn.[77] Rhyddfrydwr oedd Howard yn wleidyddol, ond yn raddol yn Abertawe, ac yna yng Nghwmafan, tueddodd fwy at sosialaeth Gristnogol yn nhraddodiad F. D. Maurice. Ac fel Keir Hardie, pwysleisiai Howard ddyngarwch, heddychiaeth a sobrwydd. Rhaid oedd gweithredu yn gymdeithasol a pholiticaidd i sicrhau cyfiawnder cymdeithasol. Nid dadlau yn unig a wnaeth, ond gweithiodd yn ymarferol i sicrhau ei ddelfrydau.

Arhosai Evan Roberts yng nghartref rhieni J. Young Evans yn ystod ei ymweliad â Dowlais. Cafodd yntau gyfle i drafod y Diwygiad gyda'r diwygiwr. Mae'r apêl at hanes yn drwm yn ymateb J. Young Evans. Cydnabyddodd fod rhywbeth rhyfedd yn perthyn i gymeriad Evan Roberts, oherwydd hawliodd sylw'r tyrfaoedd, yn gefnogwyr a gwrthwynebwyr. Bu'n meddwl llawer am natur y Diwygiad, cyn darllen gwaith Dr Weinel, *The Operations of the Spirit and of the Spiritual in the Post-Apostolic Age*, ac fe gafodd J. Young Evans gadarnhad ynddo i'w farn.[78] Yn y cyfnod ôl-apostolaidd roedd lle i'r proffwyd yn yr eglwysi yn ogystal â phresbyter a diacon. Medrai'r proffwyd gynghori, cyhoeddi ewyllys Duw ac adnabod calonnau dynion. Deliodd Weinel â gallu Ignatiws i ddarllen meddyliau dynion. Fel yn y cyfnod ôl-apostolaidd, y perygl mawr yn Niwygiad 1904–05 oedd bod yn oddrychol a cholli golwg ar y gwrthrychol. Ym marn J.

Young Evans 'Evan Roberts appears more and more to seek an immediate, special and specific message.'[79] Mae'n amlwg iddo sôn am hyn wrth y diwygiwr, ond roedd ganddo ei ateb parod. Cyfeiriodd at yr Ysgrythurau, 1 Ioan 1:9 a 1 Thes. 5:13, dros gyffesu a chymodi, ac Iago 1:5-6 yn sail dros ofyn am ddoethineb, hynny yw, ei gael yn uniongyrchol oddi wrth Dduw. Ysgrifennai J. Young Evans yn ystod mis Mawrth 1905, a mynegodd ei ddiolch fod y diwygiwr yn cael gyfle i orffwys, awgrym o bryder, siwr o fod, ynglŷn â chanlyniadau'r straen ar Evan Roberts.[80]

Tri beirniad diweddar
Gwnaeth y tri efengyleiddiwr, Iain Murray, Graham Hind a Gwynne Ll. Williams, drafod y Diwygiad. Nid yw Iain Murray yn delio â'i fendithion, ond cyfeiria at ffynonellau sy'n cynnwys y rhain. Noda, er hynny, y dylanwad ar y cyfarfodydd gweddi.[81] Cydnebydd Graham Hind fod gwaith Duw wedi ei gyflawni yn ystod y Diwygiad, ond roedd methiannau amlwg hefyd.[82] Ymhelaetha Gwynne Williams trwy sôn am y tröedigaethau. y cymodi rhwng gelynion a'r pwyslais ar weddi.[83] Trueni na wnaeth Iain Murray nodi beth yn ei dyb ef oedd y bendithion, oherwydd mae'n amlwg na all dderbyn llawer o bethau o'r ffynonellau a nodir ganddo. Trueni hefyd fod Graham Hind yn sôn am 'revival events' heb egluro'n fwy manwl, oherwydd roedd y digwyddiadau yn amrywiol iawn.

Gall y tri feirniadu yn ddigon teg, ond gallant feirniadu yn annheg hefyd. Mentrodd Graham Hind gymharu Evan Roberts â Howard Rodney Browne a Kenneth Copeland. Dadleuai fod derbyn dulliau 1904 yn ei gwneud yn anodd i wrthod dulliau Rodney Browne.[84]

Mae o leiaf dri ateb i hyn. Yn gyntaf, roedd gan arweinwyr Toronto a Penascola, dechneg arbennig i'w chymhwyso ymhob cyfarfod. Y bwriad oedd gweld pethau anarferol yn digwydd a dyma oedd y prawf o bresenoldeb yr Ysbryd Glân. Ni ellir dweud bod hyn yn wir am waith Evan Roberts. Ar wahân i hyn, dylid cynnwys arweinwyr eraill yn y drafodaeth. Mae'n sicr yr arswydai Joseph Jenkins a W. W. Lewis, dau o arweinwyr y Diwygiad, o gael eu cymharu â Rodney Browne a Kenneth Copeland! Yn ail, beth yw rhai o nodweddion Toronto-Penascola? Ceir cryn sôn am 'slain in the Spirit', 'frozen in the Spirit', swn anifeilaidd ymhlith yr addolwyr, a gweddïo hyd yn oed am ddant aur. Pan darewir pobl â'r Ysbryd, ceir enghreifftiau o wragedd yn cael eu taflu i gôl dynion dieithr. Pan oedd Rodney Browne yn llawn o'r

Ysbryd, cerddai o gwmpas fel dyn meddw, a chydnabyddodd iddo ddefnyddio nerth braich i fwrw ambell un i'r llawr.[85] Er bod digwyddiadau annheilwng yn Niwygiad 1904–05 ni welwyd y nodweddion hyn. Mae'n dda cofio, yn drydydd, fod Evan Roberts yn credu yn ysbrydoliaeth y Beibl, yn yr Ysbryd Glân fel Person, mewn Iawn dros bechod. Mae lle i amau uniongrededd rhai o arweinwyr Toronto-Penascola. Ond ni olyga hyn, na ddaeth rhai pethau da o'r ddau le hynny hefyd.

Hawlia un o'r tri fod eithafion Diwygiad 1904–05 i'w gweld yn y diwygiadau a aeth ar gyfeiliorn. Yn ôl Iain Murray, un enghraifft yw diwygiad Kentucky, yn gynnar yn y bedwaredd ganrif ar bymtheg.[86] Ei awgrym yw fod diwygiadau'r ddeunawfed ganrif wedi osgoi yr elfennau gwael, a'r 'great revival', sef 1859–60. Cytuna Graham Hind ag ef, a gwnaeth Gwynne Ll. Williams ymgais i ysgaru Evan Roberts oddi wrth orffennol diwygiadol Cymru.[87] Ond hyd yn oed yn ystod y 'great revival year', 1859–60, gosodwyd pwys ar rifo'r dychweledigion, ac arferai Dafydd Morgan weddïo dros bob un ohonynt. Byddai'n mynd o gwmpas i siarad â'r ymofynwyr pryderus. Yng nghapel Rhiw-bwys, Ceredigion, roedd sgiw yn ochr y sêt fawr, a deuai'r dychweledigion ymlaen iddi, a neilltuwyd y meinciau blaen yn Llangeitho i'r dychweledigion.[88] Fel yn y ddeunawfed ganrif, a Diwygiad 1828, ni fedrai plant Diwygiad 1859 ond neidio a dawnsio.[89] Ac onid oedd Humphrey Jones o dan ddylanwad Finney pan ddychwelodd i Gymru?[90]

Syndod mawr yw dibyniaeth Iain Murray ar Vyrnwy Morgan. Mynegwyd sawl un o'i feirniadaethau gan awduron oedd mewn cydymdeimlad â'r Diwygiad, a'u barn yn llawer mwy teg. Rhydd yr argraff mai Vyrnwy Morgan a gywirodd y camargraff mai yng Nghasllwchwr y dechreuodd y Diwygiad. Gwna hyn oherwydd yr adroddiad am gyfarfodydd Casllwchwr yn y *Western Mail*, 10 Tachwedd 1904.[91] Ond yr un wythnos, gwnaeth y *Western Mail*, yr *Evening Express* a'r *South Wales Daily Post*, yn gwbl glir mai yng Ngheredigion y dechreuodd y Diwygiad.[92]

Seilia Vyrnwy Morgan ei feirniadaeth ar ei ddiwinyddiaeth ryddfrydol. Er hynny dywed Iain Murray 'he believed in revival.'[93] Ond argyhoeddiad Iain Murray yw fod diwinyddiaeth wan yn arwain i syniadau anghywir am ddiwygiad. Beirniadodd ddiwinyddiaeth a dulliau Finney, fel y gwna Gwynne Ll. Williams hefyd, ond mae'n amheus a oedd darllen helaeth ar weithiau Finney cyn 1904. Yn ôl Iain Murray, ymddangosodd elfennau ffanatig o dan arweiniad Finney. Ond mewn sawl peth roedd Finney yn llawer mwy uniongred na Vyrnwy Morgan. Anodd deall, felly, pa fath o ddiwygiad oedd ym meddwl Vyrnwy Morgan. Os nad yw diwinyddiaeth wan yn sail gadarn i ddiwygiad, sut y gall anuniongrededd, fel anuniongrededd Vyrnwy Morgan fod yn sail i ddiwygiad? Enwir Peter Price hefyd, a'i awgrym fod dau ddiwygiad. Ond fel Peter Price ei hun, ni ddywed Iain Murray beth oedd nodweddion y gwir ddiwygiad, pwy oedd yr arweinwyr, ac ni ddywed ym mha leoedd y profwyd y diwygiad hwnnw.

1. 'Byr Ebion y Rhondda', *Tarian y Gweithwyr*, 19 Ionawr 1905, 3.
2. D. M. Phillips, *Evan Roberts*, 207.
3. 'Dyfodiad y Diwygiwr i Lerpwl', *Y Cymro*, 5 Ionawr 1905.
4. 'Revival Sidelights', *The Witness*, 27 Ionawr 1905, 5; 'The Revival', *South Wales Argus'*, 10 Ionawr 1905; 'Evan Roberts in Liverpool', *The Methodist Times*, 20 Ebrill 1905, 263; R. Tudur Jones, *Ffydd ac Argyfwng Cenedl*, cyf. 2, 191.
5. Enghraifft o olygyddol feirniadol: *The Aberdare Leader*, 26 Tachwedd 1904; enghreifftiau o gyfresi gan unigolion: 'Revival under personal magnetism', *The Aberdare Leader* am fis Rhagfyr 1904, a 28 Ionawr 1905; 'An analytic conversation about the Revival', *The Welshman,* 24 Chwefror, 3, 10, 17, 31 Mawrth 1905; trafodaeth yn y *Newcastle Weekly Chronicle*, 28 Ionawr hyd 1 Ebrill 1905.
6. NLW 22856D; David Hughes, 'Ad-drem ar y diwygiad', *Y Tyst*, 3 Ionawr 1906, 7.
7. *Y Diwygiad a'r Diwygwyr*, 172.
8. J. J. Morgan, *Hanes Dafydd Morgan Ysbyty a Diwygiad 1859*, 170
9. Ibid., 185.
10. Ibid., 193.
11. *Y Diwygiad a'r Diwygwyr*, 327.
12. LLGC, Casgliad R. B. Jones.
13. *Y Diwygiad a'r Diwygwyr,* 218-9.
14. R. R. Hughes, *Y Parchedig John Williams, D. D.* (Caernarfon, 1929), 182, a'r bennod ar ei hyd am bregethu John Williams.
15. Robert Ellis, *Living Echoes*, 80.
16. Ibid., 53, a noder y cyfeiriad at W. S. Jones, 71.
17. David Matthews, *I Saw the Welsh Revival*, 119; R. Tudur Jones, *Ffydd ac Argyfwng Cenedl*, cyf. 2, 209.
18. Nantlais, *O Gopa Bryn Nebo*, 62, 70.
19. 'The Revival at Carmarthen', *The Welshman*, 25 Tachwedd 1904, 5; ibid., 'Two conventions at Carmarthen', 9 Rhagfyr 1904, 5.
20. *Y Diwygiad a'r Diwygwyr*, 174.
21. NLW 22856D
22. *Y Diwygiad a'r Diwygwyr*, 347-54; *Y Diwygiad yn Rhos*, 8, 13, 17, 25.
23. *Y Diwygiad a'r Diwygwyr,* 144, 146, 178-9, 216-8, 327-8.
24. Ibid., 362.
25. NLW 22856D.

26. Barn Brynmor Pierce Jones am bregethu Evan Roberts: *An Instrument of Revival* (Bridge Publishing, 1995), 62, 141.
27. D. M. Phillips, *Evan Roberts*, 200, 317-22, 328.
28. Ibid., 204, 258, 208.
29. Ibid., 332; Brynmor Pierce Jones, *An Instrument*, 62.
30. D. M. Phillips, *Evan Roberts*, 337, 227.
31. Ibid., 280-2.
32. RRW, 24 Tachwedd 1904.
33. D. M. Phillips, *Evan Roberts*, 200, 322.
34. Ibid., 202, 261, 253.
35. 'Revival Triumphs at Swansea', *South Wales Weekly Post*, 7 Ionawr 1905.
36. 'Clywedion', *Porth Gazette*, 1 Ebrill 1905.
37. *The Aberdare Leader*, 30 Rhagfyr 1904.
38. *Royal Comission on the Church of England, 1911*, cyf. 111, llyfr 11, 21045-8.
39. 'Jarring Note', *SWDN*, 25 Tachwedd 1904. Am Roger Rogers, Parcwyson, *Adgofion am y Diwygiad* (Dolgellau, 1913), pennod 11.
40. 'The Revival and Baptism', *The Aberdare Leader*, 10 Mawrth 1905, a gohebiaeth yn dilyn; llythyr yn *Seren Cymru*, 10 Mawrth 1905.
41. E.e., *Seren Cymru*, 1906, 'Convention Keswick', 6 Gorffennaf; 'Convention Llanelli', 3, 31 Awst; Brynmor Pierce Jones, *King's Champions*, 93.
42. Trafod bedydd: 'Baptism and Baptists', *The Porth Gazette*, 11 Chwefror 1905, a gohebu hyd 27 Mai 1905. 8.
43. *SWDN*, 5 Gorffennaf 1905, 6.
44. 'The Welsh Revival, Is it Dangerously Emotional?' *The Christian*, 16 Chwefror 1905, 14.
45. 'The Revival and the Aberdare Ethical Society', *The Aberdare Leader*, 26 Tachwedd 1904, 5; a'r *Lancet* yn cyfeirio at Ddiwygiad 1859, 'similar hysterical outbursts', a bod Humphrey Jones wedi gorffen ei yrfa mewn gwallgofdy: dyfynnu gan y *South Wales Argus*, 'Lancet and Religious Mania', 28 Tachwedd 1904.
46. 'When brimstone flowed across a chosen land', *The Western Mail*, 19 Mawrth 1974; 'The weeping preacher: mystic or charlatan?' 20 Mawrth 1974; y drydedd ysgrif oedd: 'Have the days of old style Bible-punchers gone forever?' 21 Mawrth 1974.
47. Yn yr ail ysgrif roedd camgymeriadau ffeithiol hefyd, e.e., oedran Evan Roberts ar y pryd, 24 mlwydd oed yn lle 26, marw ym 1955 yn lle 1951, a chamgymryd ynglŷn ag ystyr 'Methodist.'
48. 'Double Revival in Wales', *The Western Mail*, 31 Ionawr 1905
49. *Cofiant Peter Price*, 79, 98.
50. *The Western Mail*, 31 Ionawr 1905.
51. Ibid.
52. Ibid.
53. 'Evan Roberts arrives in Liverpool', *South Wales Daily Press*, 29 Mawrth 1905; 'Horeb Llwydcoed; *Y Tyst*, 15 Mawrth 1905, 6, 'Y Parch Peter Price', *Tarian y Gweithwyr*, 9 Chwefror 1905, 5, 25 Ebrill 1905, 1; *'The Revival' SDWN*, 12 Medi 1905, 6, 15 Medi 1905, 6; *Y Goleuad* (gol.) 22 Medi 1905, 3.
54. *Cofiant Peter Price*, 105.
55. Nodyn 54 uchod.
56. *The Christian Endeavour Times*, 30 Medi 1905, 843.
57. 'Rhondda Fach', *Y Tyst*, 14 Mehefin 1905, 6.
58. 'Y Diwygiad yng Nghymru', *Seren Cymru*, 21 Mehefin 1926, 6.

59. LLGC, Casgliad J. Tywi Jones, llythyr dyddiedig 3 Mai 1926.
60. *The Welsh Religious Revival* (Llundain, 1909). Yn ôl R. Tudur Jones, roedd y llyfr yn 'ymosodiad mileinig', *Ffydd ac Argyfwng Cenedl*, cyf. 2, 201.
61. Enghreifftiau o nodweddion y Diwygiad 83-4, 163; enghreifftiau o feirniadaeth deg; 57, 113, 141.
62. 'Many of the ministers did not preach for months. They were utterly powerless.' ibid., 42.
63. Ibid., 45.
64. Ibid., 112.
65. 'It is essential that we should distinguish between the theology of Evan Roberts, and the theology of the Revival, for in the main they are separate and distinct', ibid. 83.
66. Ibid., 86
67. Ibid., 94
68. Henry Jones, *Dinasyddiaeth Bur ac Areithiau Eraill* (Caernarfon, 1911), yn arbennig 61, 62, 66, a chrynodeb o'i syniad am grefydd: 'Dyrchafu natur dyn yn ei holl gyneddfau a wna crefydd yr Iesu, a gwneud y ddaear ei hun yn ysgol i blant Duw,' 67. Iorwerth C. Peate, 'Diwygiad Evan Roberts', *Y Dysgedydd,* Mawrth 1953.
69. 'Y Parch J. Tywi Jones ar y Diwygiad', *Seren Cymru*, 21 Mawrth 1926, 6.
70. 'Y Parch E. Tegla Davies yn Ambrose Bebb, *Yr Argyfwng* (Llandybie, 1954), 72, 73.
71. Ibid., 78
72. Ibid., 79
73. Evan Roberts, 'Bywha Dy Waith', *Y Cymro*, 7 Ebrill 1926, 1.
74. H. Elvet Lewis, *With Christ Among the Miners*, 179-83. Eraill y gellid eu henwi: William Edwards, 'The Revival in Wales', *The Sunday Strand*, Chwefror 1908; llythyrau gweinidogion yn y *British Weekly*, 15 Rhagfyr 1904, 276 (9 llythyr); 22 Rhagfyr, 1904, 308 (13 llythyr); 29 Rhagfyr 1904, 332 (15 llythyr).
75. J. Irvon Davies, *Religious Revivals* (Romans 12:1) (1905).
76. Yn y bregeth ar Eseia 44:3-4, yn yr un gyfrol, 20.
77. J. H. Howard, *Winding Lanes* (Caernarfon, d.d.), 100-02.
78. 'Evan Roberts, the Reprover', *The Evening Express*, 1 Ebrill 1905, 2. Brynmor Pierce Jones, *An Instrument*, 108-9, yn rhoi hanes J. Young Evans yn cynghori Evan Roberts; yr hanes o'r *Western Mail*.
79. *The Evening Express*. 1 Ebrill 1905, 2.
80. Ibid.
81. Iain Murray, *Pentecost Today?* (Banner of Truth, 1998), 153-4.
82. Graham Hind, 'Azusa Street & Pentecostalism 111: Pentecostal Influences in the Welsh revival of 1904', *CRN Journal*, Haf 1998.
83. Gwynne Ll. Williams, 'The 1904 Revival Revisited', *Reformation Today*, Tachwedd-Rhagfyr, 1982.
84. Graham Hind, *CRN Journal*, Haf 1998.
85. Hank Hanegraaff, *Counterfeit Revival* (Nashville, arg. 2001)
86. Iain Murray, *Revival and Revivalism* (Banner of Truth, 1994), yn arbennig, pennod 7; *Pentecost Today?*, 162.
87. Iain Murray, *Pentecost Today?* 166; Graham Hind, *CRN Journal*, Haf 1998; Gwynne Ll. Williams, 'The 1904 Revival Revisited', *Reformation Today*, Tachwedd-Rhagfyr, 1982.
88. *CRN Journal*, Haf 1998, J. J. Morgan, *Hanes Dafydd Morgan*, 142, 175.
89. E.e. Eifion Evans, Revival Comes to Wales, 58; J. J. Morgan, *Dafydd Morgan Ysbyty a Diwygiad 59*, 241.

90. Eifion Evans, *Humphrey Jones a Diwygiad 1859* (Amgueddfa Werin Cymru, 1981), 8-9.
91. *Pentecost Today?* 154
92. Er enghraifft: 'Revival Scenes', *The Evening Express*, 12 Tachwedd 1904, 4.
93. *Pentecost Today?* 161, yn arbennig cyfeiriad 2.

7
Yr Ailddyfodiad
a Diwygiad 1904

Dewi Arwel Hughes

Yn ei gyfarchiad i lyfryn W. R. James, *Ail-ddyfodiad ein Harglwydd*, a gyhoeddwyd yn 1911, mae R. B. Jones yn dweud fod yr awdur wedi sefyll ar ei ben ei hun i bob pwrpas am flynyddoedd fel lladmerydd Cynfilflwyddiaeth [*Premillenialism*], sef, yn fras, fod yr ailddyfodiad yn dod o flaen y milflwyddiant, ond mai canlyniad Diwygiad 1904 oedd gwneud y syniad arbennig yma am yr ailddyfodiad yn gred gyffredin ymhlith llawer o Gristnogion Cymru:

> Yn mron yn unig, ym mhwlpud Cymru, daliodd a phregethodd yr athrawiaeth Fil-flwyddiannol yn nglyn âg Ail-ddyfodiad yr Arglwydd . . . Bu adeg pan yr ystyrid ei ymlyniad wrth 'y gobaith gwynfydedig' hwn yn wendid ganddo, ac ni ddiangodd rhag y dirmyg a bentyrir gan lawer ar y cyfryw . . . Pwy a wyr y llawenydd a'i llanwai yn y blynyddoedd diweddaf hyn, wrth weled y gwirionedd y tosturid wrtho am ei gredu, yn d'od yn obaith anwyl i ganoedd, ie, miloedd, o grefyddwyr ei fam-wlad! Dyma un o effeithiau Diwygiad 1904–05.[1]

Yn ei lyfr ar y Diwygiad, a gyhoeddwyd gyntaf ugain mlynedd yn ddiweddarach, mae R. B. Jones yn ymhelaethu ar yr honiad trawiadol hwn mai un o effeithiau y Diwygiad oedd gwneud y syniad Cynfilflwyddol am yr Ailddyfodiad yn rhan ganolog o ffydd Cristnogion Cymru. Gellir dadansoddi ei argyhoeddiad i wyth o honiadau ganddo a ystyrir yn eu tro:[2]

1. *Roedd y syniadau Cynfilflwyddol a Goruchwyliaethol [dispensational] am yr Ailddyfodiad bron yn anhysbys i Gristionogion Cymru cyn y Diwygiad.*[3]

Ymddengys fod yr honiad yma yn gywir. Nid oes sôn am Gynfilflwyddiaeth, er enghraifft, mewn mynegiant o athrawiaeth enwadol swyddogol megis *Yr Hyfforddwr* neu *Gyffes Ffydd* y Methodistiaid Calfinaidd. Mae penawdau 16, 'Am yr Atgyfodiad', a 17, 'Am Ddydd y Farn', o'r *Hyfforddwr* a pharagraff 41 hyd 44 o'r *Gyffes Ffydd* yn delio â'r Pethau Diwethaf. Does dim sôn am gipiad na milflwyddiant yn y naill na'r llall. Yr argraff a geir yw mai un weithred fawr gydamserol yw'r ailddyfodiad, atgyfodiad y meirw oll, y farn gyffredinol a'r rhannu tragwyddol. Byddai lle i Olfilflwyddiaeth [*Postmillenialism*] ond nid yw hwnnw yn safbwynt swyddogol yr enwad. Anfilflwyddiaeth [Amillenialism] yw'r safbwynt swyddogol.

Mae Thomas Charles yn trafod y Milflwyddiant yn ei erthygl ar 'Mil' yn ei *Eiriadur* ond Olfilflwyddiaeth yw ei safbwynt. Nid yw cyfieithiad Kilsby Jones o *Eiriadur Beiblaidd* John Brown, a gyhoeddwyd tua 1870, yn cynnwys erthygl ar y milflwyddiant, y cipiad na'r atgyfodiad ac mae'r drafodaeth ar y farn diwethaf yn cuddio, ymysg nifer o ystyron eraill, yn yr erthygl ar 'Barn'. Mae erthygl ar 'Milflwyddiant' yn y *Gwyddoniadur Cymreig*.[4] Mae safbwynt yr erthygl yn seiliedig ar ddehongliad hanesyddol o weledigaethau'r Datguddiad 'fel darluniad proffwydiolaethol dilynol a pharhaus o ddigwyddiadau ag sydd i gymmeryd lle yn yr un dilyniad parhaus yn hanes yr eglwys a'r byd . . . '[5] Nid yr ailddyfodiad yw disgyniad yr angel, sef Crist, o'r nef i rwymo Satan[6] ond gweithred oruwchnaturiol Crist i gyfyngu ar ddylanwad Satan fydd yn ei gwneud yn bosibl i'r efengyl gael llwyddiant ysgubol cyn yr ailddyfodiad a'r farn. Cyfnod hir o lwyddiant byd-eang i'r efengyl cyn yr ailddyfodiad yw'r milflwyddiant—safbwynt sy'n gydnaws ag Olfilflwyddiaeth Thomas Charles a Williams, Pantycelyn. Gallai'r safbwynt yma fod yn gydnaws iawn ag ysbryd gobeithiol diwedd y bedwaredd ganrif ar bymtheg hefyd.

Eto i gyd gwthiai Cynfilflwyddiaeth i'r wyneb ar brydiau, fel yn y cylchgrawn *Seren Gomer* o tua 1830 hyd tua 1890, ac roedd yn gred ymhlith y Brodyr Plymouth Cymreig a'r Mormoniaid. Ni cheir tystiolaeth i'r syniad yng nghyfnod diwedd y bedwaredd ganrif ar bymtheg. Mae'r *Drysorfa*, er enghraifft, yn dawel ar y mater. Ond erbyn cyfnod y Diwygiad treiddiodd dylanwad rhai o arweinwyr Keswick i Gymru. Roedd A. T. Pierson ar daith yng Nghymru yn ystod 1905, ac roedd ef yn gredwr cryf mewn Cynfilflwyddiaeth.

2. *Mae'n ffaith drawiadol iawn fod pawb, bron yn ddieithriad, a brofodd i sicrwydd ac yn ei chyflawnder fendith y Diwygiad wedi dod yn gynfilflwyddol yn eu barn am yr Ailddyfodiad.*[7]

Mae'n ffaith ddiamheuol fod llawer o blant y Diwygiad wedi mynd yn Gynfilflwyddwyr. Mae hyn yn wir am y grŵp oedd yn gyfrifol am gylchgrawn *Yr Efengylydd* ac am y mudiadau a adawodd yr enwadau traddodiadol er mwyn cynnal ysbryd y Diwygiad. Cynfilflwyddiaeth oedd athrawiaeth swyddogol y Neuaddau Efengylaidd a sefydlwyd ar ôl y Diwygiad o'r dechrau. Er enghraifft, roedd coleddu Cynfilflwyddiaeth yng nghyfansoddiad Caersalem, Gorseinon cyn i'r eglwys alw W. T. Edwards, oedd wedi ei hyfforddi yng ngholeg R. B. Jones yn y Porth, fel eu gweinidog cyntaf. Hyd yn oed yn y pumdegau roedd coleddu Cynfilflwyddiaeth yn arwydd o uniongrededd yng Nghaersalem.[8]

Pan ymddangosodd y mudiadau Pentecostalaidd yn eu tro roeddent hwythau yn Gynfilflwyddol yn eu hathrawiaeth am y Pethau Diwethaf. Roedd cyffes ffydd yr Eglwys Apostolaidd, er enghraifft, yn galw am ffydd yn Ailddyfodiad a llywodraeth filflwyddol Crist ar y ddaear[9] a bu Cynfilflwyddiaeth yn rhan o gyffes ffydd Eglwysi Elim o'r cychwyn tan 1993.

Yng ngoleuni'r hyn sy'n dilyn, dadl grwn sy gan R. B. Jones yn ei ail honiad. Ni fyddai'n gwadu fod llawer wedi profi bendith y Diwygiad, gyda rhai ohonynt yn gyfeillion digon agos, ond os na ddaethent i goleddu Cynfilflwyddiaeth gallai ddadlau nad oeddent wedi profi bendith 'gyflawn' y Diwygiad. Ymhlith y cyfryw byddai'n rhaid rhestru Evan Roberts ei hunan! Yn ôl Eifion Evans, yn 1914 yr aeth Evan Roberts yn Gynfilflwyddwr.[10] Os yw honiad Eifion Evans yn gywir mae'n tystio i'r ffaith fod Evan Roberts naill ai wedi bod yn araf iawn i brofi bendith gyflawn y Diwygiad neu nad oedd a wnelo'r fendith â choleddu syniad arbennig am yr ailddyfodiad.

Mae'n rhyfedd os oedd mabwysiadu Cynfilflwyddiaeth yn rhan o fendith y Diwygiad nad oes sôn am yr athrawiaeth yn yr adroddiadau am yr hyn ddigwyddodd yn ystod y Diwygiad. Mae D. M. Phillips yn dweud am Evan Roberts fod 'Ymddangos yn y farn o wlad efengyl yn un o'i syniadau mawrion wrth anerch cynulleidfaoedd'.[11] Ond dim ond un o'r anerchiadau yn ei gofiant sy'n canolbwyntio ar y thema yma, ei anerchiad ar Green y Bala, Gorffennaf 1905.[12] Gan fod *Yr Hyfforddwr* yn un o brif ffynonellau ei ffurfiant Cristnogol nid oes angen mynd ymhellach i chwilio am wreiddyn yr hyn ddywed yn yr anerchiad yma.

Does dim awgrym o ddim, o ran sôn am y Pethau Diwethaf, tu hwnt i athrawiaeth swyddogol Methodistiaeth Galfinaidd.

Beth am rai o hoelion wyth eraill y Diwygiad? Nid oes tystiolaeth bendant yn aml nad oeddent yn Gynfilflwyddwyr, ond gan fod y rhai sy'n coleddu'r athrawiaeth yn siarad llawer amdani mae tawelwch yn awgrym cryf o ddiffyg ffydd ar y pwnc arbennig yma. Tawelwch llethol sy ar fater yr ailddyfodiad yng nghofiannau Seth Joshua a hunangofiannau E. Keri Evans a Rosina Davies er bod y tri ohonynt wedi yfed yn ddwfn o ysbryd y Diwygiad ac wedi bod yn gyfrwng achubiaeth ac adeiladaeth llawer.[13]

3. *Fe ddigwyddodd yr hyn honnir yn 2. nid trwy gyfrwng dynol ond trwy argyhoeddiad uniongyrchol oddi wrth yr Arglwydd Iesu Grist ei hunan. Ystyria R. B. Jones ei hunan yn enghraifft dda o'r broses yma.*[14]

Tra'n cydnabod fod dod i dderbyn Cynfilflwyddiaeth wedi bod yn brofiad penodol, tebyg i dröedigaeth, i R. B. Jones, teg holi a oedd y profiad mor hollol ddigyfrwng o'r safbwynt dynol ag yr hawlia. Roedd wedi dod i gysylltiad â'r frawdoliaeth efengylaidd oedd wedi casglu o gwmpas Confensiwn Keswick, gyda'i gysylltiadau cryf â'r Unol Daleithiau, dros flwyddyn cyn toriad gwawr y Diwygiad yn Nhachwedd 1904. Mae'n wir mai sancteiddrwydd trwy brofiad penodol o'r Ysbryd Glân oedd pwyslais mawr Keswick ond mae'n anodd credu nad oedd Cynfilflwyddiaeth hefyd yn gred yng nghylchoedd Keswick. Soniwyd eisoes am A. T. Pierson, a gellid ychwanegu Campbell Morgan a Mrs Baxter (*Christian Herald*). Cadarnhawyd y traddodiad yn ddiweddarach yn 1917, pan ffurfiwyd Mudiad Tystiolaeth yr Adfent ('Advent Testimony'), ac roedd F. B. Meyer yn amlwg ynddo.[15] Ond cyflwynwyd y ddysgeidiaeth am flynyddoedd cyn hynny.[16]

Cafodd R. B. Jones ei lenwi â'r Ysbryd Glân yng nghonfensiwn cyntaf Keswick yng Nghymru yn Llandrindod yn Awst 1903.[17] Yn yr un Confensiwn roedd W. S. Jones, Caerfyrddin, fu'n lladmerydd safbwynt tebyg i Keswick er pan ddychwelodd o'r Unol Daleithiau yn 1898. Yn ôl B. P. Jones bu rhai o ddisgyblion D. L. Moody yn help mawr iddo ddod i'w brofiad o gyflawnder yr Ysbryd Glân.[18] Mae'n anodd credu na fyddai rhywun a ddylanwadwyd gan ddilynwyr D. L. Moody yn yr Unol Daleithiau yn nawdegau'r bedwaredd ganrif ar bymtheg heb wybod am Gynfilflwyddiaeth. Gan ei fod yn gyd-

Fedyddiwr daeth R. B. Jones i gysylltiad cynyddol â W. S. Jones o 1898 ymlaen, ac ar ôl bendith Llandrindod yn 1903 dechreusant gydweithio'n agos â'i gilydd. Hefyd, aeth i weld sut yr oedd efengylwyr megis Gypsy Smith ac R. A. Torrey yn ennill y colledig i Grist.[19] Torrey oedd olynydd Moody ac roedd yn Gynfilflwyddwr pybyr iawn. Amgylchiadol yw'r dystiolaeth, mae'n wir, ond mae'n anodd credu na chlywodd R. B. Jones am Gynfilflwyddiaeth yn y cylchoedd y bu'n troi ynddynt o Awst 1903 ymlaen. Gallwn dderbyn fod coleddu Cynfilflwyddiaeth wedi bod yn brofiad tebyg i dröedigaeth i R. B. Jones ond mae'n amheus a ddigwyddodd y dröedigaeth honno mor rhydd o gyfrwng dynol ag yr awgryma.

4. *Y canlyniad oedd fod miloedd ar ôl y Diwygiad yn disgwyl yn hyderus i'r Arglwydd ddychwelyd ar fyrder i sefydlu ei deyrnas ar y ddaear.* [20]

5. *Oblegid fod rhagfarn yn gref yn erbyn Cynfilflwyddiaeth cyn y Diwygiad mae'r ffaith fod cymaint wedi croesawu'r athrawiaeth oblegid y Diwygiad yn ddim llai na gwyrth.*[21]

Fel y dywedwyd eisoes does dim amheuaeth fod Cynfilflwyddiaeth wedi dod yn gred gyffredin ymhlith plant y Diwygiad ond mae'n amheus ai'r Diwygiad ei hunan oedd yn gyfrifol am hyn. Mae'n wir nad oedd Cynfilflwyddiaeth wedi cael llawer o argraff ar Gymru, ac yn arbennig y Gymru Gymraeg, cyn y Diwygiad ond yn y byd efengylaidd rhyngwladol roedd eisoes wedi disodli pob syniad arall am yr ailddyfodiad i raddau helaeth iawn erbyn 1900. [22] Trwy ddod i gysylltiad â mudiad Keswick ac efengylwyr o'r Unol Daleithiau daeth llawer o'r diwygwyr i gysylltiad ag efengyleiddiaeth Gynfilflwyddol. Yr hyn wnaeth y Diwygiad yng Nghymru oedd rhoi hwb i'r eschatoleg oedd eisoes wedi meddiannu'r maes.

Yn hyn o beth gellir dadlau fod Diwygiad 1904 yn debyg i Ddeffroad Mawr y ddeunawfed ganrif. Cyn y Diwygiad hwnnw Cynfilflwyddiaeth oedd safbwynt yr arweinwyr oedd yn yr olyniaeth Biwritanaidd efengylaidd, megis Gruffudd Jones, Llanddowror neu Jonathan Edwards. Yr hyn wnaeth y Diwygiad oedd dwysáu'r gobaith Olfilflwyddol y byddai cyfnod maith, [mileniwm], o lwyddiant ysgubol i'r efengyl cyn ailddyfodiad Crist. Dyma 'obaith y Piwritaniaid' a fu'n ysgogiad mor gryf i'r mudiad cenhadol a ddechreuodd gyda William Carey ac a ysbrydolodd gymaint o waith arwrol yn enw Crist yn hanner cyntaf y bedwaredd ganrif ar bymtheg.[23] Wrth i syniadau esblygiadol a gobeithiol iawn am ddyfodol dynoliaeth feddiannu'r maes fwyfwy, yn arbennig ar ôl cyhoeddi *The Origin of Species* Charles Darwin yn 1859, collodd Olfilflwyddiaeth ei grym gan ei bod mor hawdd ei gwneud yn gydnaws â meddylfryd y byd. Dyna oedd rhyddfrydiaeth i raddau helaeth iawn—gobaith y Piwritaniaid heb yr Ysbryd Glân, neu yr argyhoeddiad y gallai pobl trwy ymdrech foesol sefydlu 'teyrnas Duw' ar y ddaear heb ymyrraeth oruwchnaturiol o gwbl. Ar y cefndir yna mae Cynfilflwyddiaeth yn ei hanfod yn wrth-ryddfrydol, ac nid oes syndod fod yr athrawiaeth wedi mynd yn un o fannau uniongrededd efengylaidd yn gynnar yn yr ugeinfed ganrif.

Yr hyn ddigwyddodd o gwmpas amser y Diwygiad oedd i rai o'r arweinwyr, gyda R. B. Jones ym mlaen y gad, yfed yn ddwfn o ffynnon Gynfilflwyddol efengyleiddiaeth ryngwladol ac yna gwthio'r safbwynt yn gryf ymhlith llawer o'r rhai a gyffyrddwyd gan y Diwygiad. Yn 1909 sefydlwyd cylchgrawn *Yr Efengylydd* dan olygiaeth R. B. Jones a fu'n gwthio Cynfilflwyddiaeth ymhlith Cristnogion Cymraeg yn ddi-baid tra parodd. Nid gwyrth oedd yn gyfrifol am fabwysiadu Cynfilflwyddiaeth, fel yr honna R. B., ond cydymffurfio bwriadol ag efengyleiddiaeth ryngwladol a phropaganda bwriadol R. B. Jones ac eraill wedi ei anelu at blant y Diwygiad. Nid lli'r Diwygiad a drodd Gristnogion i gyfeiriad eschatolegol newydd, ond arweinwyr fel R. B. Jones a fu'n gyfrifol am droi'r lli i'w melin Gynfilflwyddol eu hunain.

6. *Trwy dderbyn Cynfilflwyddiaeth fe ddychwelwyd i safbwynt beth bynnag un o'r enwadau efengylaidd a sefydlwyd yng Nghymru yn y cyfnod Piwritanaidd.*[24]

Mae'n wir fod Cynfilflwyddiaeth wedi ymddangos yng Nghymru yn ystod cyfnod cynhyrfus y Rhyfel Cartref a'r cyfnod o lywodraeth weriniaethol a'i dilynodd. Yr ymgorfforiad mwyaf eithafol o'r athrawiaeth oedd Plaid y Bumed Frenhiniaeth. Credent fod llwyddiant y rhyfel yn erbyn Siarl I yn brawf fod Duw wedi dewis Lloegr fel y lle i sefydlu ei deyrnas Filflwyddiannol. Cyrhaeddodd eu dylanwad ei benllanw pan ffurfiwyd 'Senedd y Saint' yn 1653. Iddynt hwy roedd hyn yn gam pwysig yn y paratoad ar gyfer dyfodiad gweledig Crist i sefydlu ei deyrnas filflwyddiannol ar y ddaear. Ond fel gyda phob proffwydo hyderus o'r ailddyfodiad hyd yma yn hanes yr Eglwys, siom gafodd y Pumed Frenhinwyr oblegid dileodd Cromwell Senedd y Saint cyn diwedd 1653 a chwe mlynedd yn ddiweddarach roedd cyfnod llwyddiant gwleidyddol y Piwritaniaid ar ben.

Cefnogodd dau o brif ffigurau Piwritaniaeth Cymru achos y Bumed Frenhiniaeth, sef Morgan Llwyd a Vavasor Powell.[25] Roedd Morgan Llwyd yn ddylanwadol iawn ymysg Annibynwyr Gogledd Cymru ond ar ôl siom Senedd y Saint ymdoddodd ei sêl yng nghyfriniaeth y Crynwyr a Boehme. Bu farw Morgan Llwyd yn 1659 cyn adfer brenin i orsedd Lloegr ond cafodd Powell fyw tan 1670 i brofi erledigaeth a charchar ar ben y siom o weld y Bedwaredd Frenhiniaeth yn parhau yn ei grym. Roedd y ddau ohonynt yn efengylwyr a phregethwyr effeithiol a berswadiodd lawer i'w dilyn yn eu Cynfilflwyddiaeth. Eto, safbwynt y lleiafrif Piwritanaidd a gynrychiolent, hyd yn oed pan oedd y cynnwrf milflwyddol ar ei anterth yn 1653, ac nid aeth Cynfilflwyddiaeth yn athrawiaeth swyddogol yr un o'r enwadau. Daeth Cyffes Westminster (1646) yn athrawiaeth swyddogol y Presbyteriaid. Anfilflwyddol yw'r bennod ar yr ailddyfodiad.[26] Yn 1658 mabwysiadodd yr Annibynwyr Gyffes Westminster gyda rhai newidiadau. Mae'r bennod ar yr ailddyfodiad yr un fath â chyffes Westminster ond yn y bennod ar yr Eglwys mynegir gobaith am lwyddiant ysgubol iddi cyn yr ailddyfodiad.[26] Dyma'r hyn a elwir yn 'obaith y Piwritaniaid' sy'n gydnaws ag olfilflwyddiaeth. Bedyddiwr rhydd-gymunol oedd Vavasor Powell ond er ei frwdfrydedd dros Gynfilflwyddiaeth nid oedd yn drefnydd da ac felly ni adawodd stamp ei eschatoleg ar enwad y Bedyddwyr. John Miles (1621–83) a roddodd drefn i'r Bedyddwyr yng Nghymru—ac athrawiaeth Galfinaidd eglwysi Bedyddiedig Llundain a gytunwyd i'w arddel yn 1644. Nid oes awgrym o Gynfilflwyddiaeth yn y gyffes hon. Ffodd Miles ar draws yr Iwerydd tua 1663 ond goroesodd y Bedyddwyr erledigaeth yr adferiad ac ar drothwy'r Goddefiad yn 1688 mabwysiadwyd fersiwn o Gyffes Westminster ganddynt hwythau. Nid yw'n gywir honni, felly, fod un o leiaf o enwadau Piwritanaidd Cymru yn Gynfilflwyddol yn ei sefydliad.[27]

7. *Mae'r cynydd dramatig mewn Cynfilflwyddiaeth yn braw cliriach na dim mai'r Ysbryd Glân oedd gwir awdur y Diwygiad.*[28]

141

Mae'r honiad yma yn dibynnu ar yr honiad mai trwy ddatguddiad dwyfol heb gyfrwng dynol y derbyniwyd Cynfilflwyddiaeth. Os oedd mwy o ddylanwad dynol yn y proses nag y tybiodd R. B. Jones, fel y dadleuir uchod, yna gellir amau dilysrwydd yr honiad yma. Ond pe na bai sail i amau dilysrwydd yr honiad o safbwynt hanesyddol gellid ei amau o safbwynt beiblaidd ac athrawiaethol. Mae'n amheus iawn a oes sail feiblaidd neu athrawiaethol i ddadlau bod mabwysiadu safbwynt arbennig ar yr ailddyfodiad yn dystiolaeth o ddylanwad yr Ysbryd Glân. Y prawf cliriaf yw ffydd ac edifeirwch yn tystio i realiti ailenedigaeth i ffordd newydd o fyw yng Nghrist y Gwaredwr. Nid oes prawf cliriach na hyn i ddylanwad yr Ysbryd Glân a dyma'r unig i brofi a oedd Diwygiad 1904 o Dduw neu beidio.

Mae'r ffaith i R. B. Jones wneud yr honiad yma yn tystio i'r duedd ymhlith Cynfilflwyddiaid i wneud eu safbwynt yn ganolog i'r ffydd Gristnogol. Mae dychweliad gogoneddus Iesu Grist i farnu'r byw a'r meirw yn ganolog i'r ffydd ond mae Cristnogion wedi anghydweld ar draws y canrifoedd sut yn union y bydd hyn yn digwydd. Nid sut neu pryd sy'n ganolog ond a fyddwn yn barod i dderbyn y Brenin pan ddaw yn ei ogoniant.

8. Os yw'r croeso gwyrthiol gafodd Cynfilflwyddiaeth yn rhywbeth arbennig i Ddiwygiad 1904 yna mae ystyr oruchwyliaethol y Diwygiad yn hollol eglur.[29]

Awgryma'r honiad yma mai'r fersiwn Oruchwyliaethol o Gynfilflwyddiaeth a goleddai R. B. Jones. Bwriad Mab Duw wrth ymgnawdoli oedd sefydlu goruchwyliaeth y deyrnas ar y ddaear a chyflawni'n llythrennol y proffwydoliaethau am lwyddiant Israel. Ond gwrthododd Israel eu Meseia a bu rhaid newid y cynllun a sefydlu goruchwyliaeth gras neu yr Eglwys yn ei lle. Yn ystod yr oruchwyliaeth yma byddai'r byd a'r Eglwys yn mynd o ddrwg i waeth wrth i'r gweddill ffyddlon wneud eu gorau i achub cymaint ag y gallent cyn yr Ailddyfodiad. Yr arwydd sicraf o ddiwedd goruchwyliaeth gras neu oruchwyliaeth yr Eglwys fydd y Cipiad pryd y bydd pob Cristion byw yn diflannu oddi ar y ddaear i ymuno â Christ a'i saint atgyfodedig yn yr awyr. Ar ôl y Cipiad daw saith mlynedd y Trallod ac yna dychwela Crist yn weladwy i Israel i sefydlu ei frenhiniaeth, i ailadeiladu y deml yn Jerwsalem, i ail gychwyn yr addoliad aberthol ac i lywodraethu dros y byd i gyd am fil o flynyddoedd. Credai R. B.

Jones fod y Diwygiad yn arwydd sicr fod hyn i gyd ar fin digwydd! Yn ôl R. B. Jones mae'r ffaith fod llawer, yn ei farn ef, wedi dod i gredu trwy ddylanwad yr Ysbryd Glân mewn Cynfilflwyddiaeth Oruchwyliaethol yn cadarnhau gwirionedd yr athrawiaeth a bod Goruchwyliaeth Gras yn tynnu at ei therfyn. Nid yw'n syndod fod R. B. Jones wedi mynd yn broffwyd ar ôl y Diwygiad. Yn ôl B. P. Jones 'ar un achlysur esboniodd "y dyn anghyfraith" yn 2 Thesaloniaid fel cyfuniad o uwch-feirniadaeth, ciwbiaeth, gwleidyddiaeth radical a cherddoriaeth jas.'[30] Y mae hanes milflwyddiaeth ar draws y canrifoedd yn llawn o broffwydoliaethau nas gwireddwyd a'r cyfan, yn ôl safon Deuteronomium 18:22, yn broffwydoliaethau gau. Gau broffwyd oedd R. B. Jones yn y cyswllt yma.

Casgliad

Neidio i lif efengyleiddiaeth ryngwladol cyfnod cyn y Diwygiad a wnaeth R. B. Jones, ac yna esbonio'r Diwygiad yn nhermau'r weledigaeth newydd o'r Ailddyfodiad a fabwysiadodd mor frwdfrydig. Doedd a wnelo'r Diwygiad ei hun ddim oll â Chynfilflwyddiaeth. Gellir dadlau mai trychineb oedd sianelu ynni'r Diwygiad i'r cyfeiriad hwnnw. Ond stori arall yw honno.

1. W. R. James, India, *Ail-ddyfodiad Ein Harglwydd* (Tonypandy: Evans a Short, 1911). Ymddangosodd cynnwys y llyfryn yn wreiddiol fel pedair erthygl yn *Yr Efengylydd* am 1910. Cadwyd orgraff wreiddiol y llyfryn yn y dyfyniad.
2. R. B. Jones, *Rent Heavens: The Revival of 1904* (London: Pioneer Mission, ail arg. 1948), 84-86.
3. Gan fy mod yn rhydd gyfieithu o lyfr R. B. Jones mewn rhai mannau wrth ddisgrifio ei honiadau nid yw ond teg dyfynnu yr hyn a ysgrifennodd yn y troednodiadau. Dyma frawddeg o'r paragraff sy'n dystiolaeth i'r honiad cyntaf: 'From personal, and not slight, knowledge of pre-Revival Wales it can be stated that this truth [am Gynfilflwyddiaeth] was then practically unknown and therefore untaught.' Op. cit. 84.
4. Thomas Gee gol., *Y Gwyddoniadur Cymreig*, ail argraffiad, (Dinbych: Gee a'i Fab, 1892), cyf. 7, 410-13. Cyhoeddwyd gyntaf tua 1870.
5. Ibid., 411
6. Datguddiad 20:1-3.
7. *Rent Heavens*, 84: 'It is a most remarkable fact that, almost without exception, all who entered definitely and fully into Revival blessing became pre-millenialist in their view of the Advent.'
8. Tystiolaeth bersonol Geraint Fielder a fagwyd yng Nghaersalem.
9. *The Apostolic Church: Its Principles and Practices*, (Pen-y-groes, Apostolic Publications, 1937), 18. Ar dudalen 19-24 ymhelaethir ar ddatganiad byr tudalen 18 gyda disgrifiad llawn o Gynfilflwyddiaeth glasurol.

10. Eifion Evans, *The Welsh Revival of 1904* (Port Talbot: Evangelical Movement of Wales, 1969), 181. Nid yw Dr Evans yn cynnig unrhyw dystiolaeth i gadarnhau ei honiad. Ond mae'n sicr iddo dderbyn y syniad cyn 1914; meddylier am ei gysylltiad ag arweinwyr cynfilflwyddiaeth fel Mrs Penn-Lewis ac eraill yn Keswick Llandrindod, a'r cyfeiriad yn *War on the Saints* (1912): 'The dispensational position of the Church in view of the closing days of the age, and the Millennial Appearing of the Ascended Lord', 297. A bu Mrs Penn-Lewis ac Evan Roberts flynyddoedd yn paratoi'r gyfrol [Gol.].
11. D. M. Phillips, *Evan Roberts a'i Waith*, (Dolgellau: E. W. Evans, 1912), 227
12. Ibid., 356-360.
13. Gweler: T. Mardy Rees, *Seth Joshua and Frank Joshua, The Renowned Evangelists* (Wrexham: Hughes & Son, 1926). Ceisiais ddod o hyd i safbwyntiau Joseph Jenkins, W. W. Lewis, W. S. Jones hefyd ond yn aflwyddiannus. Am Nantlais Williams nid yw J. D. Williams, a'i dilynodd fel gweinidog Bethany ac fel cadeirydd Confensiwn Rhydaman, yn credu fod unrhyw athrawiaeth ar yr ailddyfodiad yn ganolog iddo. Mae'r ffaith nad ysgrifennodd ar y pwnc yn cadarnhau y farn yma. Geraint Fielder, *Grace, Grit and Gumption: The Exploits of Evangelists John Pugh, Frank and Seth Joshua* (Bridgend: Bryntirion Press, 2000). E. Keri Evans, *Fy Mhererindod Ysbrydol* (Liverpool : Hugh Evans, 1938). Copi fy nhaid oedd ei hunan yn un o ddychweledigion y Diwygiad sy gen i o'r gyfrol hon.
14. *Rent Heavens*, 84-5: 'Not . . . that pre-millenialissm was taught them . . . The writer's own testimony is but an instance of that of thousands. Never can he forget the occasion, the place, nor the day when, alone with God, the truth flashed into his heart.'
15. Erthygl ar 'Meyer, Fredrick Brotherton (1847–1929) yn Timothy Larsen [gol.], *Biographical Dictionary of Evangelicals* (Leicester: IVP, 2003), 430; cymh. W. Y. Fullerton, *F. B. Meyer: A Biography* (Llundain: Marshall, Morgan & Scott, d.d.), 156 ac ymlaen.
16. D. L. Moody, *The Second Coming of Christ* (Chicago, 1877); J. Wilbur Chapman, *The Life and Work of D. L. Moody* (Llundain James Nisbet, d.d.), 400, 402; D. L. Pierson, *Arthur T. Pierson* (Llundain: Fleming H. Revell, 1912), 142-3.
17. R. B. Jones, *Rent Heavens,* op. cit. 28-29; cf, B. P. Jones, *The King's Champions* (1968), 48-49.
18. B. P. Jones, op. cit. 36.
19. Ibid., 50.
20. *Rent Heavens*, 85: 'And thus . . . instead of the insignificant few of pre-Revival days, there are in Wales to-day thousands who are eagerly waiting for the Son of God from heaven, first, to complete their own personal experience of redemption, and then to establish on earth the Kingdom of God.'
21. Op. cit. 85: 'That [sef, yr hyn ddywedwyd yn y dyfyniad diwethaf] . . . is as impressive a miracle as any connected with the gracious movement [hynny yw, y Diwygiad].'
22. Dyma farn Iain Murray yn *The Puritan Hope: Revival and the Interpretation of Prophecy,* (Llundain: Banner of Truth, 1971), 206.
23. Gweler Dewi Arwel Hughes 'William Williams Pantycelyn's eschatology as seen especially in his *Aurora Borealis* of 1774' yn *The Scottish Bulletin of Evangelical Theology*, vol 4, no. 1, 1986, 49-63, a *Meddiannu Tir Immanuel: Cymru a Mudiad Cenhadol o Ddeunawfed Ganrif* (Pen-y-bont: Llyfrgell Efengylaidd Cymru, 1990).

24. *Rent Heavens*, 85: 'It was . . . a return to the old Puritan position of one at least of the great evangelical bodies in the Principality.'

25. Am drafodaeth o'u syniadau am yr ailddyfodiad gweler R. Tudur Jones, *Vavasor Powell* (Abertawe: Gwasg John Penry, 1971), 95-98 a E. Lewis Evans, *Morgan Llwyd: Ymchwil i Rai o'r Prif Ddylanwadau a Fu Arno* (Lerpwl: Hugh Evans, 1930), 43-65.

26. Iain Murray, op.cit., 53.

27. Am holl gyffesion y cyfnod Piwritanaidd gweler Philip Schaff, *The Creeds of Christendom*, cyf 3 (Grand Rapids; Baker Book House, 1990).

28. *Rent Heavens*, 85: 'Nothing could be clearer or more indubitable proof that the Holy Spirit Himself was the Author of the Revival of 1904.'

29. *Rent Heavens*, 85-6: 'If, as one is strongly inclined to think, the creating of the Advent hope in such a marvellous way and in such a general degree, is something distinctive of the Revival of 1904, then the dispensational meaning of the movement becomes unmistakably patent.'

30. B. P. Jones, *The King's Champions*, 176.

8
Sancteiddrwydd a'r Diwygiad

D. Eryl Davies

Beth oedd Cristnogion yng Nghymru yn Niwygiad 1904–05, ac yn y blynyddoedd yn syth ar ôl hynny, yn ei gredu ynglŷn â'r bywyd sanctaidd? A pha le a roesant i'r Ysbryd Glân yn yr holl waith o sancteiddio Cristnogion? Dyma'r math o gwestiynau rwyf am eu codi yn y bennod hon.

Gair bach o rybudd cyn symud ymlaen i drafod y pwnc. Roedd pwnc sancteiddhad yn y cyfnod hwn yn gymhleth iawn gan fod termau diwinyddol fel 'sancteiddhad', 'sancteiddrwydd', 'aileni', 'ymgysegriad', 'pechod' a 'chyflenwad yr Ysbryd' yn cael eu dehongli mewn ffordd hollol wahanol gan rai, yn enwedig gan y rhai oedd dan ddylanwad dysgeidiaeth Keswick. Weithiau nid yw'n hawdd penderfynu sut oedd rhai yn deall y termau hyn. Mewn cyfnod pan oedd athrawiaeth Galfinaidd yn parhau i gael ei thanseilio, a diwinyddiaeth Ryddfrydol yn dechrau cael gafael ar yr enwadau, roedd nifer o bobl yn y capeli yn barod i dderbyn syniadau newydd.

Roedd apêl athrawiaeth Keswick yn gryf. Cafodd ei chyflwyno a'i chymeradwyo fel athrawiaeth feiblaidd iawn ond fel un nad oedd yn sych fel yr athrawiaeth Galfinaidd. Cynigiodd Keswick hefyd lwybr i Gristnogion allan o'u hanialwch ysbrydol ac i mewn i fendith a llawnder yr Ysbryd. Beth sy'n annisgwyl yw bod athrawiaeth Keswick wedi cael ei derbyn mor rhwydd ac mor ddigwestiwn gan gynifer o 'blant y Diwygiad'.

Yn y bennod hon fy mwriad yw dechrau—a dim ond dechrau—trafod pwnc cymhleth sancteiddhad trwy wrthgyferbynnu'r athrawiaeth Galfinaidd draddodiadol â neges fwy atyniadol Keswick y pryd hwnnw. Fel enghraifft o athrawiaeth Keswick, rwyf am ganolbwyntio ar John MacNeil, ond gan gyfeirio hefyd at Mrs Jessie Penn-Lewis.

Y cefndir Calfinaidd
Dechreuaf drwy atgoffa darllenwyr am gefndir Calfinaidd Evan

146

Roberts ei hun. Roedd dylanwad enwad y Methodistiaid Calfinaidd ar Roberts yn gryf iawn. Cafodd ei godi a'i fagu mewn diwinyddiaeth Galfinaidd.

Mynegwyd athrawiaeth ei enwad yn y Gyffes Ffydd (1823), ac roedd Evan Roberts yn gyfarwydd â'i chynnwys. At hyn, mwynhaodd y dyn ifanc ddarllen *Geiriadur* Thomas Charles[1] ac yn arbennig ei *Hyfforddwr*.[2] Roedd yr ail yn fendithiol iawn iddo, a thrwyddo cafodd oleuni a gwerthfawrogiad o wirioneddau'r efengyl. Darllenodd Roberts hefyd lyfrau Calfinaidd eraill fel *Taith y Pererin* gan John Bunyan ac *Outlines of Theology* gan A. A. Hodge.[3]

Roedd gan y llyfrau hyn a ddarllenodd Evan Roberts yr un neges wrth esbonio natur a phwysigrwydd sancteiddhad. Beth sy'n ddiddorol yw nad oes sôn o gwbl yn y llyfrau hyn am dermau fel 'creisis', 'glanhad', neu 'ymgysegriad' oedd mor bwysig yn nysgeidiaeth Keswick. Yn hytrach, yn ôl y Gyffes Ffydd, mae grym a rheolaeth pechod wedi eu distrywio ym mywyd pob Cristion yn yr aileni, nid yn ddiweddarach fel rhan o greisis ac ymgysegriad pan fo'r Cristion yn fodlon caniatáu i'r Ysbryd Glân weithio'n fwy grymus yn ei fywyd.

Yn ystod wythdegau a nawdegau'r bedwaredd ganrif ar bymtheg yng Nghymru, cyhoeddwyd eto sawl un o hen lyfrau'r tadau Calfinaidd, a rhai newydd.[4] Golygai hyn fod traddodiad ac athrawiaeth Galfinaidd yn cael eu cadw o flaen yr eglwysi er bod dylanwadau newydd a phwerus wedi ymddangos.

Llyfr John MacNeil

Rhaid nodi bod tipyn o lenyddiaeth wedi dod i mewn i Gymru yn ystod, a hefyd ar ôl, Diwygiad 1904–05 nad oedd yn gydnaws â'r cefndir Calfinaidd. Roedd y ddysgeidiaeth yn y llenyddiaeth hon yn mynegi athrawiaeth Keswick, gyda Jessie Penn-Lewis a John MacNeil yn amlwg. Mae Keri Evans, er enghraifft, yn nodi bod nifer o lyfrau a phamffledi wedi dod i'r wlad o ddechrau'r Diwygiad, ac mae'n enwi llyfr John MacNeil fel yr un mwyaf poblogaidd.[5] Dyma reswm da dros ganolbwyntio ar MacNeil yn y bennod hon. Cyfieithodd y Parch. J. H. Howard, Cwmafan, lyfr John MacNeil ac fe'i cyhoeddwyd yn 1906 dan y teitl *Y Bywyd Llawn o'r Ysbryd*.[6] Roedd llyfrau Andrew Murray, Jessie Penn-Lewis, Evan Hopkins a nifer eraill o rai tebyg yn cael eu darllen yng Nghymru.

Mewn 'Gair o Eglurhad' ysgrifennodd J. H. Howard am ei reswm dros gyfieithu'r llyfr i'r Gymraeg, sef ei 'grediniaeth gref yn ei gynhwysiad, ynghyd â dymuniad i'w roddi o fewn cyrraedd y Cymro unieithog.' Cyhoeddodd y llyfr 'yn fwyaf neillduol er mwyn pobl ieuainc y Diwygiad'. Yn ei ragymadrodd ar yr un dudalen, honnodd John Phillips fod y llyfr yn 'wir amserol' ac yn 'llyfr sydd â gwir angen amdano.' Aeth ymlaen i ddweud mai 'prin yw llyfrau Cymreig o'r natur yma' gan nad oedd llawer o lyfrau Jessie Penn-Lewis ac Andrew Murray ac eraill wedi eu cyfieithu i'r Gymraeg.[7]

Mae Phillips yn rhyfeddu mai dim ond ychydig o lyfrau fel hyn oedd wedi ymddangos yn y Gymraeg. Gan nodi'r ffaith 'nid oes un genedl dan y nef wedi cael tywalltiadau mwy nerthol ac ymweliadau mwy grymus o'r Ysbryd Glân na Chymru', mae'n honni mai 'yswildod' yw'r rheswm pennaf am beidio â datgan eu teimlad, ac felly am beidio ag ysgrifennu llyfrau tebyg i un MacNeil.

Camsyniad llwyr yw hyn. Er bod Phillips yn honni bod gan y 'llyfr bychan hwn ei neges arbennig i Gymru os darllenir ef yng ngoleuni y Diwygiad', neges newydd oedd neges llyfr MacNeil a neges a oedd yn tanseilio athrawiaethau traddodiadol Calfinaidd.

Ai dyma un rheswm, felly, pam fod prinder o lyfrau fel hyn yn y Gymraeg? Cyfaddefodd MacNeil fod efallai amheuon ymhlith rhai pobl ynglŷn â'i athrawiaeth. Pan yw'n esbonio'r gwahaniaeth rhwng sancteiddhad a glanhad, mae yn ymwybodol ei fod yn dysgu rhywbeth nad oedd yn y Gyffes Ffydd. Mae MacNeil yn dychmygu rhai yn dweud wrtho, 'ni sonir am hyn yn y Cyffes Ffydd!' Ei ateb oedd: 'Nid yw "athrawiaeth y galon lân" yn y Cyffes Ffydd, ond y mae yn y Beibl.'[8] Ond buasai llawer o Gristnogion a gweinidogion ar y pryd wedi anghytuno bod ei athrawiaeth am lanhad yn feiblaidd.

Roedd yr efengylwr Seth Joshua, er enghraifft, yn anhapus iawn ar ôl gwrando ar Jessie Penn-Lewis yn 'Keswick' Llandrindod yn 1904. Iddo ef roedd pwyslais Penn-Lewis yn anghytbwys ac roedd hi'n 'too dogmatic with regard to the steps leading into the blessing of spiritual fulness . . .'[9] Mae Eifion Evans yn iawn i ddweud bod rhai arweinwyr a Christnogion yng Nghymru yn y cyfnod hwn wedi symud i ffwrdd oddi wrth athrawiaethau traddodiadol ar bynciau fel pechod, yr Iawn, ailenedigaeth a sancteiddhad.[10] Yn ychwanegol, rwy'n cytuno ag Evans, nad oedd y Diwygiad wedi dechrau y tu mewn i Fudiad Keswick[11] ond cafodd y Diwygiad 'a prismatic effect. The fresh light which broke forth from the New Testament was split up into a new variety of colours, not always acceptable to the old pattern.'[12]

Doedd Keri Evans ddim yn gwrth-ddweud pan soniodd am lyfr John MacNeil fel yr un mwyaf poblogaidd ymhlith llenyddiaeth yng Nghymru. Ond cafodd gweinidogion eraill eu herio a'u bendithio trwy lyfrau eraill fel *With Christ in the School of Prayer* gan Andrew Murray. Mae Joseph Jenkins, Ceinewydd, yn un enghraifft. Wrth ddarllen llyfr Murray, meddai, 'gwelais nad ufuddhawn i orchymyn Paul "Cyflawna dy weinidogaeth". Yna, darllenais gyfrol ar Moody, ac argyhoeddwyd fi'n ddyfnach na chyflawnwn hi.' Ar ôl treulio amser mewn gweddi dros y dyddiau nesaf, 'profais rywbeth na allwn ac na allaf ei ddisgrifio.'[13]

Ysgrifennodd J. Henry Williams, Llangefni, ei lyfr *Ar ei Ben Bo'r Goron*, llyfr 'sydd yn ei ffordd ei hun yn glasur'.[14] Bwriad yr awdur oedd arwain Cristnogion i 'dir uwch mewn ysbrydolrwydd' ond, ar y cyfan, ei brofiad ei hun sydd ganddo trwy'r llyfr i gyd. Doedd hi ddim yn ddigon, meddai, i achub y pechadur achos bod ei sancteiddio a'i berffeithio ar ôl hynny yn bwysig iawn.

Ond nid llyfrau yn unig oedd yn dylanwadu ar Gristnogion yn y cyfnod hwn. Roedd siaradwyr amlwg fel Jessie Penn-Lewis, F. B. Meyer, A. T. Pierson, Evan Hopkin, John MacNeil a rhai eraill yn siarad mewn gwahanol gyfarfodydd a chonfensiynau yng Nghymru er mwyn rhannu'r neges am lanhad a llawnder yr Ysbryd Glân. Wrth wrando ar Jessie Penn-Lewis yng Nghaerfyrddin yn 1902, er enghraifft, cafodd Keri Evans ei fendithio a derbyniodd Grist fel Arglwydd 'gydag ugeiniau eraill a ddaeth i brofiad newydd yno'.[15]

Fy mwriad yn y bennod hon yw ystyried llyfr MacNeil yng ngoleuni'r Gyffes Ffydd a'r *Hyfforddwr*, testunau oedd wedi dylanwadu ar Evan Roberts i ryw raddau. Sylfaenol i athrawiaeth sancteiddhad yw athrawiaeth yr aileni, a dyma lle rydyn ni'n dechrau ein trafodaeth.

1. *Ailenedigaeth*

'Darllennydd, a ydwyt wedi dy aileni?' Dyna oedd geiriau agoriadol John MacNeil yn ei lyfr poblogaidd, *Y Bywyd Llawn o'r Ysbryd*. 'Ysgrifenwyd y llyfr hwn', pwysleisiodd, 'er mwyn graddedigion Coleg y Brenin yn unig. Os heb dy aileni rho hwn heibio y naill ochr'. Ond pam? Roedd John MacNeil yn glir yn ei ateb: 'canys ail-enedigaeth yw y cychwynfan (*starting point*) i ystyriaeth o gyflenwad yr Ysbryd fel genedigaeth fraint pob credadyn. Os heb dy aileni, nid oes gennyt hawl i fendith fwyaf y Testament Newydd. Dy ofal cyntaf

yw dod yn blentyn i Dduw, yna gelli ymofyn am dy etifeddiaeth.'[16]
Mae MacNeil yn gywir wrth bwysleisio angenrheidrwydd a hefyd
flaenoriaeth yr aileni. Heb wyrth yr aileni does neb yn medru symud at
Dduw na phrofi bywyd ysbrydol. Dyma'r athrawiaeth a ddysgodd
Evan Roberts. Ond eto nid yw MacNeil yn esbonio natur yr aileni.[17]
Ond mae un peth yn glir yn ei athrawiaeth. Dim ond ar ôl 'glanhad' ac
'ymgysegriad', termau pwysig yn nysgeidiaeth MacNeil a Keswick, y
mae pechod yn cael ei reoli a Christ yn cael ei goroni.[18]
    Beth am Jessie Penn-Lewis? 'In regeneration', meddai hi, gan
ddyfynnu Andrew Murray, 'it is the darkened and fallen "spirit of man,
which is quickened again and renewed"'[19] Fel MacNeil nid yw'n
ymhelaethu ynglŷn â natur yr aileni, ond dan ddylanwad Watchman
Nee mae hi'n dysgu fod gan bob person gnawd, enaid ac ysbryd.
Gwaith yr Ysbryd Glân yn yr aileni yw rhyddhau ysbryd dyn oddi wrth
gaethiwed y cnawd a'r enaid. Aeth Penn-Lewis ymlaen i wahaniaethu
rhwng tri grŵp o Gristnogion , sef y 'spiritual' (yr ysbrydol yn cael eu
rheoli gan yr Ysbryd Glân), y 'soulish' (yn cael eu rheoli gan y meddwl
a'r emosiynau) a'r 'carnal' (y cnawdol yn cael eu rheoli gan y
cnawd).[20]
    Mae'r ddau, MacNeil a Penn-Lewis, yn wan o ran esbonio natur yr
aileni, a does yr un ohonynt yn pwysleisio bod rheolaeth pechod wedi
ei dorri yn llwyr ym mywyd pob person sydd wedi ei aileni. Hollol
wahanol oedd y nodyn a darawodd rhai pregethwyr Calfinaidd yn y
cyfnod hwn. Meddylier am y Parch. J. T. Job, Bethesda, Arfon.
Cyrhaeddodd y Diwygiad Fethesda yn Nhachwedd 1904. Roedd Job
mewn cysylltiad agos a pharhaol â nifer o'r dynion amlwg yn
Niwygiad 1904–05, dynion fel Joseph Jenkins, Keri Evans, Nantlais
(cysylltiad teuluol rhyngddynt) a bu rhywfaint o gysylltiad ag Evan
Roberts ei hun. Yn ôl Dafydd M. Job, ei ŵyr, roedd J. T. Job yn 'eithaf
uniongred' ac yn 'cadw at y prif athrawiaethau, a phwyslais mawr ar
yr Iawn fel unig waredigaeth dyn'.[21]
    A oedd dylanwad Keswick yn drwm arno? 'Nid oedd dylanwad
Keswick yn drwm arno, oherwydd yn un peth,' meddai Dafydd Job,
'roedd yn parhau i gymryd diddordeb yn yr Eisteddfod—felly, nid
oedd yn gallu mynychu'r cynadleddau am eu bod yn taro ar draws yr
Eisteddfod.'
    Mae'n ddiddorol darllen dwy bregeth a ysgrifennodd yn llawn ac a
bregethodd ym Methesda, Ebrill a Mai 1906.[22] Rwy'n cyfeirio yma at
yr ail bregeth. Ei thestun oedd 2 Corinthiaid 5:17:'Gan hynny od oes

neb yng Nghrist, y mae efe yn greadur newydd: yr hen bethau a aethant heibio; wele, gwnaethpwyd pob peth yn newydd.' Wrth esbonio 'yr hen bethau a aethant heibio', gofynnodd, 'Beth yw'r rhai hyn—"yr hen bethau"?' Fel ateb cyfeiriodd at bedwar peth, sef barn Duw yn erbyn pechadur, bod 'ei euogrwydd wedi ymado', a bod 'pechodau ei orffennol wedi mynd heibio—wedi eu taflu mewn môr o angof bythol.' Beth sy'n bwysig i ni yw geiriau nesaf J. T. Job: 'y mae teyrnasiad pechod hefyd yn y galon wedi mynd heibio. Pechod oedd yr 'arglwydd' yn y galon o'r blaen. Ond dim mwyach!' Mae e'n mynd ymlaen i danlinellu'r pwynt: 'y mae'r Meistr Newydd wedi dod i fewn i'r tŷ . . . ' Dyma'r darlun o 'newid meistr' a ddefnyddiodd MacNeil, ond mae yma fôr o wahaniaeth. I MacNeil mae hyn yn digwydd ym mywyd y Cristion *ar ôl* 'glanhad' ac 'ymgysegriad' pan fydd Crist yn cael ei goroni fel Arglwydd, ac nid yn yr aileni.

Yn ôl y Gyffes Ffydd, Job oedd yn iawn. Yn y Gyffes mae'r aileni yn cael ei ddisgrifio fel gwaith goruwchnaturiol a mewnol sy'n newid y person yn llwyr, gan ei ryddhau oddi wrth rym pechod. Beth sy'n digwydd? Mae Ysbryd Duw yn ein gwneud ni 'yn gyfranogion o'r dduwiol anian, yr hon sydd yn egwyddor o fywyd sanctaidd yn gweithredu yn effeithiol yn yr holl ddyn . . . y mae'r cyfnewidiad hwn yn dwyn yr holl ddyn dan argraff fywiol o sancteiddrwydd Duw, megis plentyn yn dwyn delw ei dad . . . '[23] Felly mae'r ailenedigaeth yn beth mawr a dim on Duw sy'n medru gwneud hyn. Sylwer hefyd bod yna gyswllt agos ac anwahanadwy rhwng yr aileni a sancteiddhad. Bydd yr aileni 'yn dwyn' yr holl berson tuag at Dduw a bydd 'llywodraeth holl gorff pechod wedi cael ei ddinystrio.'[24]

2. *Sancteiddhad*

Dan y teitl 'Bywha dy waith', roedd Evan Roberts yn cynnig yn 1926 rai 'myfyrdodau ar y diwygiad yng Nghymru'.[25] Er bod diwygiad yn cychwyn 'yn Nuw', pwyntiodd Roberts at rai achosion cyffredinol y gellir priodoli'r Diwygiad iddynt. 'Yn bwysicaf oll,' meddai, 'mae gwaith cyson ac effeithiol y Weinidogaeth Ordeiniedig, yn pregethu Crist ac yn athrawiaethu Gair Duw.' Mae'r pwyslais hwn yn unol â neges y Gyffes Ffydd a'r *Hyfforddwr*.

Ond, yn ail, cyfeiriodd Roberts at fywyd y Cristion oddi wrth berspectif Duw a hefyd drwy lygad y Cristion. Mae e'n sôn am 'gyfoeth dihysbydd y bywyd Dwyfol, a orweddai 'nghudd ac hefyd a

weithredai'n amlwg yn y Credinwyr.' Dywediad allweddol yw hwn.
Mwy na thebyg, cyfeirio at freintiau'r Cristion a wna yma, breintiau
sydd yn cynnwys undod â Christ, gwaith yr Ysbryd Glân yn trigo mewn
Cristnogion, mabwysiad fel plant i Dduw a sancteiddhad. Oherwydd y
breintiau hyn aeth Evan Roberts ymlaen i bwysleisio, 'nid anialdir yw'r
eglwys yn gwneuthur dim ond disgwyl am y "cawodydd bendith", ond
yn hytrach gardd yn galw am ofal parhaus y llafurwr.' Ac mewn geiriau
cofiadwy, pwysleisiodd: 'Gwinllan yw ac nid anialwch.'

A yw Roberts yn tynnu sylw, nid yn unig at freintiau'r Cristion ond
hefyd at ei gyfrifoldeb i gydweithio yn gyson â Duw yn holl waith
sancteiddhad? Os ydyw, buasai pleidwyr Keswick a Chalfiniaid yn
cytuno, ond tybed ai gorbwysleisio rhan y Cristion y mae Roberts?

Pwy sy'n cael eu sancteiddio? Mae'r Gyffes Ffydd[26] yn glir ac yn
gryno: 'Y mae yr holl rai sydd yn cael eu huno â Christ, a'u
cyfiawnhau trwy ei gyfiawnder ef, yn cael eu sancteiddio hefyd.' 'Y
maent yn cael eu sancteiddio yn bersonol a gwirioneddol, nid yn
gyfrifol.' Mae 'llywodraeth holl gorff pechod wedi cael ei
ddinystrio'. Er hyn mae sancteiddhad hefyd yn broses gydag
'amrywiol chwantau yn cael eu marwhau a'u gwanhau o ddydd i
ddydd; a phob gras yn cael ei gryfhau i bob ymarferiad sanctaidd.'
Nid yw'r broses hon yn cael ei chwblhau yn y bywyd hwn 'oblegid
y llygredd sydd yn aros hefyd ym mhob rhan o'r dyn.' O ganlyniad
mae yna 'ryfel parhaus' rhwng y cnawd a'r ysbryd yn y saint, ac eto
trwy eiriolaeth Crist drostynt a chymorth yr Ysbryd Glân, 'cryfheir y
dduwiol anian nes gorchfygu' a chynyddant mewn gras. Mae hyn yn
cyflwyno sancteiddhad fel torri'n rhydd o deyrnasiad pechod a hefyd
fel proses barhaol a buddugoliaethus. Yng ngeiriau Evan Roberts,
mae'r Gyffes Ffydd yn sôn am 'gyfraith y bywyd dwyfol' yn y
Cristion yn ogystal â'i gyfrifoldeb i ymdrechu yn erbyn pechod a
thyfu mewn gras.

Roedd y Parch. J. T. Job yn cyflwyno'r un neges yn ei bregeth yn
1906 ar 2 Corinthiaid 5:17. Wedi sôn am 'deyrnasiad pechod yn y
galon "sydd" wedi "mynd heibio"', cyfeiriodd at Rufeiniaid 6:14:
'Canys nid arglwyddiaetha pechod arnoch chwi: oblegid nid ydych
chwi dan y ddeddf, eithr dan ras.' Aeth Job ymlaen i ddatblygu'r
pwynt: 'y mae'r Cristion yn pechu rhyw gymaint o hyd; ydyw y mae,
ond y mae'n pechu llai bob dydd a dydy e'n cael fawr flas ar y
gwaith, y mae'r blas ar bechu "wedi mynd heibio" yn ei hanes ef.
Mewn gair, nid pechod yw ei 'arglwydd'—Crist yw hwnnw!'

Pwysleisiodd Job hefyd bod y diafol 'yn cael ei ejectio yn llwyr a hollol' mewn sancteiddhad, ond fe fydd y dodrefn yn olaf o'i eiddo wedi ei daflu allan yn y man! Mae Job yn methu pwysleisio digon y fath newid sydd yn digwydd, i ddechrau yn yr aileni ac wedyn mewn sancteiddhad. 'Newydd! Newydd! Newydd!' meddai, 'pob peth yn newydd', ac fe gynnwys hyn galon y pechadur a hefyd ei ewyllys sydd 'wedi dod yn ystwyth ryfeddol i gyfeiriad Duw . . . ' Fel ffrwyth ei undeb â Christ a gwaith mewnol yr Ysbryd Glân yn yr aileni, ac wedyn yn barhaol mewn sancteiddhad, mae'r Cristion 'yn well dyn yn ei deulu yn awr, filwaith nag ydoedd o'r blaen ac y mae ei gariad ym mhob cylch—o rywogaeth anrhaethol uwch nag ydoedd.' Yn sicr, roedd ganddo bwyslais iach ar weithio allan yr iachawdwriaeth trwy ymroi i fyw bywyd duwiol. Mae J. T. Job yn un enghraifft o nifer o bregethwyr yn y cyfnod hwn a oedd yn deall sancteiddhad, nid trwy lygad Keswick neu Penn-Lewis ond trwy fframwaith Galfinaidd y Gyffes Ffydd.

Beth oedd MacNeil, felly, yn ei feddwl am sancteiddhad? Rwy'n sylwi bod MacNeil yn cyfeirio at 'lawer o bobl yr Arglwydd yn gwneuthur camgymeriad' gan ddyfynnu y *Shorter Catechism*, sef y geiriau 'Gwaith rhad ras yw sancteiddhad'.[27] Yn amlwg, roedd llawer o Gristnogion yn anhapus iawn â'i athrawiaeth ac yn methu cysoni ei sylwadau gyda'r athrawiaeth Galfinaidd y magwyd hwy ynddi.

Ateb MacNeil oedd: 'Ie, tyfiant, gwaith graddol yw sancteiddhad.' Aeth ymlaen i esbonio mwy: 'sancteiddhad yn y fan yma yw y term duwinyddol i ddisgrifio holl waith yr Ysbryd Glân ar y credadyn yn ystod ei daith rhwng y groes a'r goron. Cymer y bywyd i gyd i mewn.'[28] Yn awr, buasai'r rhai oedd yn beirniadu MacNeil yn barod i gytuno gyda'r ffordd y diffiniodd sancteiddhad yma, ond eu problem hwy oedd pam gosod ar yr athrawiaeth hon raddau neu lefelau fel 'glanhad' ac 'ymgysegriad'?

Os dilynwn ddadl MacNeil, bydd modd gweld pam oedd cynifer o Gristnogion yn mynegi consyrn ac anghytundeb â MacNeil. Er enghraifft, tra bo'n sôn am yr amodau i gael llawnder yr Ysbryd Glân, cyfeiriodd at 'argyhoeddiad o angen' fel yr un cyntaf. 'Argyhoeddiad o fodolaeth bendith all lwyr ddiwallu'r angen' yw'r ail amod, ac amod arall eto yn ôl MacNeil yw 'glanhad' a'i rybudd yw, 'calon lân yn unig fedr dderbyn yr Ysbryd', gan ddyfynnu Actau 15:8-9.[29]

Unwaith eto mae e'n ymwybodol o farn pobl yn erbyn ei athrawiaeth, yn enwedig y rhai sy'n cysylltu calon lân â'r aileni a thröedigaeth, fel y gwnâi'r Calfiniaid. Mae ateb MacNeil yn cynnwys sawl dadl. Yn gyntaf, ar sail Salm 51 mae yn honni bod glanhad yn dod yn hwyrach. Yn ail, 'edrych ymlaen (*perspective*) y mae "glanhad", cyfeiria at sancteiddrwydd buchedd, cadw rhag pechod' a 'rhag pechu'. Yn drydydd, mae MacNeil yn cyfeirio at rai sydd wedi cael tröedigaeth ac eto yn gwneud 'pethau amheus iawn o hyd yn eu bywyd.'[30] Dyw e ddim yn ystyried y posibilrwydd eu bod nhw ddim yn y bywyd o gwbl!

Ond beth yw 'calon lân' neu 'lanhad'? Mae MacNeil yn sicr ei ateb: 'Nid perffeithrwydd hollol (*absolute*) ydyw' ond Crist 'ei Hun sydd yn glanhau yn yr ystyr o atal a rhwystro pechu'.[31] Dyma'r ateb arall a roddodd: 'calon lân ydyw gwaredigaeth oddi wrth bob pechod ymwybodol neu adnabyddus i ni ein hunain.'[32] Gallwn feirniadu MacNeil eto yma. Onid y glanhad y mae'r Salmydd yn sôn amdano yw nid glanhad MacNeil oddi wrth bechodau gwybyddus, ond glanhad oddi wrth feiau cuddiedig; 'Pwy a ddeall ei gamweddau? glanha fi oddi wrth fy meiau cuddiedig' (Salm 19:12; gweler hefyd 1 Cor. 4:4).

Ym mha ffordd wedyn yr ydyn ni'n cael 'calon lân'? Yn ôl MacNeil, trwy ffydd, ond mae'n cynnwys 'creisis' hefyd. Ac ar ôl glanhad, 'ymgysegriad yw yr amod nesaf cyn y medrwn dderbyn llawnder yr Ysbryd Glân.' Yn ôl y traddodiad Calfinaidd yng Nghymru, mae ymgysegru i Dduw yn gyfrifoldeb rheolaidd pob Cristion yng ngoleuni gras Duw, ac nid yn rhywbeth yn unig i'r rhai sy'n ceisio bendith uwch.

Wrth gwrs, mae'r ufudd-dod sydd ymhlyg mewn ymgysegriad, boed Galfinaidd neu yn ôl MacNeil, yn beth hynod bwysig. Tanlinellodd Evan Roberts yr angen am ufudd-dod yn gyson. Un o amodau personol y Diwygiad, meddai Roberts, yw defnyddio'r Beibl 'fel prawf a safon bywyd sanctaidd' ac 'ymwrthod yn llwyr â phechod, ac yn benodol â'r pethau amheus.'[33] Mae'r un pwyslais i'w weld yn ei Bedwar Amod, sef cyffesu pob pechod, troi oddi wrth bopeth amheus, ein rhoi ein hunain yn gyfan gwbl i'r Ysbryd a chyffesu Crist yn gyhoeddus.[34] Ni ellir gorbwysleisio pwysigrwydd ufudd-dod i'r Cristion, a hefyd edifeirwch yn ogystal ag ymgysegriad parhaol. Roedd plant y Diwygiad yn gwybod rhywbeth am y grasusau hyn yn eu bywydau.

Yn ôl MacNeil, amodau cael llawnder neu fedydd yr Ysbryd yw glanhad, ymgysegriad, ufudd-dod a choroni Crist yn Arglwydd. Dim ond ar ôl cyflawni'r amodau hyn y gall y Cristion fynd ymlaen i 'hawlio' llawnder yr Ysbryd trwy weddi a thrwy ffydd.[35] Roedd Mac-Neil yn rhoi pwyslais mawr ar ffydd fel allwedd i dderbyn yr Ysbryd. 'Dy waith di yw credu a derbyn; gwaith Duw yw llanw. Dos rhagot, bellach, dan gredu dy fod yn llawn, ac fe ofala Duw . . . Dy waith di yw parhau i gredu, gwaith Duw yw dy gadw yn llawn.'[36] Yn ôl y Gyffes Ffydd, mae'r Ysbryd Glân yn defnyddio grasusau fel ffydd ac ufudd-dod er mwyn ein sancteiddio ni. Mewn gwrthgyferbyniad, mae MacNeil yn ein hannog ni i ddefnyddio'r Ysbryd er mwyn ein sancteiddio ein hunain, ac mae'r pwyslais hwn yn hollol wahanol.

Y tu mewn i fframwaith Keswick mae'r Ysbryd yn dibynnu ar y Cristion, nid y Cristion ar yr Ysbryd. Dim ond os yw'r Cristion yn fodlon ei lanhau ei hun ac ymgysegru a choroni Crist y gall yr Ysbryd weithio'n rymus, a dim ond os yw'r Cristion hefyd yn ymarfer ffydd ac yn 'hawlio'r fendith.

Wrth gwrs, roedd rhai pethau da gan Keswick a Penn-Lewis i'w cynnig, megis y pwyslais ar undod â Christ, cyfrifoldeb y Cristion yn y gwaith o sancteiddhad, buddugoliaeth Crist ar bechod unwaith ac am byth, a'r angen i fyw i Grist a gweddïo mwy. Mae dysgeidiaeth Keswick a Chalfiniaeth yn cytuno yma, ond hoffwn roi'r gair olaf i *Hyfforddwr* Thomas Charles, llyfr a fu'n fendith i Evan Roberts pan oedd yn ifanc, cyn dod i raddau dan ddylanwad Keswick a Penn-Lewis.

Yn wahanol i Keswick mae'r *Hyfforddwr* yn pwysleisio dibyniaeth y Cristion ar yr Ysbryd, nid yr Ysbryd ar y Cristion. Er enghraifft, mai cwestiwn 171 yn gofyn, 'Pa fodd y mae yr Ysbryd Glân yn gweithredu yn ei bobl?' Yr atebion sydd yn cael eu rhoi yw: '(1) Mae yn gweithredu gyda nerth anorchfygol; (2) Mae yn gweithredu yn rhydd, yn ôl ei ewyllys ei hun; (3) Mae yn gweithredu yn rhad, heb ddim ynom ni yn ei gymell.'

Beth am ein dyletswydd? Ateb yr *Hyfforddwr* eto yw: '(1) Gweddïo am yr Ysbryd Glân; (2) Addoli Duw yn yr Ysbryd; (3) Rhodio yn ôl yr Ysbryd; (4) Peidio â chythruddo a thristáu yr Ysbryd Glân; (5) Cydnabod yr Ysbryd yn ddiolchgar yn ei holl ddoniau, ei gynnorthwyon, a'i gysuron; (6) Peidio â diffodd yr Ysbryd yn ei gynhyrfiadau sanctaidd, eithr ufuddhau iddo o barodrwydd meddwl.'[37] Dyma athrawiaeth iach a beiblaidd ynglŷn â sancteiddhad, ac mae'r un Ysbryd sydd ynom ni ac yn ein sancteiddio ni, yn unol â'i waith arferol ym mhob credadun, hefyd yn medru dod i lawr arnom mewn pwer a bendith anarferol mewn cyfnodau o ddiwygiad.

155

1. Thomas Charles, *Geiriadur Ysgrythurol*, (1805).
2. Thomas Charles, *Hyfforddwr yn Egwyddorion y Grefydd Gristnogol* (1807).
3. Cyhoeddwyd yn Saesneg yn 1860; cafodd ei gyfieithu i Gymraeg fel *Banau Duwinyddiaeth* (Dinbych, 1906).
4. Er enghraifft, *Pregethau Henry Rees*, cyfrol 3, 1881; *Y Gofadail Fethodistaidd*, 1880; *Y Tadau Methodistaidd*, cyf. 1, 1895; cyf. 2, 1897, Edward Parry, *Llawlyfr ar Hanes y Diwygiadau Crefyddol* (Corwen, 1898); *Cofiant y Parch. Richard Owen* (1897).
5. E. Keri Evans, *Fy Mhererindod Ysbrydol* (Lerpwl, 1938).
6. John MacNeil, *Y Bywyd Llawn o'r Ysbryd* (Hughes a'i Fab, Wrecsam, 1906).
7. Er enghraifft, *Soul and Spirit*, (Leicester, d.d); *The Warfare*, (London, 1906).
8. *Y Bywyd Llawn o'r Ysbryd*, 27.
9. Eifion Evans, *The Welsh Revival of 1904* (Port Talbot, 1969), 52.
10. Ibid., 34.
11. Ibid., 170. Rhoddodd Evans ddau reswm i brofi'r pwynt. Yn gyntaf, roedd emynau y ddeunawfed ganrif yn dylanwadu ar nifer fawr o eglwysi. Yn ail, ni chafodd Evan Roberts wahoddiad i siarad yng Nghynhadledd Keswick tan 1906.
12. Ibid., 199.
13. Eliseus Howells, 'Toriad y Wawr yn ne Aberteifi', *Cyfrol Goffa Diwygiad 1904-05*, Sydney Evans a Gomer Roberts (gol), (Caernarfon, 1954), 34-5.
14. J. Henry Williams, *Ar Ei Ben Bo'r Goron*, (Dinbych, 1906); *Cyfrol Goffa Diwygiad 1904-05*, 72.
15. *Fy Mhererindod Ysbrydol*, 49-50. Am enghreifftiau eraill darllener B. P. Jones, *The King's Champions, 1863-1933*; (1968), 23-78.
16. *Y Bywyd Llawn o'r Ysbryd*, 9.
17. Ibid., 27.
18. Ibid., 30-31.
19. Jessie Penn-Lewis, *Soul and Spirit*, (Leicester, d.d), 10.
20. Ibid., 5.
21. Llythyr preifat, 12.11.03.
22. Trwy ganiatâd caredig y Parch. Dafydd M. Job, Bangor.
23. *Cyffes Ffydd y Methodistiaid Calfinaidd* (Wrecsam, 1861), erthygl 26, Am Ailenedigaeth.
24. Ibid., erthygl 27, Am Sancteiddhad.
25. *Y Cymro*, Cyf. XIII, Rhif 14, Ebrill 7, 1926.
26. *Cyffes Ffydd*, erthygl 27, Am Sancteiddhad.
27. *Y Bywyd Llawn o'r Ysbryd*, 27.
28. Ibid., 27.
29. Ibid., 21.
30. Ibid., 22.
31. Ibid., 22.
32. Ibid., 23.
33. *Y Cymro*, Cyf. XIII, Rhif 4, 1.
34. Eifion Evans, *The Welsh Revival of 1904*, 84.
35. *Y Bywyd Llawn o'r Ysbryd*, 33-5.
36. Ibid., 34.
37. Thomas Charles, *Hyfforddwr*, op.cit., cwestiwn 172.

9
Evan Roberts:
wedi ei ddifa gan y tân?

Gaius Davies

Ardaloedd ar eu deulin!—beth yw hyn?
Gobaith oes ddilychwin:
Eneidiau'n troi: Duw yn trin
Agoriad calon gwerin.

Wrth gofio'r gerdd o foliant gan Eifion Wyn (*'Cymru'r Diwygiad'*), y mae'r englyn uchod yn rhan ohoni, y ddwy linell sydd yn dod amlaf i'm cof yw dechrau'r pedwerydd pennill:

Gwnaed o Gymru berth yn llosgi,
Heb ei difa gan y tân;

Y cwestiwn mawr i mi yw: a fu'r tân yn foddion i ddifa Evan Roberts erbyn 1906? Ac wrth ofyn y cwestiwn hwnnw, dylid gofyn cwestiynau am y tân ei hun. Heb amheuaeth, yr oedd tân dwyfol ar gerdded yng Nghymru cyn i Evan Roberts ymddangos fel 'y diwygiwr'. Ond tybed a fu cymysgedd o danau eraill wedyn—tân gwyllt fel petai, 'tân dieithr', tân dynol ei darddiad yn hytrach na'r tân dwyfol? Y mae'r ffeithiau ynglŷn â phersonoliaeth ac anianawd Evan Roberts yn brin: mae'r disgrifiadau sydd ar gael wedi eu hysgrifennu gan 'gyfeillion addolgar' neu gan ambell elyn maleisus.

Yr un pryd y mae'r dystiolaeth am *gymeriad* Evan Roberts yn gadarnhaol iawn. Nid oes amheuaeth nad oedd cymeriad Evan Roberts yn dangos gonestrwydd (er enghraifft, ynglŷn ag arian: ni fu sôn am gymryd casgliad yn ei gyfarfodydd); roedd yn onest ym mhob rhan o'i fywyd. Roedd ei fuchedd a'i sgwrs bob amser yn peri i'r sawl a oedd gydag ef deimlo ei fod yn ddyn duwiol, a gallai fod yn llawn cynhesrwydd a hiwmor ar brydiau. Os gwir y gair mai cymeriad yw'r

hyn sydd yn cael ei ddatblygu gan berson, mae'n amlwg fod gras wedi ei alluogi i greu cymeriad arbennig o ddeunydd bregus ei bersonoliaeth. Gellir dyfynnu'r gohebydd E. Morgan Humphreys a oedd wedi bod yn bresennol mewn oddeutu pedwar ugain o gyrddau Evan Roberts yn Lerpwl a Gogledd Cymru: roedd ganddo feddwl mawr ohono. 'Beth bynnag yw fy syniadau am y Diwygiad—cymysg ydyw y rhai hynny—nid oes gennyf ond un farn am Evan Roberts.' [1]
Ceir y rhan fwyaf o'r sôn amdano yn y papurau newyddion a'r cylchgronau crefyddol. Mae sôn manwl am effeithiau'r cyfarfodydd ar bobl, ond ychydig o ddadansoddi sydd ar gael yn yr adroddiadau hyn. Ofnant sôn yn fanwl am broblemau neu wendidau Evan Roberts, fel pe bai hynny yn mynd yn erbyn y siars yn Salm 105: 15: 'Peidiwch â chyffwrdd â'm heneiniog, na gwneud niwed i'm proffwydi.' Efallai fod llawer o weinidogion mewn rhai ardaloedd (yn ôl pob hanes) wedi peidio â phregethu a dysgu'r dychweledigion fel y dylasent. Ond yn bwysicach na hynny fu methiant ar ran Cristnogion i fesur a phwyso ac ymarfer eu doniau i ddirnad a deall beth a oedd ar gerdded.

Evan Roberts cyn y Diwygiad

O ran cefndir, roedd Evan Roberts yn Gristion ymroddedig wedi ei godi mewn eglwys Fethodistaidd Galfinaidd, yn dal i gredu a chanu am yr efengyl, a chanddo wir brofiad o ras. Ond yr hyn sydd yn amlwg hefyd yw ei fod dan ddylanwadau estron o ran ei gred bersonol. Er ei fod yn wir Gristion, roedd heb dderbyn yr Ysbryd Glân . . . neu o leiaf heb gael llawn fedydd yr Ysbryd Glân, yn ôl ei eiriau ei hun.

Pan aeth i'r ysgol yng Nghastellnewydd Emlyn mae'n ymddangos fod Evan Roberts yn ei chael hi'n anodd setlo i lawr i ddarllen a dysgu fel y byddai rhaid gwneud yn yr ysgol honno. Tybed a oedd straen astudio (yn hwyr y dydd, ar un olwg) yn peri anawsterau mawr iddo? Credaf fod ffordd y cyfrinydd yn well ganddo na'r holl drafferth o ymostwng i ddisgyblaeth addysg grefyddol a Christnogol.

Cyn cychwyn ar ei waith gyda'r Diwygiad yn 1904 fe ddywedir bod gweinidog Presbyteraidd o'r Unol Daleithiau wedi bod yn siarad ag Evan Roberts (sef Dr Hughes o Rome, talaith Efrog Newydd). Ofnai hwnnw am ei gyflwr meddyliol. Dywedir gan D. M. Phillips yn ei lyfr fod Dr Hughes wedi gofyn i ferched Evan Phillips yng Nghastellnewydd Emlyn gadw golwg arno, rhag ofn ei fod yn 'dechrau mynd yn *religious maniac*'.[2] Yn sicr, wrth ddechrau ei genhadaeth ar ddiwedd Hydref 1904 credai Evan Roberts mai'r Ysbryd Glân a oedd wedi datguddio iddo 'amodau'r diwygiad'. Bu'r pwyslais ar gyffesu cyhoeddus, ac ar ufuddhau'n ddi-oed i gymhellion yr Ysbryd Glân, yn rhan o'i batrwm o weithredu wedi hynny.

Mae'n siwr fod rheswm cryf dros amau tuedd Evan Roberts i gredu fod pob syniad a ddôi i'w ben yn rhan o arweiniad yr Ysbryd, a mwy na hynny fod ganddo ryw fath ar hawl i fynd mor bell, bron â *gorchymyn* i Dduw wneud hyn a hyn mewn oedfa. I'r sawl oedd yn gwrando ac yn gwylio, mae'n debyg fod hyn, yn fuan iawn, wedi gwneud i bobl briodoli doniau a nerthoedd arbennig i'r gŵr ifanc. Bob tro yr oedd y *Western Mail* neu un o'r papurau eraill yn rhoi adroddiad am y pethau rhyfedd oedd yn digwydd, roedd y disgwyl eiddgar am weld mwy o ryfeddodau yn cynyddu, a'r canolbwyntio yn mynd fwyfwy ar un dyn ifanc. Mae'n hawdd anghofio fod y Diwygiad erbyn hynny wedi bod ar gerdded mewn rhannau eraill o Gymru am fisoedd cyn i Evan Roberts ymddangos.

Dylanwadau estron
Anodd peidio â meddwl am rai o ddylanwadau pobl fel y diwygiwr Charles G. Finney (1792–1875) yn yr Unol Daleithiau, a'u pwyslais ar *drefnu* diwygiadau, ac ar gyfarfodydd maith a blin. Yr oedd y math yna o feddylfryd yn yr awyr, fel petai, ac yr oedd R. A. Torrey a C. M. Alexander yn cynnal cenadaethau yn y wlad, ac yn Lerpwl a Chaerdydd yn arbennig. Dylid ystyried y dylanwadau estron hyn yn fanylach am eu bod yn gryf o gwmpas Evan Roberts. Effeithiodd syniadau Finney yn drwm arno, er da ac er drwg.

Ynghlwm wrth ddysgeidiaeth gymharol newydd Finney, yr oedd hefyd fudiadau ar gerdded—fel Mudiad Keswick—lle ceid pwyslais ar berffeithrwydd Cristnogol (i'w olrhain yn ôl i Wesley) a hefyd gred arbennig ym 'medydd yr Ysbryd Glân'. Fe ddehonglwyd y bedydd hwnnw mewn ffyrdd gwahanol i'r ddysgeidiaeth a ddisgwylid mewn eglwys Galfinaidd.

Roedd Evan Roberts wedi canu emynau Ann Griffiths droeon: ond tybed a oedd wedi eu hamgyffred? Meddylier am yr emyn cyfarwydd,

O! am dreiddio i'r adnabyddiaeth
O'r unig wir a bywiol Dduw,
I'r fath raddau a fo'n lladdfa
I ddychmygion o bob rhyw.

Credaf fod Evan Roberts wedi methu â gweld perygl 'dychmygion o bob rhyw', a'i fod wedi drysu'n fawr wrth gymysgu ei ddychymyg ei hun ag arweiniad yr Ysbryd. Mae llawer mwy na hyn o'i le hefyd: os yr Ysbryd sydd ar waith yn y galon, ei bwrpas yw gogoneddu Crist; nid dwyn sylw ato ei hun y mae'r Ysbryd. Aeth yn obsesiwn gan Evan Roberts i sôn am yr Ysbryd Glân o'i fewn, a hynny mewn ffyrdd arbennig.

'Peth dychrynllyd yw syrthio i ddwylo'r Duw byw'
Efallai fod i'r geiriau hyn o'r llythyr at yr Hebreaid (10:31) ystyr arbennig yn y bennod lle y digwyddant. Ond y mae ystyr ehangach iddynt hefyd: fod ymdrin â phethau sanctaidd yn bur beryglus. Ar lefel ddynol, fe ddylai fod ofn ar ddyn sydd yn atgyweirio tŷ y byddai'n cyffwrdd â'r gwifrau sydd yn cario trydan, ac yn cael sioc i'w system. Mewn profiadau fel y rhai a gafodd Evan Roberts, y mae'r gwasgfeydd ysbrydol yn drwm ofnadwy.

Fy marn i yw fod y ffordd y torrodd ei iechyd, ac efallai ei gyfansoddiad i gyd, rywbeth yn debyg i'r hyn a ddisgrifiwyd ar ôl y rhyfel yn Vietnam. Dyna'r cyfnod pryd y daeth y geiriau *Posttraumatic Stress Disorder (PTSD)* i'r amlwg am y tro cyntaf. Erbyn hyn y mae PTSD yn cael ei drafod yn y llysoedd barn fel dosbarth o symtomau y dylid eu cydnabod gan y gyfraith. Erbyn hyn fe geisir iawndal am ddioddef oddi wrth symtomau PTSD. Mae hyn yn digwydd hyd yn oed pan fo'r pwysau a'r caledi (y *stress* bondigrybwyll) yn deillio o swydd y mae'r claf wedi ei chymryd o'i wirfodd. Er ei fod yn gwybod ei fod yn cael ei dalu am y gwaith trwm, neu am ymladd mewn byddin,—os gellir profi bod y gwaith a'r straen sydd ynghlwm wrtho yn achosi'r PTSD, gellir ceisio iawndal.

Yn aml, pan fo pobl yn sôn am rywun sydd wedi 'llosgi allan' (*burnout*), cyfeirio heb yn wybod at PTSD y maent. Collir y symbyliad a'r weledigaeth, ac fel rhan o'r broses y mae pryderon, gofidiau a symtomau o iselder yn blino'r claf. Credaf, felly, fod y profiadau arbennig a ddaeth yn rhan o waith Evan Roberts yn ystod y Diwygiad wedi bod yn ormod iddo: roedd y straen a'r pwysau (yn gorfforol, yn feddyliol ac yn ysbrydol) wedi peri iddo dorri i lawr a cholli ei iechyd arferol. Gwyddom ei fod yn ei chael yn anodd wynebu pobl heb fod yn bryderus. Wedi'r Diwygiad fe fethodd yn aml â siarad yn gyhoeddus, er iddo fynd i nifer o gynadleddau. Gadewch i ni geisio olrhain sut y digwyddodd hyn oll, gan gychwyn wrth feddwl am ei bersonoliaeth.

Personoliaeth Evan Roberts

Gellid dechrau drwy ofyn tybed a oedd y cymwysterau priodol gan Evan Roberts ar gyfer gwaith diwygiwr? Y gair y bydd cyfreithwyr a meddygon yn ei arfer am berson fel hyn yw'r gair *vulnerable,* hynny yw, rhywun sydd yn hawdd ei niweidio, rhywun sydd yn archolladwy yn ei hanfod. Ai un felly oedd y gŵr ifanc, yn bump ar hugain oed heb arno chwant priodi ac a fyddai'n aros yn ddibriod hyd ei fedd? Wrth gwrs, roedd pregethu a dysgu emynau, a gwaith yr ysgol Sul a'r seiat yn siwr o roi addysg ysbrydol i'r sawl oedd yn meddwl uwchben y geiriau a genid yn yr emynau. Ond wrth edrych am ddwy elfen bwysig wrth ystyried galluoedd meddyliol, sef cryfder a chyflymder deall, yr argraff a gaf i yw nad oedd meddwl Evan Roberts yn gryf nac yn gyflym.

Doniau arbennig ei bersonoliaeth sydd yn cael sylw gan amryw, er enghraifft, elfennau fel sensitifrwydd—yn arbennig ei ffordd o ymateb i gynulleidfa neu dorf. Y mae rhai'n mynd ymhellach a dweud fod ganddo ddoniau telepathig i ddarllen meddyliau pobl a chanfod beth oedd yn mynd ymlaen ym meddyliau unigolion yn ogystal â thorf. Credaf ei bod hi'n amlwg ym mywyd cyhoeddus Evan Roberts fod ynddo duedd gref i *ddaduno (dissociate)* a'i fod yn ei chael hi'n hawdd mynd i lewyg neu lesmair. Mae lle i gredu bod y person sydd â'r tueddiadau hyn ganddo yn ei chael hi'n haws o lawer i weld gweledigaethau, i wrando ar leisiau mewnol, a chael profiadau dwfn yn y maes ysbrydol.

Heb fynd mor bell â sôn am fod yn ofergoelus, gellir dweud fod elfennau *hygoelus* ym mhersonoliaeth Evan Roberts. Hynny yw, roedd yn *suggestible,* yn barod i gredu yn hawdd—ac yn sicr roedd ei ddilynwyr weithiau yn hygoelus dros ben. Dyma'r tir meddyliol lle y gellir disgwyl math arbennig o fywyd ysbrydol. Ystyrier am funud am y cyfarfodydd yr oedd Seth Joshua yn eu cynnal ym Medi 1904 yn sir Aberteifi, ac ym Mlaenannerch yn arbennig. Pan ddefnyddiodd Joshua yr ymadrodd 'Plyg ni, O Arglwydd!' wrth weddïo, fe gafodd hyn effaith arbennig ar Evan Roberts. Syrthiodd fel carreg yn ei sêt, meddir. Roedd wedi bod yn gweddïo am i'r tân ddisgyn ar yr allor a'r offrwm a chredai fod hyn wedi digwydd ym Mlaenannerch. Credaf fod ei ffordd ddramatig o adweithio yn rhan o'r ffordd yr oedd ei bersonoliaeth yn tueddu i ymateb. Mae'n sôn am weledigaeth o'r haul yn codi, a'r dydd yn dod—dydd dechrau diwygiad. Ceir geiriau tebyg iawn mewn rhai o bregethau George Fox, arweinydd y Crynwyr cynnar. Wedyn gwêl Roberts weledigaeth o Fab Duw yn mynd at ei Dad â siec am 100,000, ac mae hyn yn cael ei ddehongli fel ateb i weddi Evan Roberts am i Dduw roddi can mil o eneidiau i gael eu hachub yn y Diwygiad.

Yna roedd yn ymddangos i rai o'i ffrindiau fod tymer Evan Roberts yn gyfnewidiol iawn weithiau. Nid oes sôn am y felan neu iseldra fel y cyfryw. Mae llawer yn dioddef gan y cyfnewidiadau hyn—i fyny ac i lawr o ran ei hwyliau, yn oriog fel y byddai rhai yn dweud. Nid oes unrhyw dystiolaeth ei fod yn *'manic depressive'*; efallai mai ymateb yr oedd yn ei hwyliau gwahanol i'r gwasgfeydd oedd arno.

Nid yw'n bosibl i mi fynd dros hanes y saith ymgyrch o eiddo Evan Roberts. Cofier yr hyn y mae R. Tudur Jones yn ei ddweud: 'O'r degau o filoedd o gyfarfodydd a gynhaliwyd rhwng 1904 a 1906, rhyw ddau gant a hanner ohonynt y bu Roberts ynddynt.'[3] Gellir gweld, rwy'n credu, fod yna wahaniaeth mawr rhwng llawer o'r cyfarfodydd arferol yn ystod y Diwygiad—lle ceir adroddiadau clir amdanynt—o'u cymharu â'r cyfarfodydd pan oedd Evan Roberts yn bresennol. Yn fuan roedd rhai yn barod i'w farnu a rhai fel Peter Price yn barod i'w gollfarnu, fel y gwnaeth mewn llythyr i'r *Western Mail* a gafodd gryn sylw. Mae Peter Price, wrth sôn am y 'ddau ddiwygiad', yn cymharu'r tân ddwyfol â'r *'ignis fatuus'* ac yn dweud fel hyn: 'to the true Revival —the gloriously real Revival—I will say and pray with all my soul "Cerdd ymlaen nefol dân"; but to the bogus Revival I will say with all my soul "Cerdd yn ôl, gnawdol dân"'[4]

Yn fwy caredig, ond yr un mor bendant, dywedodd Elfed wrth feddwl am ei ymgyrch yn Lerpwl: 'I have very little faith in the usefulness of his telepathic exercises'.

Mrs Jessie Penn-Lewis: 'War on the Saints'

Roedd Mrs Penn-Lewis yn bwysig iawn yn ei dydd am fod ganddi le arbennig yn trefnu, arwain a siarad yn Swanwick a chanolfannau eraill lle y cynhelid cynadleddau Cristnogol. Drwy'r mudiadau a oedd yn dibynnu ar Keswick i'w harwain i 'fywyd ysbrydol dyfnach'—mewn ystyr gwbl arbennig—daeth Mrs Penn-Lewis yn dra adnabyddus i lawer, gan gynnwys yr arweinwyr efengylaidd a oedd, ar y pryd, yn mabwysiadu dysgeidiaeth Keswick. Bu Mrs Penn-Lewis yn siarad hefyd yn y cynadleddau a gynhelid yn Mildmay, Matlock a Llandrindod (math o 'Keswick in Wales') o 1903 ymlaen. Roedd ganddi gylchgrawn chwarterol yn dwyn y teitl *The Overcomer*.

Roedd ei thaid yn weinidog yng Nghastell-nedd: 'I was brought up, therefore, in religious surroundings and in the lap of Calvinistic Methodism', meddai hi yn ei chofiant. Ar ôl priodi William Penn-Lewis a sefydlu yn Richmond, daethant dan ddylanwad H. A. Evan Hopkins, un o brif arweinwyr mudiad Keswick. Trwy arweiniad Mrs Hopkins wrth drafod y mater o dderbyn 'buddugoliaeth dros bechod', fe gafodd (yn 1884, yn 23 oed) y profiad o 'ymgysegriad ac o ildio'n llwyr' i Dduw. Ar ôl hyn mae datblygiad Mrs Penn-Lewis yn dilyn patrwm y mudiadau a oedd yn mawrygu cymaint ar y 'bywyd uwch' a oedd ar gael i'r Cristnogion hynny a oedd yn fodlon ildio'n llwyr ac ymroi i fyw bywyd sanctaidd. I bob pwrpas yr oedd y rhain yn 'concro pechod' yn ôl yr hen ddysgeidiaeth am 'berffeithrwydd Cristnogol' y gellir ei holrhain yn ôl i John Wesley, George Fox, ac eraill.

Y cyfan a ddywedir am Evan Roberts yn ei chofiant yw hyn: 'Through the strain and suffering brought upon him during eight months of daily and continuous meetings in crowded, ill-ventilated chapels, one of the chief figures of the awakening in Wales completely broke down, and thus it came about that, by the invitation of Mr and Mrs Penn-Lewis, Mr Evan Roberts went down to the country home near Leicester, where they were now living, for a time of rest and recuperation. His recovery, however, was slow and intermittent, lasting many months, and during the long periods of convalescence, he began to open his mind to his hostess on many experiences of supernatural forces witnessed during the Revival.' . . . 'This God-given knowledge and experience, together with the insight into the devices of the enemy gained by Mr Roberts in his experiences during the Revival, are conserved to the Church of God in *"War on the Saints"*.[5]

Dylanwad Mrs Penn-Lewis ar Evan Roberts

O Mawrth 1906 bu Evan Roberts yn byw yn nhŷ Mr a Mrs Penn Lewis yng Nghaerlŷr, heb ddychwelyd i Gymru tan 1925. Nid oedd bellach yn amlwg i'r cyhoedd, a thawel iawn fu ei hanes. Dywedir bod ei dad a'i frawd wedi methu â chael golwg arno na'i gyfarfod, er iddynt deithio o Gasllwchwr i Gaerlŷr i'w weld.

Er fy mod wedi ceisio darllen *War on the Saints* droeon dros hanner canrif, fe'i caf yn anodd iawn deall ei amcan a'i arddull. Mae'n fanwl iawn wrth ddisgrifio dulliau'r Diafol a'r cythreuliaid o godi pethau ffug a thwyllodrus ar bob cam o'r daith ysbrydol. Mae'n werth dyfynnu o ymdriniaeth feistrolgar R. Tudur Jones: 'Mae hwn yn llyfr trist gyda'i drafodaethau meithion ar stranciau cythreuliaid a gedy'r argraff ar feddwl y darllenwr na all fawr ddim erchyllach ddigwydd i berson na chael ei fedyddio â'r Ysbryd Glân.'⁶ Y mae'n sôn am 'y dyfalu ffantastig' yn gymysg a 'sylwadau treiddgar' sydd heb wneud 'chwarae teg â'r athrawiaeth Feiblaidd am waith Crist yn gorchfygu'r demoniaid'. Cytunaf â'r geiriau hyn.

Beth yn union a olyga ei chofiannydd wrth sôn am Evan Roberts fel un oedd yn 'completely broken down'? Pa fath o ofal gafodd y diwygiwr mewn tŷ gwydr poeth ysbrydol? Disgrifir symud cartref y Penn-Lewisiaid o Richmond i Gaerlŷr fel hyn: 'the "pillar of cloud" moved on to that busy manufacturing city in the centre of England'. Anodd uniaethu'r 'golofn o niwl' a fu mor bwysig i'r Israeliaid yn y diffeithwch â chartref Mr a Mrs Penn-Lewis fel hyn. Ond i'w chanlynwyr efallai fod y lle y byddai hi yn trigo ynddo yn debyg i Babell y Cyfarfod. Ond yr un pryd, mae'n debyg fod Mrs Penn-Lewis yn ei gweld ei hun fel aelod o'r dosbarth canol mewn ysbryd digon ffroenuchel, fel arweinydd y garfan o'r *Overcomers* arbennig honno. Beth oedd ei hagwedd, tybed, tuag at y 'meiner cyffredin' — yn sicr o'r dosbarth gweithiol—pan aeth Evan Roberts yno i fyw? Bu Mrs Penn-Lewis fel mam neu chwaer hynaf iddo—ac efallai fel *guru* hefyd.

Os yw'n iawn meddwl am Evan Roberts yn y cyfnod o Mawrth 1906 ymlaen fel un a fu dan ofal a dylanwad Mrs Penn-Lewis am flynyddoedd lawer, gellir tybio mai drwg iawn oedd peth o'r dylanwad hwnnw arno. I bob pwrpas peidiodd ei waith fel diwygiwr: teimlodd yr alwad i weddïo, a dyna meddai (wrth siarad yn sir Fôn yn 1932) fu ei weinidogaeth am chwarter canrif.

Ar gyfeiliorn?

Credaf mai rhai o'r elfennau ym mhersonoliaeth Evan Roberts a fu'n rheswm dros iddo gymryd cam gwag droeon, ac yn wir fod yn ffôl a gwneud camsyniadau mawr o bryd i'w gilydd. Yn Lerpwl y daeth rhai o'r problemau yma i'r brig. Roedd ei ddoniau 'telepathig' wedi ei arwain i gyfeiriad pethau ocwlt, fel y cofir. Bu raid i bedwar o feddygon ei archwilio. Rhan o'u tystiolaeth oedd: 'We find him mentally and physically quite sound. He is suffering from the effects of overwork, and we consider it advisable that he should have a period of rest.' Felly, o 19 Ebrill i 16 Mai 1905, fe orffwysodd yn y Royal Hotel, Capel Curig cyn cychwyn ar ei bumed ymgyrch.

Mae cysylltiad agos rhwng elfennau ym mhersonoliaeth Evan Roberts a'r agweddau o'r Diwygiad a aeth ar gyfeiliorn. Dywedwyd yn gynharach fod arweinydd hygoelus a dilynwyr hygoelus yn gwneud deunydd sy'n creu math o gyflwr heintus, *epidemig hysteria* fyddai rhai yn ei alw. Cofier am D. L. Moody a'r dywediad ei fod ef bob amser yn anwybyddu neu rwystro unrhyw hysteria heintus, ac felly y gwnâi John Wesley at ei gilydd hefyd. Nid felly Evan Roberts: ar brydiau roedd ei gyflwr meddyliol a'i ffordd o ymddwyn yn effeithio'n drwm ac yn ddrwg ar ei gynulleidfa. Drwy iddo beidio â siarad weithiau ac ymddangos mewn ing neu mewn rhyw fath o lewyg ysbrydol, fe fyddai'r gynulleidfa yn ymateb. Nid y gorfoleddu arferol fyddai'n dilyn, ond mathau o ganu a gweddïo a fyddai'n adlewyrchu'r ffordd y byddai unrhyw dorf yn ymateb i ryw fath o gynnwrf seicolegol heb fawr o gynnwys ysbrydol—nid 'cynnwrf grasol' mohono bob amser, yn sicr.

Angen beirniadaeth gytbwys
I mi, y mae llawer o'r problemau sydd ynghlwm wrth Ddiwygiad 1904 yn dal i fod yn ein plith: mae'r mudiadau carismataidd sydd wedi bod mor amlwg yn y chwarter canrif olaf wedi bod yn wynebu problemau tebyg iawn i broblemau Evan Roberts. Gwelir yr un camsyniadau, yr un pwyslais ar 'ymwybyddiaeth newydd' yn eu bywydau Cristnogol. Mae hyn yn aml yn beth hen iawn, ac yn dibynnu ar ecstasi, llewygu a llesmeirio fel 'moddion gras' newydd mewn cyfarfodydd i addoli. Dyna un rheswm pam y dylem ni, yn ein dydd, wynebu'r problemau a'r methiannau yn onest wrth feddwl am 1904; dylem ddysgu sut i osgoi ailbrofi'r un problemau eto.

Gwych fuasai cael dau enwog i ddod yn ôl i gynnig eu barn. Pe bai'r Americanwr galluog Jonathan Edwards yn dod â'i bren mesur, fel y gwnaeth yn niwygiadau'r ddeunawfed ganrif, fe fyddai'n dangos i ni beth oedd o law Duw a beth oedd o law dyn; beth oedd yn ysbrydol a beth oedd yn gnawdol; beth oedd o ras Duw, a beth oedd o'r natur ddynol. I'r sawl sydd am wybod mwy, y mae holl weithiau Jonathan Edwards ar gael heddiw.

Y gŵr arbennig arall yr hoffwn ei groesawu yn ôl i ddadansoddi Diwygiad 1904 fyddai Williams Pantycelyn. Mae R. Tudur Jones yn dyfynnu o *Ateb Philo-Evangelius* (gwaith o eiddo Pantycelyn) fel hyn, fod diwygiad yn 'gymysg o ras a natur, o dda a drwg . . . mewn eglwysi y bo Duw yn tywynnu ei wyneb arnynt'. Mae 'sŵn y gwynt' yn

Nefol Dân

cyffwrdd rhagrithwyr ac yn cyffroi eu 'nwydau naturiol' ac yna 'y maent fel llong o flaen y gwynt , heb un balast ond tan gyflawn hwyliau, ac mewn perygl o gael eu briwio gan y creigydd, neu eu gyrru i mewn i aberoedd amherthnasol'.[7] Fel Ann Griffiths y mae Pantycelyn yn adnabod dichellion y galon, a'r angen am beidio â dilyn dychymyg na nwydau cnawdol gan gredu mai o Dduw y mae'r cyfan. Y mae gweithiau Pantycelyn ac Ann Griffiths ar gael heddiw hefyd! Wrth gofio 1904 gellir diolch am lawer o bethau a ddigwyddodd yn y ddwy flynedd o Ddiwygiad. Efallai fod J. T. Job wedi bod yn iawn wrth sôn am 'hurricane yr Ysbryd Glân'. Ond cofier, yr un pryd, fod corwyntoedd eraill ar gynnydd yn y Diwygiad. Nid oes rhaid i ni weld y drwg i gyd fel gwaith Satan a'i gythreuliaid. Roedd pethau eraill fel drygioni dynol, diffyg gofal y bugeiliaid, a'r diystyru a fu ar unrhyw fesur o bwyso a beirniadu—roedd y pethau hyn hefyd yn chwarae eu rhan. Wrth weddïo am adfywiad ac am ddiwygiad, oni ddylem hefyd ailgloddio'r pydewau i gael hyd i'r ddysgeidiaeth ynglŷn â gwir ddiwygiad, dysgeidiaeth a gollwyd gan Finney a'r holl garfan oedd am gynnig perffeithrwydd, am *drefnu* diwygiad heb fawr o ofal am y peryglon a oedd yn amlwg ynghlwm wrth eu dysgeidiaeth.

Yn ôl un hen sant a brofodd y ddau Ddiwygiad, roedd 1859 a 1904 mor debyg i'w gilydd â dwy sofren. Nid dyna fy marn i. Ond wrth sylwi ar ddau Ddiwygiwr 1859 cofier bod Dafydd Morgan, ar ôl dwy flynedd o nerth a gorfoledd arbennig, wedi mynd yn ôl i'w briod waith yn y weinidogaeth. Ond am Humphrey Jones o Dre'r-ddôl (a Wisconsin cyn hynny), aed ag ef i'r aseilam yng Nghaerfyrddin, ac wedyn ar ôl mynd yn ôl i Wisconsin yn yr Unol Daleithiau, 'mewn aseilam noswyliodd'. Morgan yn medru ymateb yn deilwng i'r barchus arswydus swydd o ddiwygiwr, Jones yn cael ei dorri ar yr olwyn. Hyd y gwelaf i, roedd Evan Roberts o ran ei bersonoliaeth yn nes i gyflwr Humphrey Jones nag eiddo Dafydd Morgan, ond fe fydd yn rhaid i ni chwilio am fwy o wybodaeth am ei gyflwr ar ôl 1906, os ydym i ddeall pethau'n well.

Ôl-nodyn
Mae'n ddiddorol sylwi fod dau ŵr dysgedig o Ffrainc wedi ysgrifennu llyfrau i drafod y Diwygiad yng Nghymru. Y cyntaf oedd Joseph Rogues de Fursac, a gyhoeddodd lyfr ar seiciatreg ym Mharis; gofynnodd y llywodraeth iddo ymweld â Chymru, a chyhoeddodd ei adroddiad dan yr enw *Symudiad Cyfriniol Cyfoes: y Diwygiad*

Crefyddol yng Nghymru yn 1907. Anffyddiwr oedd y meddyg hwn, a'r hyn a geir ganddo yw ymgais i esbonio tröedigaethau a llawer o brofiadau Cristnogol yn nhermau seicolegol yn unig. Mae de Fursac yn werthfawr fel disgrifiad un o'r tu allan i Gymru; mae'n gweld y Diwygiad fel gwaith cenedl adfywiedig, nid gwaith un diwygiwr. Mae'n cyfaddef nad oes ganddo atebion i esbonio'r ffaith fod y profiadau yr oedd yn eu hastudio mor ffrwydrol ym mywydau'r Cymry. Yn y pen draw, mae'n amhosibl iddo fel anghredadun bwyso'r ffeithiau'n deilwng, oherwydd ei fod am anwybyddu'r ysbrydol a'r Dwyfol a'r goruwchnaturiol fel unrhyw feddyg o angredadun.

Yr ail ŵr a ddaeth trosodd o Ffrainc oedd Henry Bois, prifathro yn y traddodiad Protestannaidd Diwygiedig. Mewn llyfr go fawr mae'n trafod y Diwygiad. Mae'n sôn am y gwahaniaeth rhwng Torrey a'i genhadaeth a gwaith Evan Roberts. I Bois efengyl o lawenydd a chariad oedd y Diwygiad, a'r pwyslais mawr ar Groes Crist a'i gariad wrth ddioddef a chael ei groeshoelio. Bu'n dilyn cwrs y Diwygiad yn fanwl, a dyna geir yn ei lyfr, ei ddadansoddiad o'r hanes: gwel Bois bwysigrwydd y cefndir Cymreig, y paratoad mewn gweddïau amryw am ddiwygiad, a'r nodweddion arbennig sydd yn y traddodiad Cymreig Anghydffurfiol.

1. E. Morgan Humphreys *Gwŷr Enwog Gynt* (Gwasg Aberystwyth, yr ail gyfres, 1953), 100-9.
2. D. M. Phillips, *Evan Roberts: The Great Welsh Revivalist and his work* London Marshall Bros 5th Edition 1906.
3. R. Tudur Jones, *Ffydd ac Argyfwng Cenedl, Cyf 2,* (Abertawe, 1982), 214.
4. J. Vyrnwy Morgan, *The Welsh Religious Revival: A Retrospect and a Criticism* London (Chapman & Hall, 1909), 145.
5. Mary N. Garrard (ed.) *Mrs Penn-Lewis A Memoir* London The Overcomer Book Room 1930.
6. R. Tudur Jones, op.cit., 181.
7. Ibid., 211.

10
Y Dylanwad ar
yr Eglwysi Enwadol

Noel Gibbard

Heidiodd y dychweledigion i'r capeli am fisoedd lawer. Gyda'r Annibynwyr yng Nghwm Rhondda, derbyniodd Hermon gant o aelodau mewn dau fis; a'r chwaer eglwysi, Bethania, Treorci, 126 a Siloa, Maerdy, 82.[1] Nid oedd ffigurau fel hyn yn eithriadau o gwbl. Gallent fod yn uwch na hynny hyd yn oed. Cododd aelodaeth Trinity, Tonypandy (Methodistiaid Calfinaidd) o 115 i 750 mewn cyfnod o bedair blynedd, a derbyniwyd 219 mewn pum wythnos yn Seion, Treforys (Bedyddwyr).[2] Anodd oedd dygymod â'r llifeiriant. Nid oedd adeiladau'r capeli y lleoedd gorau i gwrdd a chymdeithasu, ddim hyd yn oed y rhai enfawr, ac roedd llawer o rai llai heb festri hyd yn oed. Roedd y dychweledigion hefyd yn wahanol eu hanghenion, rhai o'r eglwys ac eraill o'r tu allan. Beirniadwyd yr eglwysi am ddiffyg darpariaeth ar eu cyfer, ac yn sicr roedd lle i feirniadu. Ond weithiau ceir yr argraff na wnaeth y capeli ddim byd o gwbl i gwrdd ag anghenion y llu credinwyr newydd. Mae hawlio hyn yn anheg iawn. Da cofio am yr ymdrechion glew a wnaethpwyd gan gymaint o gapeli, rhai yn llwyddiannus, eraill yn aflwyddiannus. Bu ymdrechu cadarn i gwrdd â gofynion y dychweledigion.

Helaethu a dysgu
Nid moliannu â'r tafod yn unig a wnaeth dychweledigion; gallent weithio â'u dwylo hefyd. Roeddent yn barod i dorchi eu llewys, a gwneud gwaith caib a rhaw. Paratowyd sylfaen helaethu'r capel yn Abertyleri (Bedyddwyr) gan blant y Diwygiad. Gweithient am ran o'r dydd, cael ychydig gwsg, ac yna mynd i'r gwaith yn y nos. Rhaid oedd gwneud rhywbeth, oherwydd roedd mil o aelodau yn perthyn i'r ysgol Sul. Costiodd y fenter £1,950.[3] Yr un oedd y stori ym Mhont-y-pŵl.[4] Cododd Siloa, Aberdâr (Annibynwyr), neuadd helaeth gydag amryw ystafelloedd. Teimlai'r aelodau y dylid cael lle ar wahân i'r capel, i

gynnal cwrdd gweddi, darlith a man i gymdeithasu.[5] Trefnwyd pwyllgor yng Ngharmel, Gwauncaegurwen, i gadw tri ysgoldy ar agor bob dydd fel canolfannau i ddarllen a chymdeithasu.[6] Sŵn ceibio oedd yn y Dinas, Cwm Rhondda, hefyd, lle'r oeddent yn barod i godi ysgoldy, tra ym Mhenmachno y bwriad oedd codi institiwt ansectyddol.[7]

Yn y cyfeiriad at Dinas, nodir yn benodol bod llyfrgell i'w ffurfio yn y capel. Digwyddodd hyn mewn sawl man arall. Erbyn 1906 derbyniodd Jerusalem, Llwynypia, gant o lyfrau i sefydlu llyfrgell.[8] Paratoi 'elusen i'r enaid', chwedl Stephen Hughes, a wnaeth Lloyd Street, Llanelli (Annibynwyr). Felly hefyd y gwnaeth Soar, Cendl (Bedyddwyr), Calfaria, Trefforest (Bedyddwyr) a Brynhyfryd, Abertawe (Bedyddwyr).[9] Penderfynodd Hebron, Dowlais (Bedyddwyr) sefydlu 'Darllenfa' yn y festri ar ôl i'r ysgol ddyddiol orffen a neilltuo deg punt at yr achos.[10]

Ni anghofiwyd mai llyfr y llyfrau yw'r Beibl a ffurfiwyd dosbarthiadau i'w astudio. Dechreuwyd dosbarthiadau yn y Rhath, Caerdydd (Methodistiaid), Cwmafan (Annibynwyr), a dosbarth i'r dynion yn Nhrefforest (Bedyddwyr).[11] Dosbarth cyd-enwadol a gynhaliwyd yn yr YMCA yng Nghaerdydd, ac roedd tua dau cant a hanner yn bresennol ymhob un o'r tri chyfarfod cyntaf. Cafwyd arweiniad William Edwards, a chymorth gan John Cory i'r 'Bible Institute' yn y ddinas. John Cory a'i frawd, Richard, oedd ar y blaen yn y Dociau hefyd. Trefnwyd cyfarfodydd gweddi a dosbarthiadau beiblaidd yno. Cyflwynai John Cory Feibl poced i bob un a gofrestrai yn y Dosbarth Beiblaidd. Yn y 'John Cory Sailors' Home' y gweithiai Glenelg Grant, y gŵr a fyddai'n mynd a'i gôr, bob cyfle posibl, i hyrwyddo'r Diwygiad, yn arbennig yng Nghaerdydd a'r cylch.[12] Darparodd un capel yn Aberpennar 'Bible classes with one night a week set apart for training the converts in the duties of discipleship and church membership.'[13]

Sylweddolodd y Methodistiaid Calfinaidd bwysigrwydd llyfrgell. Yn un o gyfarfodydd y Gymdeithasfa yn 1905, cadarnhawyd trefniant y Gymanfa Gyffredinol i hybu llyfrgelloedd yn yr eglwysi. Trefnwyd i roi gwerth deg punt o lyfrau am bum punt i ugain o lyfrgelloedd newydd. Roedd y dewis yng ngofal yr eglwysi unigol mewn ymgynghoriad â'r Pwyllgor Llyfr. Yn ychwanegol addawyd gwerth pum punt am ddwy bunt deg swllt, bob tair blynedd.[14] Rhoddwyd sylw i lyfrgelloedd ysgolion Sul y Methodistiaid Calfinaidd yng Nghymdeithasfa Porthmadog, 1906.[15] Creodd profiadau'r Diwygiad, y llyfrgelloedd, a'r dosbarthiadau beiblaidd, yr angen am fwy o Feiblau.

Gwerthodd Cymdeithas y Beibl dairgwaith yn fwy yn Nhachwedd-Rhagfyr nag yn y ddau fis cyfatebol yn 1903.[16] Er mwyn hyrwyddo'r gwerthiant, gwnaeth un siopwr yn Cross Hands, sir Gaerfyrddin, beidio â gwerthu tybaco, a gwerthu Beiblau yn lle hynny. Derbyniodd fwy o elw o'r Beiblau nag o'r tybaco.[17] Arferai rhai eglwysi ddosbarthu llenyddiaeth. Dosbarthai eglwys Annibynnol y Pentre, Cwm Rhondda, gopïau rhad o *Taith y Pererin* i'r dychweledigion. Dosbarthwyd yr un llyfr, a gweithiau eraill, gan eglwys y Bedyddwyr, Hebron, Ton. Ar ôl cyfeirio at waith ysgrifennydd y capel, *Yr Eglwys Fyw*, dywedir: '4,000 copies were distributed by Hebron church. It also presented 200 copies of the Pilgrim's Progress to the converts of the Revival; also 500 booklets on baptism, and 120 copies of Mr George Muller's address on Bible Reading.'[18] Yn ychwanegol at hyn, danfonai rhai o'r bobl ifainc lythyrau at y dychweledigion, gan rannu tractau crefyddol ac ymweld ag esgeuluswyr yn eu cartrefi.[19] Trefnodd eglwys Annibynnol Ebeneser, Aberdâr, de croeso i tua chant tri deg o ddychweledigion, a rhoddodd Mr a Mrs Humphreys, Bryncelyn, gopi o'r Beibl i bob un ohonynt.[20] Gwastraffai un o ddynion Gorseinon ei arian, ac esgeuluso'i wraig, ond ar ol ei dröedigaeth prynodd Destamentau i'r ysgol Sul.[21] Gofalai y Tabernacl, Caerdydd, am y dychweledigion: 'Cymerwyd enw a chyfeiriad pob un o'r dychweledigion, ymwelwyd â'r rhai perthynol i'n tref yn eu tai, gosodwyd Testament Newydd yn llaw pob un, a mynwyd gwybod yn mha eglwys yr oeddynt am ymaelodi. Cymerodd nifer fawr ohonynt yr ardystiad dirwestol.'[22]

Pan ffurfiwyd dosbarth beiblaidd Sion, Bryn-mawr (Bedyddwyr), ffurfiwyd cangen o'r Ymdrech Gristnogol hefyd ('Christian Endeavour').[23] Gwreiddiodd y mudiad mewn sawl man cyn 1904. Roedd yn boblogaidd iawn, er enghraifft, yn Abertawe, lle roedd dros ugain o ganghennau, yn cynnwys saith o eglwysi Cymraeg.[24] O 1904 hyd 1906, adnewyddwyd ambell gangen a ffurfiwyd nifer dda o rai newydd. Cytunwyd i sefydlu cangen yn Hebron, Dowlais, 18 Medi 1904, yn union ar ôl yr adfywio a fu yno, ddiwedd Awst a dechrau Medi.[25] Wrth sôn am gyfarfodydd yr wythnos yn Wood Street, Caerdydd (Annibynwyr Saesneg), dywed un gohebydd i nifer y prif gyfarfod dreblu ac i nifer yr Ymdrech Gristnogol ddyblu.[26] Sefydlwyd canghennau yn Seion, Treforys (Bedyddwyr), Caerdydd (Methodistiaid Cyntefig), Soar, Ystalyfera (Bedyddwyr), a Sardis, Rhydfelen (Bedyddwyr). Pan gyfarfu'r Gynhadledd flynyddol yng Nghasnewydd yn 1905, adroddwyd bod cynnydd o saith deg o ganghennau oddi ar y gynhadledd flaenorol. [27] Gan fod amryw o arweinwyr y Diwygiad yn drwm o dan ddylanwad Keswick, roedd yn naturiol iddynt feddwl am gynadleddau lleol, ar wahân i Landrindod, i hybu'r bywyd ysbrydol. Cynhaliwyd un yn Aberdâr cyn diwedd 1904, a W. W. Lewis a'r Parch. a Mrs J. M. Saunders, tri a fu'n amlwg yng nghyfarfodydd Ceredigion, yn gweinidogaethu.[28] Yn yr un mis cynhaliwyd cynhadledd yn Llannerch-y-medd o dan arweiniad J. H. Williams, Moriah, Llangefni, a Joseph Jenkins.[29] Yn Nowlais, ychydig fisoedd yn ddiweddarach, cynhaliwyd y gynhadledd ym Methania, lle y gweinidogaethai Peter Price, un o feirniaid llym y Diwygiad. Trefnwyd hi gan O. M Owen, Penydarren, a W. W. Lewis a W. S. Jones ymhlith y pregethwyr.[30] Sefydlwyd traddodiad cynadleddol cryf, yn arbennig yn Llanelli, Rhydaman ac Aberdâr.[31] Nid troi o gwmpas eu heneidiau bach yn unig a wnaeth yr arweinwyr hyn, oherwydd troesant yn genhadon brwd, a mentro i'r byd mawr o'u cwmpas.

Roedd darpariaeth, felly, i ddysgu a chymdeithasu. Ond beth am y ddarpariaeth ar gyfer y corff? A oedd gan yr Eglwys gyfrifoldeb i gwrdd ag anghenion corfforol?

Y corff a'r enaid

Mynegwyd cryn wahaniaeth barn ar y mater hwn. Yn ôl rhai, edrych ar ôl anghenion 'ysbrydol' pobl oedd cyfrifoldeb yr Eglwys, ond credai eraill y dylid ystyried y corff hefyd. Gan fod clybiau beic ar gael, gwelodd credinwyr Penmachno gyfle i ffurfio clwb yn enw'r eglwys. Gallent hamddena a mwynhau yng nghwmni ei gilydd. [32] Dadleuai Dr Morris, Treorci, dros gwrdd ag anghenion corfforol, meddyliol, moesol a chrefyddol Cristnogion. Gresynai at amharodrwydd y capeli i agor eu drysau yn ystod yr wythnos yn ogystal â'r Sul. Meddylient fwy am gadw'r capel yn lân ar gyfer y Sul nag am angen credinwyr ar nos Sadwrn.[33] Cafodd gadarnhad i'w sylwadau o Loegr. Yno, roedd sefydliadau cymdeithasol oedd yn diogelu'r hinsawdd Gristnogol. Ac o'r Unol Daleithiau, drwy Loegr, y daeth cyfrol A. T. Pierson, *The Ethics of Amusement*, a'r awdur yn gyfaill i arweinwyr y Diwygiad yng Nghymru. Cyfeiriodd Dr Morris ato i gadarnhau ei ddadl. [34]

Er bod A. T. Pierson, ac eraill, yn sôn am hamddena ac ymarfer corfforol, roedd ffiniau pendant i'w hagwedd. Roeddent yn ofalus iawn i osgoi yr hyn a fyddai yn eu barn hwy yn llygru'r dychweledigion. Ni fyddent yn derbyn rhai gweithgareddau a groesawyd yn Lloegr. Ond fe gyrhaeddodd eu dylanwad hwythau i Gymru. Yn gynnar ym mis Chwefror 1905, trefnwyd te ar gyfer dau cant o ddychweledigion yn eglwys Annibynnol Saesneg, Caerffili. Roedd y gweinidog, E. Bush, yn awyddus i'w dwyn at ei gilydd a darparu ymhellach ar eu cyfer. Treuliodd beth amser yn Sunderland gyda'r Parch. H. Garcia yn y 'Congregational Institute Church', a dymuniad Bush oedd sefydlu eglwys debyg yng Nghaerffili.[35]

Ffurfiwyd pwyllgor, a'r bwriad oedd trefnu ar gyfer yr agweddau addysgol, yn cynnwys llyfrgell a chylch llyfryddol; agweddau cymdeithasol, yn cynnwys cyngherddau a dosbarth canu; adloniannol, yn cynnwys pob math o gêmau; a'r defosiynol, yn cynnwys dosbarth beiblaidd a 'pleasant evening'. Ymhen tua mis gorffennwyd y trefniadau i agor yr Institiwt mewn cysylltiad â'r eglwys. Agorwyd y lle gan Syr Alfred Thomas, AS, ac ymhlith y siaradwyr oedd Aelod Seneddol arall, sef William Jones, y ddau yn gefnogwyr brwd i'r Diwygiad. Nod yr Institiwt oedd cymhwyso egwyddorion beiblaidd i fywyd yn gyfan, cwrdd ag angenion y corff a'r enaid. Roedd hamddena ac ymarfer corfforol yn bwysig, ond ni ddylid eu hysgaru oddi wrth y pwyslais ar addoli.[36]

Hwb i'r fenter oedd derbyn llythyr oddi wrth J. B. Paton, Nottingham, arloeswr y math hwn o weithgarwch.[37] Cyfunai y pwyslais ar efengylu a diwygio cymdeithasol. Sefydlodd fudiadau i ieuenctid a hyrwyddodd fudiadau cyd-weithredol, ac ef oedd pennaeth yr Institiwt Gynulleidfaol yn Nottingham. Mynegodd Caerdydd ddiddordeb yn y math hwn o waith hefyd, yn arbennig felly yn y 'Young Men's Brigade Service', a ffurfiwyd gan Paton.[38] Yn y cyfarfod i drafod y mater, derbyniwyd llythyr oddi wrth Paton yn egluro ei weledigaeth. Ei awydd oedd gweld cariad achubol Duw ar waith mewn unigolion a chymdeithas. Roedd iachawdwriaeth i'r unigolyn yn nhermau tröedigaeth, ond dylai cariad Duw ymestyn at yr anghenus ymhobman, a dylai'r Eglwys ymgodymu â drygioni cymdeithasol. Pwysleisiai Paton wasanaeth mewn cymdeithas, ond pwysleisiai hefyd le disgyblaeth yn yr Eglwys er mwyn cyflawni hynny. Galwai am gysegru doniau, a'u hymarfer mewn pedwar cylch, y corfforol, y cymdeithasol, yr addysgol a'r crefyddol. Yn ei gylch ei hun yn Nottingham, croesawai ymarfer corfforol, cerddoriaeth a gwaith ambiwlans fel rhan o raglen yr eglwys.

Cytunai William Edwards a Charles Davies fod eisiau gweini i'r anghenus, ond roeddent yn hwyrfrydig i groesawu dim a fyddai'n peryglu lle y cwrdd gweddi a'r dosbarth beiblaidd. Cyflwynwyd y 'Young Men's Brigade Service' 'with hopeful promise into Cardiff.'[39] Dylanwadodd y pwyslais cymdeithasol ar eglwys Wesleaidd Saesneg, Brunswick, Abertawe. Yno rhoddwyd lle, fel mewn mannau eraill, i seiclo, criced a phêl-droed, ac roedd clybiau arian yn y capel hefyd.[40] Roedd Noddfa, Merthyr Tudful, yn barod i fentro ar 'physical culture class.'[41]

Apeliai syniadau Paton at Ellis Edwards, y Bala, oedd yn awyddus i gynorthwyo dychweledigion y Diwygiad. Mewn cynhadledd yn Llandrindod, i drafod cymorth i gredinwyr ifainc, siaradodd Dr Horton ac F. B. Meyer ar y mater. Derbyniwyd llythyr hefyd oddi wrth Ellis Edwards yn awgrymu sefydlu 'Young People's Boys Brigade Service', a oedd, yn ei farn ef, 'a most excellent feature for Wales.'[42] Cyfeiriodd at un o gyn-fyfyrwyr y Coleg a oedd yn genhadwr yn yr India. Pan oedd yn y Bala, arferai gwrdd â'r bechgyn ('Bala boys'), a chawsant fudd o'i arweiniad. Mynegodd Ellis Edwards gydymdeimlad â gwaith J. B. Paton; llawenhâi oherwydd yr ymateb yng Nghaerdydd, gan addo cynnwys llythyr J. B. Paton at bobl Caerdydd yng nghylchgrawn y Coleg.[43]

Cydnabyddai J. B. Paton gyfraniad gwerthfawr yr YMCA. Carai, os yn bosibl o gwbl, i'r 'Young Men's Brigade Servive' fod yn un o adrannau'r YMCA.[44] Yng Nghynhadledd yr YMCA ym Mhontypridd, aeth y Parch. Penry Evans gam ymhellach. Ei awgrym ef oedd cael cydweithio swyddogol rhwng yr eglwysi a'r YMCA.[45] Ni chafwyd ymateb brwdfrydig i'w awgrym. Yn gyffredinol, gochelgar oedd yr eglwysi ynglŷn â datblygiadau fel hyn, a rhai yn beirniadu yn agored. Yng nghyfarfodydd y Bedyddwyr yng Nghastell-nedd, mynegwyd pryder mawr ynglŷn â'r fath ddatblygiadau,[46] a gwrthododd eglwys y Bedyddwyr, Siloam, Brynaman, ymuno â'r mudiad 'Pleasant Sunday Afternoons.'[47] Ond gwelodd un eglwys ym Mhenarth yn dda i ymuno â'r mudiad.[48] Cyfeiriodd Edwin Williams at y 'mania for muscular exercise', a chytunai Keir Hardie â'r farn hon.[49] Ni chredai Thomas Johns, Capel Als, Llanelli, mai ei waith ef oedd darparu 'popular amusement' i'w bobl.[50] Roedd y farn hon yn weddol gyffredinol, fel sy'n amlwg o'r adroddiad o Gynhadledd Llandrindod. Pan gyflwynwyd awgrym am glwb Cristnogol, dywed un gohebydd: 'the discussion that followed revealed the fact that an inveterate prejudice against the Institutional Church prevails in Wales.'[51]

173

Dyngarwyr ymarferol

Wrth sôn am y Diwygiad yn sir Fôn, dywed Richard Matthews i gymdeithasau bychain gael eu ffurfio i ymweld â chartrefi'r tlodion, 'Deuant fel hyn yn ddyngarwyr ymarferol'.[52] Nid oedd y dyngarwyr yn brin mewn rhannau eraill o Gymru chwaith. Pan ddaeth cynrychiolwyr pum eglwys at ei gilydd yn Nhrecynon, Aberdâr, ffurfiwyd hwy yn gwmni tebyg i'r Ymdrech Gristnogol. Trefnwyd cyfarfod yn y gwahanol gapeli, cynnal cwrdd gweddi o leiaf unwaith yr wythnos, a mynd am dro gyda'i gilydd yn achlysurol. Rhannwyd yr ardal yn un adran ar ddeg, ac arweinydd ymhob adran. Cynhalient gyfarfodydd mewn gwahanol fannau, a dal gafael ar bob cyfle i gwrdd ag anghenion materol y bobl. Dywedir i'r tlawd elwa yn fawr yn ystod gaeaf 1904–5.[53]

Yn Aberdâr yr oedd David Matthews hefyd pan ddaeth i brofiad o dröedigaeth. Cyfeiria yntau at waith plant y Diwygiad yn yr ardal honno. Ymwelai'r tystion â phob math o gartrefi. Gweddïent yn y cartrefi ac yn y tai llety:[54]

> As these young people knelt on dirty, dusty floors, surrounded by banana skins, orange peelings, cigarette butts, newspaper scraps, hardened toast-rinds and egg shells, praying for these callous wanderers, the unkempt room seemed to be filled with the glory of God.

Wrth ymweld byddent yn rhoi arian i brynu dillad i'r plant a bwyd i'r newynog. Awgryma David Matthews i rai gymryd mantais o'r caredigrwydd, ond, yn eu brwdfrydedd, ni wnaeth yr ymwelwyr sylw o hyn. Casglu wrth orymdeithio ar hyd y strydoedd a wnaeth credinwyr y Rhos, a phrynu dillad ac esgidiau i'r rhai mewn angen: 'Great social work is in progress here, clothing and shoes are distributed to the needy.'[55] Dilladwyd hen ŵr ym Mhontycymer gan garedigion ei gapel, ac yno hefyd y gwnaed casgliad o ddeg swllt yn yr ysgol Sul i dalu dirwy teulu oherwydd i'w plentyn gadw draw o'r ysgol.[56] Yn un o'i adroddiadau i'r *British Weekly* cyfeiriodd Elfed at ugain o blant yn cael eu dilladu, a'u galluogi i fynd i'r capel, a hynny am y tro cyntaf i amryw ohonynt.[57]

Roedd yr anghenion yn llawer mwy amrywiol mewn trefi cosmopolitaidd fel Merthyr a Chaerdydd. Cytunodd gwragedd Merthyr i sefydlu 'Rescue Home for Fallen Women'.[58] Dwysaodd y Diwygiad deimladau dyngarol arweinwyr ac aelodau eglwysig Caerdydd. Ar y blaen, ymhlith yr arweinwyr, oedd Charles Davies, gweinidog y Tabernacl (Bedyddwyr), William Edwards a Sarah Ann, ei wraig ac Edward Thomas (Cochfarf). Pan oedd angen ariannol i hybu mudiadau dyngarol, roedd y ddau frawd Richard a John Cory, ac eraill, yn gymorth parod. Daeth Mrs Edwards fwy i'r amlwg yn ystod y Diwygiad. Trefnai'r gwragedd i ymweld â chartrefi, ac i wahodd y bobl ar y stryd i ddod i'r oedfaon. Ynghyd â'i gŵr, ac eraill, gweithiai Mrs Edwards yn ddiflino yn y gymdeithas. Roeddent ynghanol y 'rescue work' yn y dref, a oedd yn ôl un gohebydd, yn brif nodwedd y Diwygiad yng Nghaerdydd. [59] Gwnaeth Mrs Edwards apêl am gymorth i'r anghenus, ac mewn ymateb derbyniwyd rhodd o bum punt, dwy sach o datws, sach o bys a bwydydd eraill. [60]

Ar yr ail ddydd Iau yn Chwefror 1905, rhannwyd wyth galwyn ar hugain o 'soup' yn y Tabernacl. Derbyniai'r gweithwyr eu jwgiau yno, a mynd o gwmpas i rannu'r 'soup'. Sylweddolwyd fod angen arbennig ymhlith y plant, a ffurfiwyd y 'Pea Soup Association', ac ymhen ychydig dros wythnos rhoddwyd 'soup' i gannoedd o blant, bob dydd.[61] Gofid i blant y Diwygiad oedd gweld merched yn ennill eu harian ar y strydoedd, amryw ohonynt yn buteiniaid. Daeth rhai ohonynt i'r cyfarfodydd yn y Tabernacl, ond y broblem oedd cael lle addas iddynt fyw. O blith amryw a fu yn y cyfarfodydd ddiwedd 1904 a dechrau 1905, llwyddwyd i drefnu lle i chwech yn unig.[62]

Aelod yn y Tabernacl oedd Cochfarf hefyd, un arall o'r dyngarwyr brwdfrydig, a gŵr a ddarllenai ei Feibl bob dydd. Llawenychai yn fawr 'pan yn gweled Magdaleniaid y dref yn taflu eu hunain wrth draed y Gwaredwr.'[63] Ef oedd y cyntaf i eistedd ar Gyngor Caerdydd fel cenedlaetholwr Cymraeg; bu'n Faer y ddinas ac yn aelod o lu o gymdeithasau dyngarol, gwleidyddol ac addysgol. Roedd yn Gymro brwdfrydig, ond 'Teimlai fod gwasanaeth i gyd-ddyn yn bwysicach na iaith a statws yr unigolyn.'[64] Edmygid ef yn fawr gan bobl o wahanol farnau.

Cerddai amryw o ddynion hefyd ar hyd y strydoedd, heb le i roi eu pennau i lawr. Ymdrechwyd i gwrdd â'u gofynion hwythau. Pan ddychwelwyd un mab afradlon mewn cyfarfod yn y Tabernacl, digon salw oedd ei wedd allanol, er bod ei ysbryd wedi'i harddu â gras. Cafwyd dillad iddo, sef un o siwtiau y Prifathro William Edwards. Nid y capel yn unig oedd yn hafan i'r digartref. Am gyfnod neilltuwyd ystafell yng Ngoleg y Bedyddwyr iddynt, lle y gallent gysgu am ychydig nosweithiau.[65] Ceisiodd rhai o'r diwygwyr gael cartref sefydlog ar eu cyfer, ond methiant a fu'r ymdrech. Pan ddanfonwyd trigain o lythyrau i wahanol gapeli i holi am eu hymateb, dim ond deg ateb a gafwyd. [66] Gwnaeth y Symudiad Ymosodol waith mawr cyn 1904, ond cafodd gyfleoedd newydd yn ystod y Diwygiad. Roedd sôn hefyd am gael 'Rescue Home', a dylanwad y Diwygiad a sylweddolodd y freuddwyd. Pan adawodd pymtheg o ferched eu ffordd o fyw ar y stryd, ar ôl bod mewn cyfarfod yn y Tabernacl, dim ond llety i ddwy a gafwyd, a hynny yn Hostel Byddin yr Iachawdwriaeth. Sbardunwyd y merched i waith o dan arweiniad Mrs Tydvil E. Thomas. Llwyddwyd i gael cartref, a'i agor 30 Tachwedd 1905, lle i 'friendless girls and fallen women.' [67] Agwedd arall ar y crwsâd purdeb oedd gwaith y 'Cardiff Citizens Union'. Nid yw'n syndod mai William Edwards oedd y Llywydd a John Thomas, o'r Symudiad Ymosodol yn Ysgrifennydd. Gwaith y Pwyllgor oedd gofalu bod y Deddfau Trwyddedu yn cael eu gweinyddu'n iawn; diwygio deddfau lle credent bod angen gwneud hynny; diogelu'r Sul, a chyflwyno gwybodaeth i'r Swyddfa Gartref pan oedd galw am hynny. [68] Aeth un o weithwyr y Symudiad Ymosodol yn Abertawe i weithio yng Nghartref y Morwyr yno. Llwyddodd i ddod â chriw dwy long i un o'r cyfarfodydd. Ymhlith mynychwyr y cyfarfodydd roedd amryw heb waith, a threfnwyd gyda chyflogwr lleol i'w cynorthwyo. [69]

Mae'n amlwg fod plant y Diwygiad yn sensitif i anghenion pobl yr ymylon. Medrai amryw o'r credinwyr gyfathrebu â'r sipsiwn a'r cardotwyr. Ymwelai Gweithwyr Cristnogol Casllwchwr â'r sipsiwn yn Kingsbridge. Cawsant anhawster ar y dechrau i ddal eu sylw, ond llwyddwyd i gynnal cyfarfod, ac ar y diwedd gwnaed casgliad iddynt. [70] Enillodd D. S. Jones, Pen-y-bont ar Ogwr barch y cylch a gwrthwynebiad rhai o fewn yr eglwys, oherwydd ei waith gyda'r cardotwyr. Arferai gyfarfod â'r rhai oedd yn cerdded rhwng Caerdydd ac Abertawe, a'u gwahodd i'r festri. Un dydd Gwener, yn gynnar ym Mawrth 1905, trefnwyd brecwast i un ar hugain o bobl; cynhaliwyd cyfarfod a rhannwyd arian yn ôl yr angen. Weithiau, byddai nifer y brecwastwyr mor uchel a deugain. [71]

Roedd hwn yn ddylanwad iachusol. Trowyd yr eglwysi oddi wrthynt hwy eu hunain at eraill y tu allan. Da o beth oedd chwalu'r ysbryd mewnblyg a fedrai feddiannu'r eglwysi. Ysbrydolwyd unigolion, eglwysi a mudiadau gan y Diwygiad i ymateb i anghenion cymdeithasol.

Ystadegau

Mae'n werth nodi rhai ystadegau ynglŷn â'r Diwygiad, ond hawliant ofal mawr wrth eu trafod. Cyfeiria R. Tudur Jones at obsesiwn cyfnod y Diwygiad gyda rhif[72], ac un rheswm am hyn oedd proffwydoliaeth Evan Roberts am gan mil o ddychweledigion. Mae hyn yn wir, yn sicr, ond ni ddylid anghofio fod rhifo'r dychweledigion wedi digwydd yn 1839 a 1859, a hefyd, dechreuwyd teimlo dylanwad Moody erbyn 1904. Ni all ystadegau asesu natur cwrdd gweddi, chwyldro tröedigaeth a sêl genhadol. Ond gallant fod yn fynegbyst sy'n cyfeirio at rai agweddau ar y Diwygiad.

Mae llu o broblemau ynglŷn ag ystadegau'r Diwygiad. Mae'n anodd deall y cysylltiad rhwng 'dychweledigion', ac 'aelodau'. Er enghraifft, medrai rhai oedd yn aelodau mewn enw yn unig, ond eto'n aelodau, broffesu tröedigaeth. Ni olygai hynny ddim newid yn rhif yr aelodaeth. Ni ellir dweud chwaith, faint o bobl a fyddai'n cyffesu profiad ysbrydol fwy nag unwaith. Roedd yn bosibl cyffesu angen ysbrydol, ac i'r un person gyffesu eto, oherwydd iddo ddod i sicrwydd ffydd. Mewn ambell ardal roedd mynd a dod yn drysu'r ystadegau. Cyfeirir at saith cant o ddychweledigion yng Nghaerdydd, ac mae'n hysbys i gant ohonynt ymaelodu yn y Tabernacl (Bedyddwyr).[73] Ond beth a ddigwyddodd i'r chwe chant? Gwasgarwyd hwy ar draws y gwahanol enwadau, yn cynnwys grwpiau sy'n anodd cyfrif amdanynt, ac nid oes sicrwydd fod pob un wedi ymaelodu mewn eglwys. Ymhlith y dychweledigion roedd amryw o wledydd eraill, rhai wedi dod i'r Diwygiad yn benodol, rhai yn gweithio dros dro yn y ddinas, ac eraill am dymor hir. Ar ddechrau'r ugeinfed ganrif roedd rhif yr ymfudwyr o Gaerdydd yn weddol uchel hefyd a digwyddodd cynnydd yn ystod y degawd cyntaf.

Un o'r anawsterau mwyaf ynglŷn â'r ystadegau yw'r termau 'aelodau', 'cymunwyr' a 'gwrandawyr'.[74] Y Methodistiaid Calfinaidd yn unig sy'n rhoi rhestrau cyson am y 'gwrandawyr'. Mae'n amhosibl cael y ffigurau am 'wrandawyr' yn yr enwadau eraill. I gael darlun gweddol lawn o'r sefyllfa dylid cael y manylion hyn am yr enwadau i gyd. Mae'n bosibl hefyd fod ymhlith y gwrandawyr, ddychweledigion na ddaeth yn aelodau eglwysig. Gellid colli ystadegau ynglŷn â dychweledigion. Rhydd R. Tudur Jones fanylion am yr Annibynwyr. Bu cynnydd yn rhif y dychweledigion trwy'r Diwygiad, yn 1904 yn 11,443, yn gwneud cyfanswm o 12,688. Yna yn 1905 y cynnydd trwy'r Diwygiad oedd 17,726, ond cynnydd yr aelodaeth oedd 9,013, ac felly roedd 8,713 heb gyfrif amdanynt.[75] Agwedd arall sy'n hawlio sylw yw'r amrywiaeth rhwng cylchoedd a rhwng enwadau. Gellir cymharu ystadegau'r Bedyddwyr yn siroedd Caernarfon a Morgannwg:

Bedyddwyr Caernarfon		Bedyddwyr Morgannwg	
1905	3,543	1906 (rhif uchaf) 65,637	
1914	3,102	1914	55,561

O gymharu dau enwad o fewn yr un sir, gwelir gwahaniaeth eto:

Bedyddwyr Morgannwg		Methodistiaid C. Morgannwg	
1906	65,637	1905	44,162
1914	55,561	1914	44,678

Dyma ffigurau y gwahanol enwadau am rai blynyddoedd:[76]

	Bedyddwyr	Methodistiaid	Ann.	Wesleaid	Cyfanswm
1903	116,310	165,218	148,780	35,486	465,794
1904	140,445	173, 310	162,270	36,000	512,023
1905	143,385	189,164	175,313	40,811	549,123
1910	130,319	184,558	169,314	43,940	528,131
1913	127,226	183,64	168,814	43,590	523,277

O gymharu 1905/6 a 1913, gwelir gostyngiad ymhob un o'r enwadau, ar wahân i'r Wesleaid. Wrth gymharu cyfanswm yr enwadau a'r amrywiaeth oddi mewn iddynt, mae'n amlwg i'r colli mwyaf ddigwydd yn yr ardaloedd diwydiannol fel Morgannwg a Gwent.

Bu holi ynglŷn â'r gwrthgilio gerbron y Comisiwn Brenhinol yn 1911. Cydnabyddodd un tyst fod llai o golli yn Llŷn ac Eifionydd nag yn rhannau diwydiannol y De. Haerodd hefyd 'that the majority of the converts of the Revival have gone back.' Ni fedrai John Thomas, Merthyr, dderbyn y fath osodiad, a dyfynnodd ffigurau o Soar, Merthyr. Derbyniwyd dros gant o aelodau yn ystod y Diwygiad, a thua dau ddeg a phump a wrthgiliodd, hynny yw, tua chwarter y dychweledigion. Yna, ychwanegodd John Thomas: 'They are still with us, with the exception of three or four whom we have lost altogether, and that proportion, I think, is general.'[77] Dyna a ddywedodd yn 1908. Roedd y gwrthgilwyr y pryd hwnnw wedi peidio cymuno, ond yn dal yn yr eglwys, a chredai John Thomas fod y patrwm hwn yn gyffredinol.

Un o'r problemau mawr mewn cylch diwydiannol oedd meddwdod. Dychwelwyd amryw o feddwon yn ystod y Diwygiad, ac ni lwyddodd yr eglwysi bob amser i ddelio â'r rhai a broffesodd dröedigaeth. Dyma dystiolaeth Dr Morris, Treorci:

'Because we had so many brought in who were habitual drunkards, and that was the temptation, and, being tempted and enticed, they went back. Drink has been the cause of the majority by far of the cases.'[78]

Awgrymodd Edward Thomas (Cochfarf) mai dyma un o'r rhesymau dros y gwrthgilio yng Nghaerdydd hefyd. Cymhlethwyd y sefyllfa yn aml gan nifer y meddwon a'r rhai oedd wedi yfed yn drwm.[79] Mewn cyfarfod ym Mhontycymer, daeth nifer dda o feddwon i'r cyfarfod, ond yn gwmni iddynt oedd eu cŵn.[80] Roedd yn ddigon anodd delio â'r dychweledigion pan nad oedd meddwon a chŵn yn bresennol, ond pan ddigwyddodd hynny, fel ym Mhontycymer, roedd yn dasg amhosibl.

Ystyriaeth arall yw'r gwahaniaeth yn arolygu bywyd yr eglwysi. Arferai rhai eglwysi gadw enwau ar y rhestr aelodaeth pa un a oedd yr aelodau yn mynychu ai peidio. Arferai eraill chwynnu yn achlysurol, neu yn gyson, tra byddai rhai, yn dileu enwau aelodau oedd heb gyfrannu am gyfnod arbennig. Gwnaeth capel Noddfa, Treorci, gadw cofnodion am y cyfnod:[81]

Adfer	19
'Exclude'	21
Gollwng trwy lythyr	40
Marw	13
Dileu	20

Collwyd nifer dda o gapel Noddfa. Y ffigwr sy'n syndod yw 'Gollwng trwy lythyr 40'. Ni wyddys i ba le yr aeth y rhain. Gallent fynd i fannau eraill yn y Rhondda, Cymru, gweddill Prydain neu dros y môr. Byddai'n dda cael eglurhad ar 'Excluded' a 'Dileu', yn arbennig y gwahaniaeth rhyngddynt. Ond dengys yr ystadegau ofal bugeiliol manwl, awydd i sicrhau ansawdd ysbrydol yr aelodau yn hytrach na chynnydd mewn rhif.

Yng ngoleuni yr hyn a drafodwyd, gellir amau rhai o osodiadau John Davies ynglŷn â'r Diwygiad.[82] Mae dau ohonynt sydd ynghlwm wrth ei gilydd. Hawlia i dri chwarter y pedwar ugain o ddychweledigion wrthgilio erbyn 1912, hynny yw, chwe deg mil. Ond sut y gellir gwybod beth a ddigwyddodd i'r chwe deg mil yn ystod cyfnod o tua saith mlynedd? Beth bynnag, cynhwysai ffigwr 1912, lawer o bobl nad oedd yn ddychweledigion y Diwygiad. Ychwanega'r hanesydd fod y gostwng yn union o flaen Rhyfel 1918, yn 'bur gyflym'. Roedd gwahaniaeth amlwg rhwng y ffigurau uchaf yn 1905/6 a ffigurau 1912. Nid yw hynny mor wir o gymharu ffigurau y blynyddoedd yn union o flaen rhyfel 1914. Bu cynnydd bychan ymhlith y Wesleaid; roedd mwy o Fethodistiaid Calfinaidd yn 1912 nag oedd yn 1909; dim ond pum cant yn llai oedd rhif yr Annibynwyr yn 1913 o gymharu â 1910, ond bu gostwng amlwg ymhlith y Bedyddwyr.

Yn syth ar ôl 1905, digwyddodd gostyngiad amlwg. Weithiau, cyfeirir at Ddiwygiad 1859, ac awgrymu fod llai o lithro'n ôl y pryd hwnnw. Ond nid oedd y cyfnod hwnnw heb ei broblemau. Gellir nodi ystadegau y Methodistiaid Calfinaidd am gyfnod o flynyddoedd:

1855	60,455
1860	97,865
1865	90,772
1870	92,735[83]

A chofier i'r Diwygiad fod yn rymus iawn ymysg y Methodistiaid Calfinaidd.

Beth am yr Anglicaniaid? Mae anhawster ynglŷn â'u hystadegau hwy hefyd, oherwydd yr hyn a geir yw rhif y cymunwyr ar Sul y Pasg. Dyma enghreifftiau am rai blynyddoedd:[84]

1905	134,234
1906/7	135,234
1907/8	138,782
1908/9	144,411
1909	146,407
1912	155,191

Digwyddodd cynnydd sylweddol am gyfnod a dim ond yn 1912 yr adroddir am ostyngiad sylweddol. Mae'n sicr mai rhif y dychweledigion oedd un rheswm dros y cynnydd. Ond mae'r un mor sicr fod rhesymau eraill hefyd.

1. *Adroddiad Undeb yr Annibynwyr, Canol Rhondda*, 1948, 35-6.
2. R. Tudur Jones, *Ffydd ac Argyfwng Cenedl*, cyf. 2, 217.
3. 'Converts at Work', *South Wales Daily News*, 24 Mai 1905, 6; Brynmor Pierce Jones (1985), *Sowing Beside All Waters*, 235.
4. Ibid., 'Pontypool Converts Activity', 3 Gorffennaf 1905, 6.
5. *Siloa Aberdâr, Llawlyfr y Canmlwyddiant, 1843-1943*, 16.
6. *The Christian Herald*, 9 Chwefror 1905, 125.
7. 'Activities of the Churches', *SWDN*, 5 Ebrill 1905, 6; 'Progress at Penmachno', *The North Wales Guardian*, 31 Mawrth 1905.
8. *Seren Cymru*, 23 Tachwedd 1906.
9. 'Revival Harvest', *SWDN*, 1, 22 Ebrill 1905, 6; 22 Ebrill 1905, 6.
10. Llyfr Cofnodion Hebron Dowlais, 1899-1952.
11. 'Revival Harvest', *SWDN*, 1, 22 Ebrill 1905.
12. T. W. Chance, *The Life of Principal Edwards* (Cardiff, 1934), 86; *The Christian Herald*, 12 Ionawr, *SWDN*, 6 Chwefror 1905.
13. 'Care for Converts', *The British Weekly*, 22 Rhagfyr 1904, 308.
14. 'Calvinistic Methodism', *SWDN*, 3 Awst 1905, 7.
15. Adroddiad yn *Y Drysorfa*, Hydref 1906.
16. 'Increased Sales of Bibles in Wales, *North Wales Guardian*, 20 Ionawr 1905.
17. 'Y Diwygiad yn Cross Hands', *Y Goleuad*, 17 Tachwedd 1905, 11.
18. Royal Commission on the Church of England, and other Religious Bodies, cyf. 11, llyfr 1, 10197-8, 10202.
19. NLW 22856D
20. 'Ebenezer, Aberdâr', *Y Tyst*, 29 Mawrth 1905, 10.
21. *Y Diwygiad a'r Diwygwyr*, 199.
22. *Llawlyfr Eglwys y Tabernacl*, Caerdydd, 1906.
23. Royal Commission on the Church of England, V1, 'Appendicies.' Sefydlwyd cangen yn ystod y diwygiad mewn cylch cwbl Gymraeg fel Borth-y-gest, Porthmadog, 'Borthygest', *Y Goleuad*, 11 Hydref 1905, 7. Am waith y Mudiad yng Ngwent: Brynmor Pierce Jones, *Sowing Beside All Waters*, 244-9.
25. Llyfr Cofnodion Hebron, Dowlais.
26. 'Revival Harvest', *SWDN,* 22 Ebrill 1905, 6.
27. Ibid., 27 Ebrill 1905, 6.
28. 'Deepening Spiritual Life', *The Aberdare Leader,* 31 Rhagfyr 1904, 5.
29. R. Tudur Jones, *Ffydd ac Argyfwng Cenedl*, cyf.2, 146.
30. 'The Spiritual Life', *The Evening Express,* 3 Mehefin 1905, 3.
31. Am barhad y traddodiad: B. P. Jones, *The King's Champions*, (1968), 82-6, 162-3.
32. 'Progress at Penmachno', *The North Wales Guardian*, 31 Mawrth 1905.
33. *Seren Gomer*, Mawrth 1905; cyfieithiad: *Voices from the Welsh Revival*, 222-3.
34. Ibid.

35. 'Caerphilly', *SWDN*, 6 Chwefror 1905, 6; 'The Welsh Revival', *The Christian World*, 9 Chwefror 1905. Am yr achos yng Nghaerffili: Tawelfryn, E. Bush, eds. *Pebyll Seion* (Cardiff, 1904), 108-10; John Williamson, ed. History of Congregationalism in Cardiff and District (Cardiff, 1920), 79-80.
36. 'Church and Recreation', *The Evening Express*, 25 Mawrth 1905, 4.
37. Am John Brown Paton: R. Tudur Jones, *History of Congregationalism in England* (London, 1962).
38. 'Conference at Cardiff', *The Evening Express*, 25 Mawrth 1905, 4.
39. 'Young Men's Brigade Service', *SWDN*, 20 Ebrill 1905, 6.
40. *The Glamorgan Historian*, cyf. 6, 257.
41. *Royal Commission on the Church of England*, V1, 'Appendicies'.
42. 'How to retain converts', *SWDN*, 22 Mai 1905, 6.
43. Ibid.
44. *SWDN*, 22 Ebrill 1905, 6.
45. 'YMCA Conference', *SWDN*, 26 Mai 1905, 6.
46. 'Thanksgiving Day at Neath', *SWDN*, 14 Mehefin.
47. Marian Henry Jones, *Hanes Siloam, Brynaman* (Gomer, 1972), 50. Cyfeiria Ian M. Randall at ymateb Mudiad Keswick: 'instinctively dismissive', 'Spiritual Renewal and Social Reform: Attempts to Develop Social Awareness in the early Keswick Movement', *Evangelical Quarterly*, 1983, *Vox Evangelica*, cyf. 23, 1993.
48. 'Llandrindod Convention', *The Christian World*, 1 Mehefin 1905, 5.
49. R. Buick Knox, *Voices from the past* (1969), 132.
50. Gwilym Rees, *Cofiant y Parch. Thomas Johns, D. D.* (Llanelli, 1929), 124.
51. 'Llandrindod Convention', *The Christian World*, 1 Mehefin 1905, 5.
52. Hugh Owen, gol. *Braslun o Hanes M. C. Mon,* (1880-1935).
53. 'Trecynon Christian Workers', *SWDN*, 26 Mehefin 1905, 6.
54. David Matthews, *I Saw the Welsh Revival* (Chicago, 1951), 49.
55. 'Rhos and District', *The North Wales Guardian*, 11 Chwefror 1905.
56. 'Ad-drem ar y Diwygiad', *Y Tyst*, 27 Rhagfyr 1905, 5.
57. 'The Revival Rekindled', 2 Tachwedd 1905, 92. Gofalu am y tlawd a'r hen ym Môn: R. Tudur Jones, *Ffydd ac Argyfwng Cenedl*, cyf. 2, 220.
58. Turner, 'Revivals and Popular Religion in Victorian and Edwardian times', 380.
59. 'In Slumdom', *The Evening Express,* 9 Ionawr 1905, 3.
60. 'Cardiff Converts', *The Evening Express,* 11 Chwefror 1905, 2.
61. Ibid., 2, 3
62. Ibid., 9 Chwefror 1905, 3; T. W. Chance, *The Life of Principal Edwards*, 73; 'Mrs Edwards', *Y Gymraes*, Awst 1909.
63. J. Gwynfor Jones, 'Edward Thomas (Cochfarf): Dinesydd, Dyngarwr a Gwladgarwr', *TCHB*, 1987.
64. Ibid.
65. 'In Slumdom', *The Evening Express*, 9 January 1905, 3; enghreifftiau eraill gan Brynmor P. Jones, *Voices,* 237-8.
66. 'Suggested Rescue Home for Cardiff', *The Evening Express* 10 Mai 1905, 6.
67. Howell Williams, *The Romance of the Forward Movement* (Darlith Davies, 1946), 160-1.

68. T. W. Chance, *The Life of Principal Edwards*, 75-6.
69. 'Two whole crews brought to Christ', *The Christian Herald*, 12 Ebrill 1906, 344. Am gefndir yr achos yn Abertawe: *The Romance of the Forward Movement*, 118-9.
70. Brynmor P. Jones, *Voices*, 101-2; D. M. Phillips, *Evan Roberts* (Cymraeg), 284.
71. 'Bridgend', *The British Weekly*, 9 Mawrth 1905, 571; R. B. Jones, *Rent Heavens*, 72; 'Y Diweddar D. S. Jones', *Seren Cymru*, 9 Rhagfyr 1966, 6.
72. R. Tudur Jones, *Ffydd ac Argyfwng Cenedl*, cyf. 2, 215.
73. *Llawlyfr Eglwys y Tabernacl*, 1906.
74. *Royal Commission on the Church of England*, cyf.1, rhan 1, 136-40, R. Tudur Jones yn trafod agweddau ar ystadegau hen sir Forgannwg: 'Glamorgan Christianity in 1905–6', *Glamorgan County History*, cyf. 6.
75. R. Tudur Jones, *Ffydd ac Argyfwng Cenedl*, cyf. 2, 215-6.
76. John Williams, *Digest of Welsh Historical Studies*, 11 (Caerdydd, Pontypool, 1985), 249, a.y. Am ddatblygiadau diweddarach, Ropert Pope, *Building Jerusalem*, 116.
77. *Royal Commission on the Church of England*, 1911, cyf. 1V, llyfr 111.
78. Ibid., cyf 11, llyfr 1, 8990.
79. Ibid., cyf.1V, llyfr 111, 45705.
80. Pontycymer: Noel Gibbard, *Caniadau'r Diwygiad*, 73.
81. *Royal Commission on the Church of England*, 1911, cyf. 11, llyfr 1, 8994-6.
82. *Hanes Cymru* (Penguin, 1990), 487.
83. 'Calvinistic Methodism', *SWDN*, 3 Awst 1905, 6; *Royal Commissio*, 1911, cyf. 1V, llyfr 111, 45546.
84. John Williams, *Digest*, 257.

11
Dirwest, Gwleidyddiaeth ac Addysg

Noel Gibbard

Treiddiodd dylanwad y Diwygiad i'r gymdeithas yn gyffredinol. Mae'n sicr i'r siopau elwa, oherwydd ceir llu o enghreifftiau o dalu hen ddyledion. Derbyniodd un siopwr gerllaw Maesteg fochyn fel tâl am ddyledion a oedd yn ddyledus er 1898, a dyna oedd dull un o'r dychweledigion yn y Rhos o dalu ei ddyled hefyd.[1] Crewyd gwell ysbryd rhwng yr Undebwyr a'r di-Undebwyr, fel yng ngwaith tun Grovesend, a gerllaw yng Ngorseinon canwyd yr hwter am hanner nos i alw'r gweithwyr i gwrdd gweddi.[2] Arwydd o'r newid yng ngwaith glo Cwmaman oedd y llu adnodau a ysgrifennwyd ar y tramiau a'r drysau. Enghreifftiau oedd Salm 2:10: 'Gan hynny yr awr hon, frenhinoedd, byddwch synhwyrol: barnwyr y ddaear, cymerwch ddysg,' ac Eseia 55:6: 'Ceisiwch yr Arglwydd tra y gellir ei gael ef; gelwch arno tra fyddo yn agos.'[3] Cyffrowyd glowyr y Maerdy, Rhondda Fach, i gyfrannu tair ceiniog a dimai yn y bunt er mwyn codi institiwt ac ystafell ddarllen.[4] Setlwyd sawl cweryl ym Methesda, Arfon, yn arbennig felly ymhlith y menywod, er bod y pentref yn dal o dan gysgod y streic.[5]

Gorfodwyd ambell dîm pêl-droed i roi'r gorau iddi, ond anodd yw gwybod pa mor gyffredin oedd hyn. Gwnaeth tîm pêl-droed Brynaman losgi'r bêl, a llosgodd un o chwareuwyr Cilfynydd ei ddillad chwarae.[6] Tuedd rhai o'r adroddiadau oedd cyffredinoli yn ormodol, a rhoi'r argraff mai bodau prin oedd chwareuwyr a chefnogwyr pêl-droed. Mewn cyfeiriad at ddeg o ardaloedd yn y De, ni effeithiwyd ar dimau pump ohonynt o gwbl; collwyd ambell dîm o'r ardaloedd eraill, ond fe gollwyd chwareuwyr unigol amlwg oherwydd y Diwygiad. [7]

Dirwest

'Nid oes dim dau am boblogrwydd Dirwest rhwng 1890 a 1916'.[8] Sôn oedd R. Tudur Jones yn benodol am yr Annibynwyr, ond gellid cynnwys yr enwadau eraill hefyd yn y gosodiad. Cadarnhawyd achos

184

llwyrymwrthod, er bod rhai yn dal i ddadlau mai cymedrolder oedd y llwybr gorau. Ofnai rhai fod mater dirwest yn cael gormod o sylw a hynny ar draul materion eraill. Ond, yn sicr, rhoddodd y Diwygiad hwb i achos Dirwest.

Rhoddwyd sylw i'r meddwon yng nghyfarfodydd y Diwygiad, fel yn y Rhos, lle trefnwyd cyfarfodydd arbennig iddynt.[9] Un peth a hawliai sylw o fewn y capeli oedd gwin y cymundeb. Pan ddychwelwyd meddwon, a rhai oedd yn or-hoff o alcohol, credodd amryw o gapeli y dylid defnyddio gwin anfeddwol yn y cymundeb. Credent y byddai arogl alcohol yn demtasiwn i rai fynd yn ôl at y ddiod gadarn. Ychydig flynyddoedd cyn y Diwygiad, gwrthododd Tabernacl, Caerdydd, ddefnyddio gwin anfeddwol. Un bore Sul yn Ionawr 1905, cynigiodd Alfred Thomas, AS, y dylid newid, ac ni chafwyd gwrthwynebiad o gwbl.[10] A'r Sul cyntaf yn 1905, yn Hebron, Dowlais (Bedyddwyr) 'defnyddiwyd gwin anfeddwol gan yr eglwys hon ar y Cymundeb Gyntaf.'[11]

Ffurfiwyd Pwyllgor Dirwest y Bedyddwyr yng Ngwent yn 1901, a rhoddodd sylw i ddychweledigion 1904-5. Ffurfiwyd rheolau:[12]

1. All converts are to sign the pledge—I will abstain from all intoxicating liquors
2. Every church must once and for all put away fermented wine

Dyna oedd pwyslais Gipsy Smith hefyd, a threfnai i rai arwyddo Dirwest ar ddiwedd y cyfarfod. Gwnaeth hynny, er enghraifft ym Mhontypridd.[13] Draw yn y Gorllewin, penderfynodd eglwys y Tabernacl, Llanelli, beidio â derbyn tafarnwr na thafarnwraig yn aelodau. Roedd y cytundeb yn unfrydol.[14] Dyna oedd penderfyniad Annibynwyr De Caernarfon hefyd yn eu Cynhadledd yn 1905.[15] Cytunodd Sasiwn y Methodistiaid yn y Gogledd i ofyn i bob swyddog fod yn llwyrymwrthodwr.[16]

Mynegwyd gwrthwynebiad, cyn 1904, i'r arfer o gynnal cyfarfodydd y gwahanol gymdeithasau cyfeillgar mewn tafarndai. Cryfhawyd y gwrthwynebiad hwn yn ystod y Diwygiad. Yn y Rhos, amcangyfrifwyd fod tua 5,000 yn perthyn i wahanol gymdeithasau cyfeillgar. Cytunodd Pwyllgor y Diwygiad annog y cymdeithasau i gwrdd mewn ysgoldai, 'ac y maent yn gweithio yn egniol er mwyn trefnu Clwb Claf a Tontine mewn perthynas â phob capel.'[17] Teimlai'r ddau Annibynnwr, J. W. Price a Wern Williams, yn gryf ynglŷn â'r mater. Ar eu cais, llythyrwyd eglwysi Annibynol Gogledd Morgannwg yn gofyn iddynt ddylanwadu ar y Cymdeithasau Cyfeillgar, yr Undebau Llafur a Chrwneriaid, i gynnal eu cyfarfodydd mewn ysgoldai neu neuaddau.[18] Dyna a wnaeth Bedyddwyr Cwm

Rhondda hefyd, a danfonodd Eglwysi Rhyddion Treorci gylchlythyr i'r eglwysi, a derbyniwyd ef yn gadarnhaol gan bob eglwys.[19]

Roedd amryw o fewn y diwydiant glo oedd yn awyddus i symud cyfarfodydd y glowyr o leoedd trwyddedig. Dyna ddigwyddodd yng Nghwm Rhondda. Pan aeth Mabon yno ddiwedd Ebrill 1905, llawenydd mawr iddo oedd cyfarfod â'r glowyr yn yr YMCA.[20] Credai Mabon ei hun, mai'r un oedd yr ysbryd y tu ôl i'r Diwygiad a'r ymgais i wella cymdeithas. Egwyddorion crefyddol oedd sylfaen y Diwygiad, a'r frwydr i ennill cyfiawnder cymdeithasol, a chymeradwywyd ef gan y cyfarfod am ddweud hynny. Cydymdeimlai'r glowyr â Mabon. Cytunodd glowyr cylch Abertawe yn unfrydol i symud eu cyfarfodydd o'r tafarndai.[21] Gwnaeth hyd yn oed un o bapurau Newcastle dynnu sylw at y newid, ac yn ôl un gohebydd roedd 'symudiad cyffredinol' o'r tafarnau i fannau eraill.[22]

Sefydlwyd Undeb Dirwestol y Merched yn y Gogledd a'r De cyn 1904. Croesawai'r arweinwyr y Diwygiad. Yn y De, roedd Cranogwen, Mrs E. Williams a'i merch, Mrs Thomas, Pen-y-wern Stores, Dowlais, Mrs J. B. Evans, Dowlais (hi, a'i gŵr a groesawodd Evan Roberts i Ddowlais), Tydvil Thomas, Rosina Davies a Kate Llewellyn Williams, yr unawdydd, yn flaenllaw gyda dirwest a'r Diwygiad.[23] Croesawu'r ddau fudiad a wnaeth Byddin yr Iachawdwriaeth hefyd. Cydweithiai'r enwadau hanesyddol â hwy yng Nghaerdydd, tra roedd Mother Shepherd ar ben ei digon pan dorrodd y wawr yn Aberdâr.[24] Teimlwyd y dylanwad ar Gyngor Dinesig Ffestiniog. Pan ofynnwyd i'r tafarnwyr gau eu tai awr ynghynt nag arfer, dim ond dau a wrthododd wneud hynny.[25]

Yn ôl R. Tudur Jones, 'Bu'r Diwygiad yn ergyd drom i feddwdod,' a cheir tysiolaeth ganddo i gadarnhau ei osodiad.[26] Cyfeiriwyd yn gyson yn yr adroddiadau fod tafarndai yn cau, ac nid oes amheuaeth ynglŷn â'r dylanwad, Er enghraifft, mewn un ardal lle'r oedd dwy ar hugain o dafarndai, ni wnaethpwyd digon o elw i dalu am y nwy.[27] Ond anodd yw bod yn bendant ynglŷn â'r ystadegau. Rhydd Turner yr ystadegau hyn am Forgannwg a Chaerdydd:[28]

Prosecuted for Drunkeness:

Glamorgan		Cardiff	
1903	10,881	1892	1,134
1905	8,442	1897	1,161
		1905	244

Ond dylid cofio bod meddwdod yn gostwng yng Nghaerdydd cyn 1904, ond fe wnaeth y Diwygiad gadarnhau'r duedd hon. Rhydd Vyrnwy Morgan ffigurau am 1903 a 1905, ychydig bach yn wahanol, ac ychwanega rai am 1906—5,490, a 1907—5,615. Digwyddodd gostyngiad o ddau deg a dau yn rhif y 'Beer and ale houses' yng Nghaerdydd rhwng 1903 a 1909. [29] Yn ôl un o bapurau Lloegr, roedd y tafarnau yn araf ad-ennill eu cwsmeriaid erbyn diwedd Ebrill 1905.[30] Mae'r un ansicrwydd ynglŷn ag achosion eraill. Er bod un awdur yn amau'r cyfeiriadau at y 'menyg gwynion' yng Nghymru,[31] ceir cyfeiriadau atynt, yn arbennig yn y papurau lleol. Cyflwynwyd y 'menyg gwynion' i Faer Caerdydd a Maer Casnewydd. Ond nid oes sôn yn adroddiad Casnewydd am y Diwygiad. Cydnabyddodd Syr Marchant Williams a'r Barnwr Gwilym Williams fod eu gwaith yn llawer ysgafnach oherwydd y Diwygiad. [32] Bu peth cynnydd, er hynny, mewn rhai troseddau. Er hynny, deil rhai awduron i wneud gosodiadau sy'n amhosibl eu cyfiawnhau. Yn ôl Gwynne Ll. Williams: 'Crime was completely eradicated from several localities and many social evils disappeared overnight.'[33] Braidd yn gryf, a dweud y lleiaf, yw 'completely eradicated.' Dywed Selwyn Hughes: 'In the Welsh Valleys throughout 1904 crime figures dropped and for months many magistrates found that they had no cases to consider. They were presented with white gloves, a symbol of the "clean" communities.'[34] Ni cheir dim tystiolaeth gan yr awdur i brofi ei bwynt.

Gwleidyddiaeth ac addysg

Mae'n bosibl manylu ar ambell gylch a ddylanwadwyd gan y cyffro ysbrydol. Er bod arweinwyr sosialaidd yn dod i'r amlwg cyn 1904, daliai'r gweinidogion anghydffurfiol eu gafael ar gyfartaledd uchel o'r boblogaeth. Rhyddfrydwyr oedd y rhan fwyaf o'r gweinidogion ymneilltuol. Gallent hwy ddangos eu hochr, apelio at yr aelodau seneddol, a'u cefnogi gyda materion arbennig. Yn nhref Caerfyrddin bu cryn anghydweld ynglŷn â mabwysiadu ymgeisydd seneddol. Cadeiriwyd un cyfarfod gan y Parch. W. W. Lewis, y gŵr a fu ym merw'r Diwygiad o'r cychwyn cyntaf.[35] Roedd eraill o weinidogion tref Caerfyrddin yn Rhyddfrydwyr hefyd. Yn Llanelli, Rhyddfrydwyr cadarn oedd Thomas Johns, Capel Als, a W. D. Rowlands, Trinity. Ymhlith y Rhyddfrydwyr amlwg yng Nghaerdydd oedd y Prifathro William Edwards, y Parch. Charles Davies a'r Parch. H. M. Hughes, Ebeneser. Yn y Barri, Ben Evans, gweinidog yr Annibynwyr, oedd cadeirydd Cyngor y Dref.

Llwyddodd rhai gweinidogion i arwain mewn cylchoedd diwydiannol. Nid oedd gan bob un ohonynt afael sicr ar achosion y newidiadau cymdeithasol. Roeddent, er hynny, yn un â'u pobl ar lefel bersonol. Ond roedd rhai yn sicr, yn wŷr cyhoeddus ac yn arweinwyr cymdeithasol. Wrth gyfeirio at Annibynwyr fel R. S. Williams, Dowlais, John Thomas, Merthyr a Silyn Evans, Aberdâr, dywed D. J. Roberts: 'Yr oedd y dynion hyn, ac eraill, yn arweinwyr cymdeithasol yn ogystal a chrefyddol mewn ardal ddiwydiannol, eang.'[36] Ym marn Silyn Evans, treiddiodd dylanwad y Diwygiad i Gyllideb 1909: 'a direct outcome of the great spiritual revival of 1904-5.'[37] Dywed cofiannydd John Thomas, os oedd eisiau gweld y tân Cymreig yng ngweinidog Soar 'y lle tebycaf am hynny fuasai y llwyfan gwleidyddol.'[38] Er hynny, fe welodd gweinidogion Merthyr yn dda gefnogi Henry Ratcliffe yn 1906, yn hytrach na Keir Hardie.[39] Medrai y gweinidogion ddylanwadu'n effeithiol ar eu pobl ac ar yr ymgeiswyr seneddol.

Gwyddai aelodau'r eglwysi bod ennill clust yr aelodau seneddol yn hanfodol er mwyn hyrwyddo achosion dirwest, addysg a chadwraeth y Sul. Pan ychwanegwyd at reolau Cymdeithas Ddirwest y Bedyddwyr yng Ngwent, yn ystod y Diwygiad, y pumed erthygl oedd: 'Candidates for Parliament should be sounded out about their attitudes to such things as Constitutional and Liberal Clubs and also to Sunday opening.'[40]

Torrodd y Diwygiad allan ynghanol helbul Deddf Addysg 1902. Gellid anghofio amdani tra yn y cyfarfod diwygiadol, ond dim ond dros dro oedd hynny; roedd yn rhaid delio â'r Ddeddf hefyd. Gwnaethpwyd hynny gan selogion y Diwygiad mewn sawl lle. Mynegodd Hugh Hughes (Wesle) barodrwydd i fynd i garchar yn erbyn y Ddeddf Addysg, a chredai bod y Diwygiad yn nerthu'r Anghydffurfwyr yn y frwydr.[41] Ymhlith y gwrthwynebwyr a ddioddefodd dipyn yng Nghaerfyrddin oedd Ungoed Thomas a W. W. Lewis. Gwrthwynebasant i'r eithaf a gwerthwyd peth o'u heiddo o'r herwydd.[42] Yng Nghaerdydd, safodd William Edwards, Charles Davies, H. M Hughes a Richard Cory yn gadarn yn erbyn y Ddeddf, a chymryd rhan flaenllaw yng nghyfarfodydd y protestwyr. William Edwards agorodd un cyfarfod trwy weddi; siaradodd H. M Hughes a Richard Cory, a William Edwards a gyflwynodd y penderfyniad ar ddiwedd y cyfarfod. Byrdwn y penderfyniad oedd annog yr Anghydffurfwyr i beidio ag ildio yn y frwydr. Trefnwyd protest ar yr Hayes hefyd, cyn mynd i gynnal cyfarfod yn ysgoldy'r Tabernacl, lle y gweinidogaethai Charles Davies.[43] Un o gyfarfodydd mawr y brotest oedd y gynhadledd a gynhaliwyd yng Nghaerdydd, a Lloyd George yn brif siaradwr. Ymhlith y cefnogwyr brwd oedd William Edwards, Alfred Thomas, Edward Thomas, o Gaerdydd, a'r Parch John Thomas, Merthyr. [44] Olrheiniodd un awdur hynt y Ddeddf Addysg yn sir Feirionnydd. Yn y gwrthryfel yn y sir honno, trefnodd yr Anghydffurfwyr symud eu plant o'r ysgolion Cenedlaethol. Cyfeiria at bum man lle y digwyddodd hynny erbyn Hydref 1905. Problem fawr oedd cael lle i ddysgu'r plant. Roedd adeiladau ar gael, sef y capeli a'u festrïoedd, ond nid oeddent yn adeiladau addas mewn gwirionedd. Roedd rhai ohonynt yn fach ac yn dywyll, a rhaid oedd dyfeisio ffyrdd i drefnu'r adeilad, a gwneud trefniadau ar gyfer tai bach. Ond ni ellid ildio. Cafodd y gwrthryfelwyr gefnogaeth cyfarfod o Aelodau Seneddol a chynrychiolwyr yr Eglwysi Rhyddion, a gynhaliwyd yn yr Amwythig. I'r gwrthryfelwyr ym Meirionnydd a'r siaradwyr yn yr Amwythig, roedd y ddau fudiad, y Diwygiad a'r frwydr yn erbyn y Ddeddf Addysg, ynghlwm wrth ei gilydd. [45]

Protestiodd y cynadleddau enwadol yn gryf yn erbyn y Ddeddf, fel y gwnaeth Annibynwyr Morgannwg yn eu cyfarfodydd, a Chymdeithasfa y Methodistiaid Calfinaidd yn Llanfair-ym-Muallt. Rhoddwyd cryn sylw i broblem addysg, ac amryw o achosion cymdeithasol, yn y cylchgronau enwadol. Er enghraifft, dyma'r teitlau i 'Hynodion y Mis' yn *Y Diwygiwr*, Ionawr 1905, 'Adfywiad Crefyddol', 'Allan o Waith', 'Dwyrain Bell'. 'Roberts Burns', a 'Watcyn Wyn,' ac yn Hydref y tri theitl oedd 'Cyngres Llafur', 'Gwallgofrwydd a'r Ddiod Feddwol' ac 'Allan o Waith.' Digon tebyg oedd cynnwys *Seren Gomer* hefyd, a theimlai'r Methodistiaid Calfinaidd yn gryf ynglŷn â mater addysg. [46]

Un agwedd ar y gwrthdystio oedd y casgliadau a wnaethpwyd at yr 'Education Act Campaign.' Cytunwyd i wneud y casgliad yn y cyfarfod yn yr Amwythig, y cyfeiriwyd ato uchod. Casglodd Noddfa, Treorci, £23-9-9 at yr achos, a phwysleisiwyd nad hwy yn unig a wnaeth hyn: 'No, hundreds besides; it was a general collection throughout Wales.' [47] Ymunodd eglwysi Dowlais yn y frwydr, a chytuno i gyfrannu, a Hebron, er enghraifft, yn cyfrannu yn ôl punt y cant o'r aelodau. [48] Llawenydd mawr i Gymdeithasfa y Methodistiaid Calfinaidd yn St Andrew's, Doc Penfro, 10-12 Hydref 1905, oedd y nifer da o eglwysi a gasglodd i wrthwynebu Deddf 1902. [49]

Ymunodd arweinwyr y Diwygiad yn y cynadleddau a drefnwyd i wrthwynebu'r Ddeddf. Siaradodd F. B. Meyer yn y Gynhadledd yn

Aberystwyth;[50] roedd T. Mardy Rees ac Elfed ymhlith y siaradwyr yng Nghynhadledd y Rhyl a chafwyd ysbrydoliaeth amlwg yng Nghynhadledd y Bala. Dywed Kenneth O. Morgan am y Bala: 'A great conference at Bala, 2 May, strongly coloured by the evangelical fervour that followed the religious revival then sweeping throughout Wales, urged nonconformist parents to withdraw their children from Church Schools.'[51] Mynegwyd y brwdfrydedd efengylaidd yn yr areithiau, ac emynau'r Diwygiad a ganwyd rhwng yr areithiau:

> The influence of the Revival was clearly apparent: Lloyd George referred to the Revival as a 'great factor in the present crisis' and the Rev. Herbert Roberts, in a rallying cry, hoped that 'the spirit of the Revival would infuse their efforts and give direction, purpose, power and inspiration to everyone on this battlefield.'[52]

Yn ôl Kenneth O. Morgan: 'It required a sophisticated audience indeed to distinguish between the nonconformist minister as revivalist and as sectarian politician.'[53] Ac wrth drafod addysg dywed Evan Phillips: 'Y mae cydwybod Cymru yn llosgi yn ddisgleiriach dan ddylanwad yr Ymweliad hwn.'[54]

Mae barn Kenneth Morgan yn dra gwahanol i agwedd T. M. Bassett. Yn ei gyfeiriadau byr at y Diwygiad, yn ei gyfrol ar hanes y Bedyddwyr, dyma a ddywed: 'Fel y tawelodd helyntion y Ddeddf Addysg torrodd Diwygiad 1904-5 allan.' [55] Awgryma hefyd i'r eglwysi anghofio materion fel addysg yn ystod y Diwygiad, a dychwelyd i'w trafod ar ôl i'r Diwygiad dawelu. Mewn ymateb gellir dweud, yn gyntaf, na dawelodd helyntion y Ddeddf Addysg yn ystod 1904–5. Enghreifftiau o 1904-5 a roddir uchod. Mae'n amlwg, hefyd, fod y diwygwyr yn ddigon selog yn eu gwrthwynebiad i'r Ddeddf yn ystod y cyfnod hwnnw.

Sosialaeth

Tasg tra gwahanol oedd wynebu her Sosialaeth. Dyma her i'r eglwysi yn gyffredinol. Ar y cyfan, gwrthwynebu a wnaeth yr eglwysi, ond roedd lleiafrif yn croesawu'r ddysgeidiaeth, a oedd, yn eu tyb hwy, yn cynnwys egwyddorion Cristnogol. Cymhlethwyd y berthynas gan yr amrywiaeth barn yn ymateb y Sosialwyr i'r capeli. Ymhlith y Sosialwyr, gwrthodai rhai Gristnogaeth yn gyfan gwbl, ac roedd eraill yn hawlio mai beirniadu'r Eglwys yr oeddynt. Hawlia Cyril E. Gwyther nad oedd gwrthdaro athrawiaethol. Dyma a ddywed wrth drafod y Blaid

Lafur: 'Their [glowyr] complaint against the Chapels was not on doctrinal grounds or any sudden phase of unbelief.' Ond yn y paragraff nesaf mae'n trafod dylanwad R. J. Campbell: 'Unfortunately, the New Theology movement only enjoyed a temporary existence; R. J. Campbell becoming a Church of England clergyman.'[56] Gwrthwynebu athrawiaeth uniongred yr Eglwys a wnaeth Campbell, a dyna oedd amryw o'r sosialwyr yn ei wneud. Dengys 'unfortunately' mai dyna oedd agwedd Cyril Gwyther hefyd. Dylanwadodd ei gefndir Cristnogol-diwygiadol ar A. J. Cook, ond gwelodd yn dda gerdded y llwybr sosialaidd. Ceisiodd eraill gyfuno Sosialaeth a Christnogaeth, arweinwyr fel Keir Hardie a James Griffiths.[57]

Dadleuai William Edwards, Caerdydd, na ddylai'r eglwysi anwybyddu her Sosialaeth. Efallai mai un rheswm dros y cynnydd oedd esgeulustod yr eglwysi. Llawenydd mawr i'r Prifathro oedd y gwaith cymdeithasol a ddigwyddai yn enw'r Eglwys, ond roedd llawer mwy o waith i'w wneud. Da o beth oedd rhoi cawl i'r anghenus, ond dylid ymdrechu hefyd i ddileu'r slymiau yn y dref. Ond credai fod Sosialaeth yn cyfeiliorni: 'It confuses cold, stiff, ecclesiasticism with the Gospel of Christ, and the denial of Labour's legitimate aspirations with the creed of Christianity.'[58] Roedd y pwyslais hwn ar gymdeithas yn unol â holl waith y Prifathro o gychwyn ei weinidogaeth.

Edrychid ar John Thomas, Merthyr, fel cyfaill y dosbarth gweithiol, ond ni chredai mai Sosialaeth, na'r 'Labour church' oedd yr ateb i'w anghenion. Gellir cyfiawnhau ei feirniadaeth o'r 'Labour Church': 'Y Labour Movement dan enw crefyddol yw hi.' Gosodwyd pynciau cymdeithasol a gwleidyddol yn y canol, ac anghofiwyd priod waith yr Eglwys. Ond ar y llaw arall, rhaid cytuno â'i gofiannydd i John Thomas 'mewn rhai o'u ffurfiau cymdeithasol golli golwg arnynt.'[59] Un peth oedd gweld gwendidau'r 'Labour Church', peth arall oedd cael llwybr perthnasol i weithio yn y dref ddiwydiannol. Nid oedd pledio ffyddlondeb yr Anghydffurfwyr Rhyddfrydol i Gymru yn ddigon i ennill y gweithwyr. Mae'n siwr fod eisiau pwyll hefyd. Roedd yn iawn beirniadu Sosialaeth, ond nid y ffordd orau o wneud hynny oedd dweud, fel y gwnaeth Cynog Williams, fod y sosialydd yn poeri yn ŵyneb Iesu Grist.[60]

Credai'r eglwysi, yn weddol gyffredinol, fod Sosialaeth yn pwysleisio'r materol ar draul yr ysbrydol. Nid dyma oedd y ffordd i sefydlu teyrnas nefoedd. Tuedd y Sosialwyr oedd gwneud Iesu Grist yn debyg i sosialydd. Nid oedd ei angen fel achubwr, ond fe ellid derbyn ei egwyddorion sylfaenol. Dyma ddyfarniad Roger Pope: 'Despite its apparently sincere claims to be faithful to Christ's teaching, in fact the labour movement sought reinterpretation of religion according to its own theories and ideals.'[61] Cydnebydd R. Tudur Jones fod cyfiawnhad dros lawer o'r beirniadu; 'Ond y gwir amdani oedd fod y tu mewn i'r mudiad Sosialaidd athroniaeth a oedd yn feirniadol nid yn unig o'r polisïau a goleddwyd gan y capeli ers blynyddoedd ond o'r Efengyl y sefydlwyd yr eglwysi arni.'[62]

Ymateb

Gwnaeth arweinwyr y Diwygiad ymateb mewn ffyrdd amrywiol i'r datblygiadau cymdeithasol a gwleidyddol, a gellid dadlau fod hyn yn adlewyrchu ymateb yr eglwysi hefyd. Mae'n bosibl dosbarthu'r arweinwyr i o leiaf dri dosbarth. Yn gyntaf, gwŷr fel Cynddylan Jones, Joseph Jenkins, John Thickens, Gomer Lewis a Silyn Evans. Pleidleisiai Cynddylan [63] i'r Blaid Lafur, ac roedd Joseph Jenkins a John Thickens, ei nai, yn aelodau cynnar o'r ILP.[64] Siaradai Gomer Lewis i gefnogi John Williams (ILP), a etholwyd yn aelod dros Abertawe yn 1906.[65] Cydymdeimlai Silyn Evans yn fawr â'r Blaid Lafur.

Yn ail, mae grŵp o ddynion a ddylanwadwyd gan y Diwygiad, ond a dorrodd gŵys tra gwahanol i'r rhan fwyaf o'r arweinwyr. Yn eu plith roedd James Nicholas, Gwili a J. H. Howard. Ymunai James Nicholas â'r cwmni yng Nghwm Rhondda i weddïo am ddiwygiad, ond datblygodd bwyslais cymdeithasol cryf. Er bod Gwili yn un o arloeswyr rhyddfrydiaeth ddiwinyddol, arhosodd dylanwad y Diwygiad ar ei ysbryd defosiynol.[66] Cafodd J. H. Howard brofiadau mawr yn y Diwygiad, a chynorthwyodd John Phillips i gyfieithu llyfr John MacNeil, *The Spirit-filled Life*, i'r Gymraeg. Pwysleisiai bwysigrwydd tröedigaeth grefyddol, ond, yn wleidyddol, trodd oddi wrth Ryddfrydiaeth at yr ILP. Ond mae'n iawn cofio mai yn Abertawe, yng nghyfnod y Diwygiad, y deffrowyd ei gydwybod gymdeithasol, a'i datblygu yng Nghwmafan.[67]

Yn drydydd dosbarth mae selogion yr *Efengylydd* a chefnogwyr Keswick. Yn eu plith roedd y Bedyddwyr R. B. Jones a T. R. Williams; y Methodist Calfinaidd, Nantlais; yr Eglwyswr, Talbot Rice; D. P. Williams, yr Eglwys Apostolaidd, a William Herbert, y Brodyr Plymouth.[68] Gwaith yr Eglwys yn ôl y rhain oedd cadarnhau'r Eglwys yn 'ysbrydol' heb ymyrryd mewn 'politics'. Credent mai nid eu lle hwy oedd condemnio Rhyfel 1914-18, ac yn ddiweddarach, methodd

rhai eglwysi efengylaidd â gweini i'r anghenus yn ystod Streic 1926.
Dadleuai'r Brodyr na ddylid hyd yn oed bleidleisio mewn etholiadau.
Gellid dadlau fod pedwerydd dosbarth, sef y rhai o bob un o'r
grwpiau uchod a hyrwyddodd y diwylliant Cymraeg, crefyddol. I'r
dosbarth hwn y perthyn Silyn Evans, James Nicholas, Elfed a Nantlais.
Y Diwygiad oedd y dylanwad trymaf ar Nantlais, ar ei fywyd a'i waith.
Ac mae'n dda cofio mai ar gyngor R. B. Jones yr ailgydiodd Nantlais
yn ei waith creadigol. Roedd y rhain yn un yn eu cariad at y diwylliant
Cymraeg, er yn gwahaniaethu ar faterion diwinyddol a chymdeithasol.
Ond roedd ambell un, fel Keri Evans, a fyddai'n gwerthfawrogi y
gwahanol draddodiadau, tra'n dal yn gadarn yn ei ffydd efengylaidd.
Nid oedd, yn ddiwinyddol, yn fodernydd nac yn ffwndamentalydd.

Mae'n dda cofio hefyd am weithgarwch diwylliannol cyfnod y
Diwygiad. Bu'n rhaid gohirio sawl cyngerdd ac eisteddfod oherwydd y
Diwygiad; eto i gyd, dylid bod yn ofalus rhag cyffredinoli.[69] Digwyddodd
mwy o ohirio yn ystod cyfnod cynnar y cyffro nag yn ystod y cyfnod
diweddarach, er bod eisteddfodau Gŵyl Ddewi 1905 yn y Gogledd wedi
eu canslo.[70] Tra gwahanol oedd yr hanes yng Nghwmaman, lle y
gohiriwyd cwrdd diwygiadol er mwyn cynnal Eisteddfod Nadolig 1904.[71]
Eithriad oedd hyn, efallai, ond mae'n rhybudd i beidio gwneud
gosodiadau ysgubol. Cynhaliwyd gweithgareddau diwylliannol yn ystod
cyfnod y Diwygiad mewn sawl man yng Nghymru a Llundain.
Cynhaliodd aelodau King's Cross, Llundain, eu Heisteddfod yn 1905, a
darlithiai Elfed ar emynwyr Cymru yn ystod cyfnod y Diwygiad.[72] Yn
aml iawn, unawdwyr y Diwygiad oedd yr unawdwyr yn y cyngherddau,
yn cynnwys Arthur ac Emlyn Davies, David Ellis a May John. Roedd
cerddorion fel W. T. Samuel a J. H. Roberts yn amlwg hefyd yng
nghyfarfodydd y cyfnod. [73] A bywhawyd y cyfarfodydd dirwest o dan
ddylanwad y Diwygiad. Medrai'r Mudiad Dirwest ddiogelu'r patrwm
traddodiadol, sef anerchiadau, eitemau a chystadlaethau, ond yn 1904-5
ychwanegwyd emynau ac unawdau'r Diwygiad. Unwyd y neges
ddirwestol â neges y Diwygiad, fel yr oedd y naill yn hybu'r llall. Ar yr
ail ddiwrnod o Ionawr 1905, roedd E. Keri Evans yn un o'r beirniaid
mewn cyfarfod cystadleuol yn y prynhawn, ac ef oedd y siaradwr yng
nghyfarfod yr hwyr.[74]

Mae'n bosibl gwisgo sawl sbectol i sylwi ar y datblygiadau
cymdeithasol a gwleidyddol. Wrth drafod gwleidyddiaeth cyfnod y
Diwygiad, dywed Kenneth O. Morgan: 'Nevertheless, it would be
superficial to ignore the profound political effect of the resurgence of

nonconformity at this decisive moment.' Efallai fod 'profound' yn rhy gryf, ac yn fwy gofalus dywed R. Tudur Jones: 'Ac mae lle i gredu fod y diddordeb cymdeithasol wedi ei gryfhau yn hytrach na'i wanychu gan y Diwygiad.'[75] Mae'r asesiad hwn yn agosach i'w le na'r hyn a ddywed E. T. Davies. Hawlia yntau, fel T. M. Bassett, mai ar ôl y Diwygiad y siaradodd y gweinidogion yn blaen am faterion cymdeithasol: 'The revival itself did nothing to effect this development.'[76] Mae hwn yn osodiad rhy ysgubol, oherwydd mae'r dystiolaeth sydd ar gael yn gwrthddweud hyn.

1. 'The Welsh Revival', *The Leeds Daily News*, 5 Ionawr 1905, 3; Brynmor P. Jones, *Voices from the Welsh Revival*, 218-19.
2. *Voices*, 217-8.
3. 'Texts on Pit Doors and Trams', *The Christian Herald*, 12 Ionawr 1905, 38.
4. Turner, 'Revivals in Victorian and Edwardian Times', 380; W. T. Stead, *The Revival in the West* (Llundain, d.d.), 37.
5. *Y Diwygiad a'r Diwygwyr*, 167
6. 'The Welsh Revival', *The Christian Endeavour Times*, 8 Rhagfyr 1904, 163.
7. 'Revival and Football' *The Evening Express*, 24 Rhagfyr 1904, 2.
8. R.Tudur Jones, *Yr Undeb* (Abertawe, 1975), 166.
9. Brynmor P. Jones, *Voices*, 203-4; Noel Gibbard, *Caniadau'r Diwygiad* (Gwasg Bryntirion, 2003), 72.
10. *The North Wales Guardian*, 20 Ionawr 1905; R. Tudur Jones, *Ffydd ac Argyfwng Cenedl*, cyf. 2, 275 (nodyn 159).
11. Llyfr Cofnodion Hebron, Dowlais, 1899-1952, '1905, Y Sabboth Cyntaf y flwyddyn hon defnyddiwyd gwin anfeddwol gan yr eglwys hon ar y Cymundeb Gyntaf.'
12. Brynmor Pierce Jones, *Sowing Beside All Waters*, 302.
13. David Lazell, *Gypsy From the Forest* (Bryntirion, 1997), 124.
14. 'Y Tabernacl, Llanelli', *Y Tyst*, 4 Hydref 1905, 5.
15. Ibid. 'Y Newyddiadur', 26 Ebrill 1905.
16. Cofnodion Sasiwn y Gogledd, *Y Drysorfa*, Awst 1905.
17. *Y Diwygiad Crefyddol yn Rhos*, 26; Brynmor P. Jones, *Voices*, 114.
18. 'Friendly Societies and the Churches', *The Evening Express*, 21 Ebrill 1905, 6
19. 'The Revival in Wales', *The Christian Endeavour Times,* 27 Ebrill 1905, 501; 'The Welsh Revival', *The British Weekly,* 2 Chwefror 1905, 448.
20. 'The Revival and Labour', *The Evening Express*, 2 Mai 1905, 6.
21. 'Swansea', *The British Weekly,* 2 Chwefror 19905, 448; 'Y Diwygiad a'r Tafarndai', *Y Celt*, 6 Ionawr 1905, 1.
22. 'Churches and Chapels', *The Newcastle Weekly Chronicle*, 4 Chwefror 1905, 7.
23. Manylion am y swyddogion: D. G. Jones, *Cofiant Cranogwen* (Caernarfon, d.d.), 155, 147, 141.
24. David Matthews, *I Saw the Welsh Revival*, 47-8.
25. Ernest Jones, *Senedd Stiniog* (1974), 33.
26. R. Tudur Jones, *Ffydd ac Argyfwng Cenedl*, cyf. 2, 218, a noder ei gyfeiriad at 'buteinio', 219.
27. 'A Bishop's View', *The North Wales Guardian*, 10 Mawrth 1905.
28. Turner, 'Revivals in Victorian and Edwardian Times', 358; Adrian P. Hulse, 'The

Welsh Revival of 1904–1905: Its significance As a Chapter in Welsh History'
(Traethawd estynedig Prifysgol Reading, copi personol), 31.
29. Adrian P. Hulse, 'The Welsh Revival', 33.
30. Yn ôl adroddiad yn *The Newcastle Chronicle*, 29 Ebrill 1905.
31. Adrian P. Hulse, 34.
32. Notes from South Wales', *The London Welshman*, 29 Ebrill 1905, 3; 'White gloves
for the Mayor of Newport', *SWDN*, 9 Mawrth 1905; 'Tribute to the Revival', *The
North Wales Guardian*, 10 Mawrth 1905.
33. 'The 1904 Revival Revisited', *Reformation Today*, 1982.
34. *Why Revival Waits* (Selwyn Hughes, 2003), 23.
35. 'Cyfarfod rhyddfrydol', The Welshman, 24 Chwefror 1904.
36. Cofiant Peter Price (Abertawe, 1970), 81.
37. Turner, 'Revivals in Victorian and Edwardian Times', 388.
38. D. Silyn Evans, *Y Parch. John Thomas* (Merthyr Tydfil, 1913), 68.
39. Turner, 'Revival in Victorian and Edwardian Times', 406.
40. *Sowing Beside All Waters*, 302.
41. 'Y Diwygiad', *Yr Udgorn*, 7 Rhagfyr 1904.
42. 'Carmarthen Borough Police Court', *The Welshman*, 6 Tachwedd 1903; ibid. 14
Ebrill 1905
43. 'Passive Resistance', *SWDN*, 13 Mai 1905, 6; ibid. 'Demonstration last night', 9
Medi 1905, 6.
44. 'Cynhadledd Fawr Addysg Sir Forgannwg', *Y Tyst*, 28 Mehefin 1905, 6-7.
45. 'The Battle For Free Education In Meirioneth in the Early Twentieth Century',
Cylchgrawn Cymdeithas Sir Feirionnydd, X1V, 2002.; Turner, 'Revivals in
Victorian and Edwardian Times', 393. M. C. Llanfair yn Muallt', *Y Drysorfa*,
Mehefin 1905.
47. Report of the *Royal Commission on the Church of England*, 1911, cyfrol 2, llyfr 1,
9073, a.y.
48. Llyfr Cofnodion Hebron, Dowlais, Hydref 3, 04.
49. 'Cymdeithasfa St Andrew's, Pembroke Dock', *Y Drysorfa*, Ionawr 1906.
50. Turner, 'Revivals in Victorian and Edwardian Times', 384.
51. Kenneth O. Morgan, *Wales in British Politics*, 195.
52. *Cylchgrawn Cymdeithas Sir Feirionnydd*, X1V.
53. *Wales in British Politics*, 218.
54. 'Yr Adfywiad', *Y Drysorfa*, Mawrth 1905; a barn Elfed, 'After Twelve Months',
The British Weekly, 23 Tachwedd 1905, 196.
55. *Bedyddwyr Cymru* (Abertawe, 1977), 362.
56. Cyril E. Gwyther, 'Sidelights on Religion and Politics in the Rhondda Valley,
1906-26', *Llafur*, 3, 1980.
57. Robert Pope, *Building Jerusalem*, 95, 102, 105.
58. William Edwards, *The Old Evangel and the New Times* (1906), adran V1, copi yn
LLGC, Man Restrau 25.
59. *Y Parch. John Thomas*, 72.
60. Turner, 'Revivals in Victorian and Edwardian Times', 406.
61. Robert Pope, *Building Jerusalem*, 82.
62. R. Tudur Jones, *Hanes Annibynwyr Cymru* (Abertawe, 1966), 275.
63. Turner, 'Revival in Victorian and Edwardian Times', 401.
64. *Deg o Enwogion*, 26.
65. T. Morgan, *Dr Gomer Lewis* (Caerfyrddin, 1911), 71.
66. E. Cefni Jones, *Gwili* (Llandysul, 1937), 151-4; Robert Pope, *Building Jerusalem*,
40-2.
67. J. H. Howard, *Winding Lanes*, 100-7, 116-9.
68. Cyfeiriadau atynt yng nghorff y llyfr.
69. R. Tudur Jones, *Ffydd ac Argyfwng Cenedl,* cyf. 2, 220.

70. Manylion yn y *Musical Herald*, Ebrill 1905; R. Tudur Jones, *Ffydd ac Argyfwng Cenedl*, cyf. 2, 220.
71. Anthony Davies, *Berw Bywyd*, 19.
72. *Y Tabernaclydd*, Ebrill 1906.
73. Noel Gibbard, *Caniadau'r Diwygiad*, 62.
74. 'Pontyberem', *Y Tyst*, 11 Ionawr 1905, 7.
75. Kenneth O. Morgan, Wales in British Politics, 217; R. Tudur Jones, *Ffydd ac Argyfwng Cenedl*, cyf, 2, 221, ac ychwanega nodyn rhybuddiol: 'Prin y gellir rhoi llawer o goel ar yr ystadegau a gyhoeddwyd yn gyson gan y *Western Mail'*, 215. Mae'r ystadegau yn anghyflawn, fel y dywed D. M. Phillips, *Evan Roberts*, 328.
76. E. T. Davies, *Religion in the Industrial Revolution in South Wales*, 172.
77. R. Tudur Jones, *Ffydd ac Argyfwng Cenedl*, cyf. 2, 215.
78. *Llawlyfr Eglwys y Tabernacl*, 1906.
79. *Royal Commission on the Church of England*, cyf. 1, rhan 1, 136-40. R. Tudur Jones yn trafod agweddau ar ystadegau hen sir Forgannwg: 'Glamorgan Christianity in 1905–6', *Glamorgan County History*, cyf. 6.
80. R. Tudur Jones, *Ffydd ac Argyfwng Cenedl*, cyf. 2, 215-6.
81. John Williams, *Digest of Welsh Historical Studies*, 11 (Cerdydd, Pontypool, 1985), 249, a.y. Am ddatblygiadau diweddarach, Robert Pope, *Building Jerusalem*, 116.
82. *Royal Commission on the Church of England*, 1911, cyf.1V, llyfr 111.
83. Ibid. cyf. 11, llyfr 1, 8990.
84. Ibid. cyf. 1V, llyfr 111, 45705.
85. Pontycymer: Noel Gibbard, *Caniadau'r Diwygiad*, 73.
86. *Royal Commission on the Church of England, 1911*, cyf. 11, llyfr 1, 8994-6.
87. *Hanes Cymru* (Penguin, 1990), 487.
88. 'Calvinistic Methodism', *SWDN*, 3 Awst 1905, 6; *Royal Commission*, 1911, cyf. 1V, llyfr 111, 45546
89. John Williams, *Digest*, 257.

12
Pentecostaliaeth a'r Neuaddau

Edmund Owen

Cafodd Diwygiad 1904–05 effaith ddigamsyniol ar Bentecostaliaeth ym Mhrydain, ond nid hawdd yw egluro natur yr effaith honno na mesur ei maint. Yn sicr, doedd y Diwygiad ei hun ddim yn Bentecostalaidd yn ystyr gydnabyddedig y gair ymhlith Pentecostaliaid.[1] Iddynt hwy mae bedydd yr Ysbryd Glân yn brofiad sydd ynghlwm wrth siarad mewn tafodau, ynghyd â doniau eraill yr Ysbryd (1 Cor. 12:7–10). Doedd y fath fedydd ddim yn ffenomen yn ystod 1904 a 1905; prin bod sôn am siarad mewn tafodau yn yr adroddiadau a'r llyfrau sy'n disgrifio bwrlwm ysbrydol y blynyddoedd hynny.[2]

Mae'n wir bod Evan Roberts am flynyddoedd cyn 1904 wedi bod yn gweddïo am 'fedydd yr Ysbryd'. Yn Nhachwedd 1903, mewn llythyr at gyfaill, dywed: 'gweddïais ar yr Arglwydd eich bedyddio chwi a minnau â'r Ysbryd Glân'.[3] O'i ran ei hun digon tebyg yr atebwyd y weddi hon yn y profiad o gymundeb rhyfeddol â Duw a gafodd, dros dri mis, ddechrau 1904 yng Nghasllwchwr, ac yn y wasgfa ysbrydol mewn oedfa ym Mlaenannerch, ger Aberteifi, fis Medi yr un flwyddyn. Ond ni ddilynodd dim byd tebyg i lefaru mewn tafodau. Gellid disgrifio'r hyn a brofodd fel paratoad anarferol o eiddo'r Ysbryd sy'n dod i rai o weision Duw cyn eu defnyddio yn gyfryngau bendith anghyffredin.

Ymhellach, er y pwyslais mawr ar waith yr Ysbryd Glân yng ngweinidogaeth Evan Roberts, a'i anogaethau i ufuddhau i'r Ysbryd a pharatoi ar gyfer bedydd yr Ysbryd, cam â'r ffeithiau yw i neb ddarllen i mewn i'r bedydd hwnnw arwyddocâd Pentecostalaidd. Pan ddywed yn un o'i lythyrau, 'y mae *pedwar* yn *sicr* wedi eu bedyddio', ni chysylltir y bedydd hwnnw â siarad mewn tafodau.[4] Pan fu yng Ngholeg y Bala ym Mehefin 1905, gan sôn am lawnder yr Ysbryd, nid oedd cyfeiriad at ddoniau'r Ysbryd. Yn wir, pan ddaeth tafodau yn amlwg yn y mudiad Pentecostalaidd wedi 1904–05, roedd Evan Roberts yn ddrwgdybus ohonynt ac yn gweld eu perygl.[5]

At hyn ni ellir disgrifio'r profiadau ysbrydol, ysgytwol a gafodd llaweroedd yn nwy flynedd y Diwygiad mewn termau Pentecostalaidd: yn hytrach, gweithgarwch pwerus yr Ysbryd mewn argyhoeddiad dwfn o bechod ac mewn tröedigaeth a gafwyd, a'r credinwyr yn derbyn bywhad a ffrwydrai mewn addoli gorfoleddus a diolch mawr am yr efengyl, tebyg i'r hyn gafwyd mewn diwygiadau cyn hynny.

Ar ben hyn rhaid cofio bod Pentecostaliaeth yn bod eisoes cyn 1904, yn yr Unol Daleithiau. Cydnabyddir gan y Pentecostaliaid eu hunain mai'r fendith a ddaeth i ran Charles F. Parham a'i ddisgyblion yn ei Ysgol Feiblaidd yn Topeka, Kansas, yn 1901 fu man cychwyn Pentecostaliaeth. Parham, yn fwy na neb, a roes fynegiant i'r ddysgeidiaeth a ddaeth yn ganolog i ddiwinyddiaeth y rhan fwyaf o eglwysi Pentecostalaidd y byd, sef mai siarad â thafodau yw'r arwydd cyntaf ac angenrheidiol bod dyn wedi ei fedyddio â'r Ysbryd Glân.[6]

Am y rhesymau hyn ni ellir honni—fel y gwnaeth rhai, gan lwytho'r gair 'bedydd' ag ystyron Pentecostalaidd—mai o Ddiwygiad 1904–05 y tarddodd y mudiad Pentecostalaidd a'i eglwysi yn yr ugeinfed ganrif yng Nghymru a Phrydain. Ond dyma'r pwynt pwysig: wedi dweud hyn, yr oedd i'r Diwygiad gyswllt clòs â'r bentecostaliaeth a ddilynodd, a dylanwad sylweddol arni. Yr oedd llawer o arweinwyr y bentecostaliaeth honno yn barod i dystio i hyn.[7]

Mae modd gweld y cysylltiad hwn yn fras mewn dwy ffordd. I ddechrau, cafodd y Diwygiad effaith drom ar rai personau y tu allan i Gymru a ddaeth yn arweinwyr Pentecostalaidd yn union wedi 1905 yn America a Phrydain. Denodd y cynnwrf yng Nghymru ymwelwyr o amryw wledydd i weld beth oedd ar gerdded, ac o ddod gwelsant Dduw ar waith mewn ffordd anarferol a gwefreiddiol, a rhoes hyn iddynt awydd am fendith debyg yn eu hardaloedd eu hunain. Yn ei dro datblygodd hyn yn bentecostaliaeth eglur, yn enwedig yn achos y rhai a drigai mewn hinsawdd lle roedd eisoes hiraeth am ryw fath ar 'ail fendith'.

Ymhlith yr ymwelwyr o'r Unol Daleithiau yr oedd Joseph Smale, a phan ddychwelodd i Los Angeles ym Mai 1905 bu'n gyfrwng dod ag adfywiad i'w eglwys. Mewn eglwys newydd a ffurfiodd yn 1906 cafwyd siarad mewn tafodau. Yna roedd Frank Bartleman, arweinydd arall yn Los Angeles, yn llythyru ag Evan Roberts, a bu darllen llyfr S. B. Shaw, *The Great Revival in Wales* (1905), ac adroddiadau eraill yn ysbrydoliaeth iddo a llawer eraill, yn eu plith William Seymour a ddaeth yn brif arweinydd yr adfywiad Pentecostalaidd yn ei eglwys yn

312 Azusa Street yn 1906 a'r blynyddoedd yn dilyn. Ac adfywiad Azusa Street a fu'n brif sbardun i weithgarwch Pentecostalaidd yn yr Unol Daleithiau ac ar draws y byd.[8] Ym Mhrydain roedd Alexander Boddy, rheithor yn Sunderland, gogledd Lloegr, yn fawr ei ofal am gyflwr ysbrydol ei blwyfolion, ac ymwelodd â Chymru yn ystod y Diwygiad. Cafodd yr ymweliad hwnnw, ac yn neilltuol ei ymweliad â Norwy yn 1907, effaith arno i'w dynnu fwyfwy i'r cyfeiriad Pentecostalaidd. Cafodd ei fedyddio â'r Ysbryd Glân yn ddiweddarach a bu'n weithgar iawn yn y mudiad newydd Pentecostalaidd ym Mhrydain, gan gychwyn ei gylchgrawn misol *Confidence* a chynnull cynhadledd flynyddol adeg y Sulgwyn yn Sunderland a barhaodd o 1908 hyd 1914, ac a gafodd ddylanwad ar lu o Gymry a deithiai yno bob Sulgwyn.

Pentecostaliaid cynnar

Ond ar wahân i effaith y Diwygiad ar arweinwyr Pentecostalaidd y tu allan i Gymru yr oedd i'r Diwygiad gyswllt mwy amlwg ac uniongyrchol â'r fendith bentecostalaidd drwy fod niferoedd o'r dychweledigion yng Nghymru ei hun wedi dod i brofi'r fendith honno rhyw ddwy neu dair blynedd wedi 1905. Y cynharaf a'r amlycaf o'r arweinwyr pentecostalaidd hyn oedd Thomas Madog Jeffreys, gweinidog Annibynnol Eglwys y Tabernacl, Waun-lwyd, ger Glynebwy a glywodd, ef a'i eglwys, am fedydd yr Ysbryd a'r doniau a ddilynai, a hynny yn Nhachwedd 1907. Yn Rhagfyr cafodd ef ac eraill y bedydd hwn.[9] Lledodd y fendith i gylch Dowlais, Aberaman ac Aberdâr ac yn 1908 yn Nhonypandy gwelwyd cychwyn un o'r eglwysi Pentecostalaidd cyntaf yng Nghymru. Ym mis Mai 1908 gwelwyd hysbyseb yn y *Cardiff Echo*: 'Pentecost with signs . . . Six Days' Convention in Sunderland, June 6–11 . . .' a thyrrodd llawer i Sunderland at Alexander Boddy y Sulgwyn hwnnw a'r blynyddoedd yn dilyn.[10] Cynhadledd Sunderland sy'n rhannol esbonio twf y cwmnïoedd bychain Pentecostalaidd a oedd yn brigo yng Nghymru ddiwedd degawd cyntaf yr ugeinfed ganrif, enghraifft o ad-dalu peth o'r fendith a gawsai Boddy yn y Diwygiad.[11] Tyfodd y Bentecostaliaeth gynnar hon yn ddigon cryf i rai o leoedd eraill ym Mhrydain drefnu cynhadledd yn arbennig i'r Cymry wythnos y Pasg, 1909, yng Nghaerdydd. Roedd cynrychiolwyr yn bresennol o wyth canolfan: Waun-lwyd, Tonypandy, Pen-y-bont ar Ogwr, Abercynffig, Ton-du, Llanelli, Abertyleri ac Aberaeron.[12] Erbyn 1910 yr oedd 18 o gynulliadau Pentecostalaidd yng Nghymru.[13]

O blith 'plant y Diwygiad' felly y tyfodd y Bentecostaliaeth Gymreig hon, a rhai hefyd a gawsai dröedigaeth adeg y Diwygiad a ddaeth yn brif arweinwyr y tri enwad Pentecostalaidd a ddaeth i fod ym Mhrydain wedi 1912—yr Eglwys Apostolaidd, Eglwysi Elim a'r 'Assemblies of God'. Ac nid tân siafins ydoedd ond cafodd holl ansawdd eu bywyd ysbrydol ei liwio gan ddylanwad y fendith honno yn y blynyddoedd yn union wedyn.

Mae'r un peth yn wir am ugeiniau o aelodau cyffredin ac arweinwyr llai a ddaeth naill ai'n fugeiliaid, 'pastors', lleol, neu'n genhadon yn dwyn yr efengyl i wledydd eraill y byd. Yn yr ystyr hon mae peth gwirionedd dros ddweud fod cyfran o'r fendith Bentecostalaidd wedi tarddu o'r Diwygiad yng Nghymru. Heb fendith fawr gyntaf tröedigaeth a ddaeth i ran y bobl hyn yn y Diwygiad ni buasai unrhyw fath ar 'ail fendith' yn bosibl, boed bentecostalaidd neu fel arall. Mae'n arwyddocaol fod y garreg goffa ar flaen adeilad y Deml Apostolaidd ym Mhen-y-groes, sir Gaerfyrddin, yn dwyn y geiriau 'Er Coffa am Ddiwygiad 1904–05', ac mae dylanwad y Diwygiad yn cael ei gydnabod yng Nghyfansoddiad yr Eglwys Apostolaidd.[14]

'Pastor Dan' a'r Eglwys Apostolaidd

Un o'r arweinwyr Pentecostalaidd oedd Daniel P. Williams—neu 'Pastor Dan' i lawer—a aned yn 1882 ym Mhen-y-groes, sir Gaerfyrddin, ac ef a'i frawd William Jones Williams oedd y ddau a fu'n bennaf gyfrifol am adfer gweinidogaethau'r 'apostol' a'r 'proffwyd' i'r Eglwys (1 Cor. 12:28; Effes. 4:11). Yn 22 blwydd oed aeth i wrando ar Evan Roberts yng Nghasllwchwr ar ddydd Nadolig 1904, ac yno y cafodd ei dröedigaeth. Fe'i cafodd ei hun wedyn yng nghanol y cyffroadau ysbrydol grymus ym Mhen-y-groes yn 1905 a'r blynyddoedd yn dilyn.[15]

Yna, yn 1909, ac ef ar wyliau yn Aberaeron, daeth elfen newydd i'w fywyd: daeth i gysylltiad â'r cwmni Pentecostalaidd yno a oedd wedi eu bedyddio â'r Ysbryd Glân. Ymunodd Daniel â hwy a dringo bryn a wynebai'r môr. Yno, fel yr oeddynt yn moli Duw, cafodd yntau ei fedyddio â'r Ysbryd. Meddiannwyd ef gan orfoledd a dechreuodd lefaru â thafodau. Wedi dod adre ymunodd â rhai Cristnogion tebyg yn ei ardal. Yna, wedi codi adeilad yr 'Hall gerrig' ym Mhen-y-groes yn 1910 gan 'yr Eglwys Efengylaidd', cwmni o saint nad oeddent yn Bentecostalaidd, ymunodd Daniel Williams a charfan Bentecostalaidd â hwy, ond ym Medi 1911, oherwydd anghytuno anorfod, cafodd y lleiafrif Pentecostalaidd ei ddiarddel a gorfod ymhen amser symud i adeilad arall. Tua'r adeg hon daethai gair o broffwydoliaeth gan un o'r brodyr yn neilltuo W. Jones Williams yn gydymaith oes i'w frawd mewn gweinidogaeth a dyfai maes o law yn fyd-eang, a daeth yn 'broffwyd' cydnabyddedig yn yr hyn a alwyd yn fuan wedyn yn 'Apostolic Faith Church' (AFC).

Sefydlwyd yr AFC gan William Hutchinson yn Bournemouth ac ynghlwm wrth yr AFC y bu Pastor Dan am rai blynyddoedd. Yn 1913 codwyd adeilad y Babell ym Mhen-y-groes ar gyfer yr eglwys leol Apostolaidd yno. Yn 1914, mewn cynhadledd yn Llundain, ordeiniwyd Daniel P. Williams yn 'apostol' i arolygu cynulliadau'r AFC yng Nghymru. Yn 1916 torrwyd cysylltiad â'r AFC a ffurfio corff ar wahân, sef yr Eglwys Apostolaidd yng Nghymru. Yn rhifyn cyntaf eu cyfnodolyn newydd, *Riches of Grace*, ceir rhestr o'r eglwysi, 19 ohonynt yn Ne Cymru.[16] Yn 1922 bu newid pellach pan ymunodd cynulliadau Apostolaidd eraill â'r Eglwys Apostolaidd yng Nghymru i ffurfio'r Eglwys Apostolaidd.

Cafwyd cynhadledd eisoes ym Mhen-y-groes yn Awst 1917 ac o hynny allan bu cynhadledd yno bob Awst. Oherwydd twf yr Eglwys Apostolaidd—erbyn 1930 roedd rhyw 150 o eglwysi ym Mhrydain a 50 dros y môr—daeth yn gynhadledd ryngwladol, ac yn 1933 codwyd y Deml Apostolaidd ym Mhen-y-groes. Ymhen amser aeth hon yn rhy gyfyng i'r niferoedd a chodwyd yn 1967 y Neuadd Fawr bresennol.

Yn arbennig o 1922 ymlaen tan ei farw yn 1947 bu D. P. Williams fel apostol, a'i frawd fel proffwyd, yn gweinidogaethu yng Nghymru a gwledydd Prydain a thros y byd. Bu yn olygydd *Riches of Grace* drwy ei oes gan gyfrannu'n sylweddol iddo fel awdur, ac i'r *Apostolic Missionary Herald*. Lledodd y mudiad dros y môr, gan ddod yn gryf iawn yn Nigeria. Erbyn 1962 roedd dros ddwy fil o gynulliadau ar draws y byd, [17] gyda rhyw 250 o eglwysi ym Mhrydain. Oni bai am Ddiwygiad 1904–05 mae'n ddigon tebyg na fuasai yr Eglwys Apostolaidd wedi dod i fod.

Eglwysi Elim a'r 'Assemblies of God'

Arweinwyr eraill y newidiwyd eu bywydau yn llwyr adeg y Diwygiad ac a ddylanwadodd yn drwm ar Bentecostaliaeth yn nes ymlaen oedd dau frawd arall, George a Stephen Jeffreys o Nantyffyllon, Maesteg, y naill yn sylfaenydd Eglwysi Elim a'r llall yn dra dylanwadol gyda'r 'Assemblies of God'.

Bu i'r Diwygiad gychwyn yn ardal Maesteg fisoedd cyn i Evan Roberts ddod yno yn Chwefror 1905, ac fe gafodd George a Stephen dröedigaeth yn rhannol dan weinidogaeth eu gweinidog yn Siloh, Nantyffyllon, y Parch. Glasnant Jones. Tröedigaeth rhai o'i gyd-lowyr a wnaeth i Stephen ystyried o ddifri ei gyflwr ysbrydol gerbron Duw, ac fe setlwyd y mater ar fore Sul, Tachwedd 20, 1904. Yn ei hunangofiant dywed ei weinidog: 'yn ddi-os, bu Stephen a George Jeffreys yn gyfryngau tröedigaeth tyrfa fawr . . . ac efallai y caf innau farc neu ddau yn yr arholiad mawr am i mi ddwyn y ddau frawd at yr Iesu.' [18] 'Cyfryngau tröedigaeth tyrfa fawr', dyna ddatgelu mewn byr eiriau rhan bwysig o ddylanwad y Diwygiad ar Bentecostaliaeth, wrth feddwl am y cynulliadau enfawr y bu'r ddau yn eu hannerch ledled Prydain a gwledydd eraill.

Bu'r ddau frawd yn weithgar yn Siloh, ond hefyd cysylltent â grwp o 'blant y Diwygiad' a gwrddai yng nghapel Dyffryn gerllaw. Yn y cyfamser, o rhyw 1908 ymlaen, fel yn Waun-lwyd a Phen-y-groes a mannau eraill, cafodd amryw o fewn yr enwadau traddodiadol y bedydd pentecostalaidd. Un o'r rhain oedd William George Hill, gweinidog gyda'r Bedyddwyr yn Cwmfelin, Maesteg, ac yn 1910 gadawodd ei eglwys a'i enwad gan gynnal cyfarfodydd pentecostalaidd, a deuai George a Stephen Jeffreys i'r rhain, a chael eu bedyddio â'r Ysbryd Glân. Meddai George Jeffreys mewn llythyr at William Hutchinson: 'I have been saved, sanctified, baptized in the Holy Spirit with the Scriptural sign of the tongues and healed of sickness.' [19]

Yn 1912 cynigiodd George am le yn yr Ysgol Feiblaidd yn Preston, sir Gaerhirfryn, un o nifer o ganolfannau a agorwyd gan y *Pentecostal Missionary Union,* ac fe'i derbyniwyd. Ddiwedd y flwyddyn, adeg Nadolig 1912, gofynnwyd i Stephen ddod i bregethu am dri diwrnod yn Mission Hall Tro'r Glien, neuadd newydd ei hadeiladu yn Cwmtwrch, ond fe aeth y tri diwrnod yn saith wythnos o fendith eithriadol. Dyna'r pryd y gadawodd y gwaith glo a threulio'i amser o hynny allan yn efengylydd.

Cydweithio â'i frawd George ym mudiad Elim y bu Stephen tan 1926, gyda bod yn fugail—pastor—yn Llanelli a Dowlais. Yn 1926 gwahoddwyd ef gan yr Assemblies of God ym Mhrydain, a ffurfiwyd yn 1924, i gynnal cyfarfodydd iddynt, ac yn ystod y tair blynedd nesaf bu'n teithio yn Lloegr yn pregethu iacháu, gan gryfhau nifer mawr o eglwysi'r Assemblies a chychwyn achosion newydd. Dyma gyfnod yr ymgyrchoedd mawr—roedd dros dair mil o ddychweledigon o ganlyniad i'w ymgyrch yn Sunderland. Ddiwedd 1928 ac yn 1929 bu'n efengylu ar draws y byd. Torrodd ei iechyd yn ddiweddarach a bu farw ym Mhorth-cawl yn 1943 a'i gladdu ym mynwent Llangynwyd, Maesteg. Yn ôl un o Ysgrifenyddion Cyffredinol yr Assemblies of God, 'It is not too much to say that his campaigns altered the whole character of the Movement.' [20]

Yn 1915 ffurfiwyd yr Elim Evangelistic Band gan George Jeffreys, cwmni o efengylwyr Pentecostalaidd â'u canolfan yn Belfast. Yn 1922 trosglwyddwyd y gweinyddu i Lundain a daeth Clapham yn bencadlys y gwaith. Fel a nodwyd eisoes, yn 1924 daeth yr Assemblies of God i fod, sef nifer o eglwysi Pentecostalaidd annibynnol ar gyfundrefn Elim nad oeddent yn barod i ddod dan awdurdod canolog, fel y gallai pob cynulliad lleol fedru rheoli ei fywyd ei hun. Cynyddodd yr eglwysi hyn, yn arbennig rhwng 1926 a 1929 o ganlyniad i weinidogaeth Stephen Jeffreys, fel erbyn 1988 roedd dros 600 ohonynt gyda dros 50 yng Nghymru, gyda Chynhadledd Flynyddol yn Minehead, Gwlad yr Haf, yn denu'r miloedd.

Ond yn ôl at Eglwysi Elim a chyfraniad aruthrol George Jeffreys. Ef oedd prif arweinydd y gwaith yn y gangen Bentecostalaidd hon tan 1939. Ei brif gyfraniad oedd fel efengylydd. Dechreuodd ei ymgyrchoedd efengylu a iacháu yn y dauddegau, ond wedi 1929, pan sefydlodd yr Elim Foursquare Gospel Alliance, ac yn y tridegau y gwelwyd y cyfarfodydd enfawr gyda degau o filoedd yn dod yn Gristnogion a llawer yn cael iachâd corfforol. Yn 1929 yr oedd yng Nghaerdydd yn Neuadd Cory a Chapel Wood Street, ac un ffrwyth o hynny oedd agor eglwys y City Temple yno yn 1934. Yn 1930 bu ymgyrch fawr iawn yn Birmingham â'i chyfarfodydd olaf yn Neuadd Bingley a ddaliai rhyw bymtheg mil.

Gwelodd y tridegau ddefnyddio'r Crystal Palace yn Llundain ac agor Kensington Temple yn 1931. Bu George Jeffreys yn pregethu 49 o weithiau yn Neuadd Albert, Llundain. Bu ei ymgyrchoedd yn y Swistir yn ffrwythlon tu hwnt, ac yn 1939 gwahoddwyd ef i fod yn brif siaradwr yn y Gynhadledd Bentecostalaidd Ewropeaidd yn Sweden. Yn 1940, oherwydd gwaeledd, pwysau gwaith a chyfrifoldebau gweinyddu, rhoes heibio'r arweinyddiaeth. Ar ddiwedd yr ugeinfed ganrif yr oedd dros 370 o eglwysi gan Elim ym Mhrydain.

Er cyfraniad mawr Daniel P. Williams, George Jeffreys a Stephen Jeffreys ni ellir tafoli dylanwad y Diwygiad ar Bentecostaliaeth drwy feddwl yn unig am y prif arweinwyr. Ynghyd â hwy rhaid cofio am yr arweinwyr llai a'r aelodau cyffredin, pobl a ddaeth i brofiad o'r efengyl yn 1904–05 ac, am na chaent gefnogaeth na hyfforddiant na chymdeithas yn llawer iawn o'r eglwysi enwadol, a ffurfiodd gwmnïoedd annibynnol a ddatblygodd ymhen ychydig flynyddoedd yn eglwysi Pentecostalaidd. Drwyddynt hwy a'u teuluoedd duwiol, a fu'n lefain yn eu cymunedau, mae peth o effaith Diwygiad 1904–05 wedi parhau am ganrif gyfan bron. Un enghraifft o hyn, sy'n nodweddiadol o ugeiniau o ardaloedd eraill yng Nghymru, yw'r hyn a geir yn hanes Eglwys Bentecostalaidd Bethlehem, Cefncribwr, Morgannwg.[21]

Y Neuaddau

Fel y ceisiwyd dangos eisoes, gellir dweud am drwch yr eglwysi Pentecostalaidd yng Nghymru mai ffrwyth anuniongyrchol oeddent o Ddiwygiad 1904–05, gan fod eu Pentecostaliaeth wedi dod o gyfeiriadau eraill. Ond y mae yna garfan nodedig arall o eglwysi annibynnol oedd yn gynnyrch mwy uniongyrchol o'r berw hwnnw, sef y Neuaddau neu'r 'Mission Halls'. Fel y cwmnïoedd gafodd dröedigaeth yn 1904–05 ac a drodd ymhen amser yn Bentecostalaidd, pobl oedd y rhain hefyd a ddaeth i brofiad o'r bywyd newydd yr adeg honno ac a welsant yn dda adael yr enwadau traddodiadol a ffurfio achosion annibynnol am nad oedd cartref iddynt yn llawer o'r capeli.

Yr oeddent yn mynnu nad oeddent yn Bentecostalaidd. Er enghraifft, yr oedd y cwmni a sefydlodd yr 'Eglwys Efengylaidd' ym Mhen-y-groes yn 1910 dan arweiniad Eben Griffiths, un a fu'n ddiacon mewn capel lleol, ddim yn arddel y 'tafodau', a bu rhaid i Daniel P. Williams a'i gwmni, a ddaeth i fynychu'r cyfarfodydd yno, dros dro, ymadael a chodi adeilad arall. Yng nghyfansoddiad Free Mission Hall, Ynysafan, Cwmafan, ceir y rheol hon: 'that there is no tongue to be taught, preached or practised in this Church.'[22] Un eithriad—efallai bod rhagor—yw Eglwys Bryn Moriah, ger Cynwil Elfed, sydd â'r geiriau 'Pentecostal Chapel, Built 1913' ar fur yr hen adeilad, ond na fu yn Bentecostalaidd erbyn hyn ers blynyddoedd, nac erioed yn perthyn i enwad Pentecostalaidd.

Gellir rhannu'r neuaddau hyn i ddau ddosbarth: y rhai a ddaeth i berthyn i fudiad y Brodyr Plymouth (mudiad a fodolai ymhell cyn 1904) a'r achosion annibynnol eraill. 'Gospel Hall' yw'r enw mwyaf cyffredin ar neuaddau'r Brodyr, er nas cyfyngir yn gyfan gwbl iddynt hwy, neu 'Neuadd Efengylu' mewn ardaloedd Cymraeg, fel sydd ar adeilad Maes-y-bont a Thŷ-croes yn nwyrain sir Gaerfyrddin. Gyda'r ail ddosbarth mae'r enwau yn amrywio: Mission Hall, Gospel Mission, Free Mission, Neuadd Genhadol, yr Eglwys Efengylaidd a chyfuniadau eraill, gan gynnwys rhai yn nodi'r lleoliad. Arhosodd llawer o ddychweledigion y Diwygiad yn eu capeli ac yn yr Eglwys Wladol, a dwyn tystiolaeth i'r efengyl o'u mewn. Bu i lawer eglwys roi croeso a swcwr iddynt [gweler pennod 10, 'Y Dylanwad ar yr Eglwysi Enwadol']. Nid yw eglwys Fedyddiedig Bethania, Llanelli a Bethany, Rhydaman dan weinidogaeth Nantlais, ond dwy enghraifft o lawer tebyg a dyfodd yn eglwysi cryf ac efengylaidd wedi'r Diwygiad. Ond gwnaeth llaweroedd eraill o blant y Diwygiad ymadael â'u henwadau.

Ni bu'r ymadawiad bob amser yn sydyn. Yn achos llawer aeth proses y llacio gafael yn ei flaen yn araf dros y blynyddoedd wedi 1906, cyn iddynt o'r diwedd eu ffurfio eu hunain yn eglwysi newydd a chodi adeiladau. Cwrdd mewn cartrefi ac adeiladau bychain cyfleus eraill yn yr wythnos gyda'u cyd-gredinwyr o bob enwad i gael cymdeithas a wnaent, gan ddal, lawer ohonynt, i fynychu oedfaon eu capeli gwahanol ar y Sul. Yn achos eraill torrwyd cysylltiad ynghynt a chodwyd neuaddau yn bur gynnar. Yn y blynyddoedd o 1907 tan ddechrau'r dauddegau ymddangosodd ugeiniau o'r neuaddau hyn, yn bennaf yn ne-ddwyrain sir Gaerfyrddin, yng nghymoedd a threfi Morgannwg a gorllewin Gwent, gydag ambell un fel Bryn Moriah a Llangeler ym mherfeddion gwledig gorllewin Myrddin, a dyrnaid ym Mhowys a'r Gogledd.

Gwrthwynebiad mewn capeli oedd â'u diwinyddiaeth yn bur rhyddfrydol, neu, os yn uniongred, yn rhy sych syber i groesawu bwrlwm profiadol y 'converts', oedd yr achos pennaf dros gefnu ar y nyth enwadol. Er enghraifft, ni allai aelodau capel Annibynnol ger Tre-lech oddef stŵr y cywion yn eu plith a'u sôn am sicrwydd cadwedigaeth, a doedd dim amdani er lles pawb ond ymadael a chwrdd mewn ffermdy cyn codi adeilad Bryn Moriah, ergyd carreg i ffwrdd, tua 1910, a'i agor yn swyddogol gan R. B. Jones yn 1913.

Cafodd rhai eu diarddel o'u capeli. Wele ddwy enghraifft, a digon tebyg bod enghreifftiau eraill ar draws y De. Diarddelwyd rhai gan eglwys Annibynnol yn y Tymbl yn Nhachwedd 1905 'oherwydd eu bod yn diystyri rheolau yr Eglwys',[23] er mai anghytuno â phregethu'r gweinidog oedd gwraidd yr anghydfod. Ac nid aelodau cyffredin oedd pob un o'r rhai a gaewyd allan; yn eu plith yr oedd William Jenkins, arweinydd y gân, a Thomas Jenkins, y trysorydd. Dechreuodd y cwmni addoli mewn ysgubor ar fferm Thomas Jenkins, cyn codi adeilad mwy addas yn 1907, sef 'mission hall' Bryn Seion, Cross Hands. Mae'n ddiddorol nodi mai 'Yr Eglwys Gynulleidfaol' sydd ar fur blaen yr adeilad, arwydd nad oedd y cwmni cynnar am dorri cysylltiad â'u henwad, ond ni chafodd yr eglwys newydd ei derbyn gan y Cwrdd Chwarter lleol.

Enghraifft arall yw hanes cychwyniad Mission Hall Tro'r Glien, Cwm-twrch. [24] Yn Nhachwedd 1904 cafodd George Griffiths dröedigaeth, gydag eraill tua'r un adeg. Yn fuan wedi 1905 profasant wrthwynebiad yn yr eglwys lle'r oeddent yn aelodau. Mewn ardal gyfagos ddigon llwm aethent ati i grynhoi'r plant tlawd a'u hyfforddi mewn ysgoldy gerllaw, ac er bod George Griffiths a'i gyd-weithwyr yn ffyddlon yng nghyfarfodydd y Sul ac yn y ddau gwrdd wythnos, fe gawsant ddewis gan eu heglwys i roi'r gorau i'r gwaith ymhlith y plant hyn neu adael y capel. Y gŵyn oedd eu bod yn esgeuluso yr Ysgol Sul yn eu heglwys eu hun. Fel yn yr achos yn y Tymbl, nid y rheswm a roddid dros ddiarddel oedd y gwir reswm, ond anesmwythyd ynglŷn â'u neges am yr aileni a sicrwydd cadwedigaeth a'u profiad byw o'r efengyl. O 1907 buont yn cwrdd yn eu cartrefi nes codi adeilad yn 1912 drwy fawr aberth mewn adeg o gyflogau isel, un enghraifft, ymhlith llawer, o blant y Diwygiad yn gorfod byw yn fain er mwyn y deyrnas. Er mai ond 13 o aelodau oeddent ar y cychwyn, at y cwmni hwn y daeth Stephen Jeffreys am saith wythnos dros Nadolig a Ionawr (1912–13), a daeth ugeiniau i brofiad achubol a'u bedyddio yn yr afon gerllaw.

I Ddiwygiad 1904–05 y mae priodoli cychwyniad nid yn unig y neuaddau annibynnol, y 'Mission Halls', ond hefyd lawer o neuaddau'r Brodyr (Gospel Halls). Roedd cwmni bychan o'r rhain yn cwrdd dan arweiniad William Herbert yn Neuadd yr Iforiaid, yn Rhydaman, cyn 1904, ond gyda thröedigaeth llawer yn y cylch ddiwedd 1904 a chwedyn, chwyddodd y nifer nes adeiladu'r Gospel Hall yn Lloyd Street wedi'r Diwygiad. Gadawodd llawer o'r capeli gan ymuno â'r Brodyr, yn cynnwys rhai amlwg fel Henry Tranter oedd yn flaenor yn Bethany (MC), William Jones, diacon yn Gellimanwydd (Annibynwyr) a Joseph James o Ebenezer (Bedyddwyr).[25]

I'r Diwygiad hefyd, a thröedigaethau yn y blynyddoedd yn dilyn, y mae priodoli cychwyn llawer o Neuaddau Efengylu eraill gan y Brodyr yn y cylch, megis Neuadd Efengylu Maes-y-bont gan y brodyr Richard a Dafydd Perkins a ddaeth allan o eglwys Cefnberach gerllaw; y neuadd yn Cross Hands (1907) yn agos i'r fan lle saif 'Kwiksave' yn awr ond a symudodd i Heol y Meadows; a'r Brodyr yn Nhŷ-croes (1914). Ac nid yw'r hyn a ddigwyddai yn ne-ddwyrain sir Gaerfyrddin ond drych o'r datblygiadau ar draws De Cymru: achosion newydd yn dod i fod neu achosion oedd eisoes yn bod cyn 1904 yn cael eu cryfhau.

Teg yw nodi rhai o nodweddion y neuaddau hyn, boed yn Mission Halls neu'n perthyn i'r Brodyr. Un nodwedd amlwg—fel gyda'r Pentecostaliaid—oedd eu sêl genhadol. Ymatebodd cryn nifer i alwad Duw i fynd yn genhadon dros y môr, rhai yn gysylltiedig â chymdeithas genhadol ac eraill yn mentro 'trwy ffydd' heb unrhyw foddion cynhaliaeth heblaw cefnogaeth mewn gweddi a rhoddion achlysurol gan y neuaddau a'u hanfonodd. Fel un enghraifft, aeth Edward Wilkins o Cross Hands i Dde Affrica yn 1908 a gwasanaethu yno tan 1913, ac aeth Elieser Jenkins, brawd Thomas Jenkins, Bryn Seion, Cross Hands, i'r un wlad ac aros yno weddill ei ddyddiau yn fugail eglwys.[26] Aeth David Thomas Griffiths, mab Eben Griffiths, Pen-y-groes i Wlad Pwyl dan faner Cymdeithas Genhadol Rwsia, [27] John Dan Rees o Ben-y-groes i Frasil[28] a Lizzie May Rees (Shneidrook wedi priodi) o Neuadd Efengylu Tŷ-croes, eto i Wlad Pwyl.[29] Cododd llawer o genhadon o leoedd a ddaeth drymaf dan ddylanwad y Diwygiad, megis Gorseinon, ac yn y dauddegau roedd gan Mission Hall Aberaman bump o weithwyr ar y maes cenhadol.[30]

Nid dim ond ymhell i ffwrdd y gwelai'r bobl hyn yr angen am efengylu, ond hefyd ar garreg eu drws. Ceisient gael eraill ddod i adnabod y Gwaredwr, drwy dystiolaeth bersonol mewn gair a bywyd, trwy gario baneri a rhannu tractau, trwy gyrddau awyr-agored, trwy bregethu mewn cartrefi, trwy godi pabell ac mewn llawer dull arall.[31]

Nodwedd arall y dylid ei chrybwyll yw natur eu ffydd a'u duwioldeb. Roedd sicrwydd cadwedigaeth yn bwysig iddynt, ynghyd â disgwyl am yr Ailddyfodiad, a rhoddent le arbennig i waith yr Ysbryd Glân. Ac nid meddiant i'r meddwl yn unig oedd eu diwinyddiaeth ond roeddent i fesur helaeth yn brofiadol o realiti Duw a'u gwnâi i ochel rhag bydolrwydd—'Deuwch allan o'u canol hwy' (2 Cor. 6:17)—ac a'u llanwai â llawenydd, cariad at y brodyr a chynhesrwydd mewn addoliad.[32]

Dyma felly yn fras gyfran helaeth o effaith Diwygiad 1904–05 ar Gymru ac ar y byd, sef ymddangosiad y Pentecostaliaid a'r Neuaddau y mae eu dylanwad i fesur yn parhau hyd heddiw. Pan sonnir am y lleihad yn aelodaeth yr eglwysi enwadol yn fuan wedi'r llanw yn

1904–05 tueddir i anghofio mai un o'r ffactorau oedd yn gyfrifol am y lleihad hwnnw oedd bod cynifer o'r dychweledigion—ar y pryd a chwedyn—wedi ymadael â'r capeli a ffurfio eu cynulliadau eu hunain. Yng Ngwent a Morgannwg y bu'r gwrthgilio mwyaf o'r capeli,[33] ac yn yr union leoedd hynny yr oedd y Pentecostaliaid a'r Neuaddau gryfaf. Os gwnaeth y 'Titanic' enwadol araf suddo yn ystod rhan helaeth o'r ugeinfed ganrif, fe fu rafftiau'r Pentecostaliaid a badau bach yr 'Halls' yn dal i nofio'r dyfnder, gan godi trueiniaid ar foddi o'r tonnau. Ni ddiffoddodd y nefol dân ar unwaith wedi 1904–05; fe losgodd yma a thraw am ddegawdau wedyn. Ac er i'r fflam erbyn hyn fod ar ddiffodd a'r llygedyn coch yn y grât fod ar farw, gall Duw eto, fel erioed, ddod â'i fegin ac ennyn coelcerth arall i'w glod.

1. James E. Worsfold, *The Origins of the Apostolic Church in Great Britain* (Wellington, Seland Newydd, 1991), 14.
2. Cyril G. Williams, *Tongues of the Spirit* (Caerdydd, 1981), 53-5. 'I have found no explicit reference to glossolalia in any first hand report, either in Welsh or in English, dealing with that eventful period.'
3. D. M. Phillips, *Evan Roberts a'i Waith* (degfed argraffiad, Caerdydd, 1924), 120.
4. Ibid., 294.
5. Eifion Evans, *The Welsh Revival of 1904* (Port Talbot, 1969), 195, yn dyfynnu o Evan Roberts a Jesse Penn-Lewis, *War on the Saints* (Dorset, d. d.), 294-5.
6. *Dictionary of Pentecostal and Charismatic Movements* (Grand Rapids, Michigan, 1988), 220, 660.
7. Cyril G. Williams, *op.cit.*, 51, yn dyfynnu J. T. Nichol, *The Pentecostals* (Logos, 1966), 40.
8. *Dictionary of Pentecostal and Charismatic Movements (DPCM)*, 31-6, 50-51, 778-81, 791.
9. Donald Gee, *Wind and Flame* (Croydon, 1967), 34-5, argraffiad diwygiedig o *The Pentecostal Movement* (1941).
10. Ibid., 37
11. *DPCM*, 90-91
12. 'From the Valleys they Came', traethawd MA Desmond Cartwright
13. Ibid., ceir y rhestr yn atodiad 1.
14. *The Apostolic Church: its Principles and Practices* (Apostolic Publications, 1961), 11
15. Atgof Daniel P. Williams yn *Souvenir exhibiting the movements of God in the Apostolic Church* (Apostolic Church Publications, Pen-y-groes, 1933), 9-10.
16. Worsfold, *Origin of the Apostolic Church*, 169-70
17. T. N. Turnbull, *Brothers in Arms* (Puritan Press, 1963), 90
18. Glasnant, *Cyn Cof Gennyf a Wedyn* (Abertawe, 1949), 69
19. Desmond Cartwright, *The Great Evangelists* (Basingstoke, 1986), 26
20. *DPCM*, 29; yn dyfynnu o Alfred Missen, *Sound of a Going* (1973)
21. David R. J. Ollerton, *The Revival's Children* (Millenium edition, 2000).
22. Brynmor P. Jones, *How Lovely are Thy Dwellings* (Wellspring, Newport, 1999), 180, atodiad B.
23. Noel Gibbard, *Hanes Plwyf Llan-non*, (1984), 57.

24. Mae'r hanes mewn llyfr gan Pastor George Griffiths a gyhoeddwyd adeg hanner canmlwyddiant sefydlu'r achos, *What God hath Wrought* (1962).
25. Nantlais Williams ac eraill, *William Herbert of Ammanford* (Caerdydd, d.d.) 10, 12.
26. Noel Gibbard, *On the Wings of the Dove* (Pen-y-bont ar Ogwr, 2002), 201-02.
27. Ibid., 207-08.
28. J. D. Williams, 'Cofio Cenhadwr Da', *Y Cylchgrawn Efengylaidd*, Cyf. 23:1 (1986), 22.
29. Ronnie Perkins, 'Hanes Lizzie May Shneidrook', *Y Cylchgrawn Efengylaidd*, Cyf. 30:2 (1993), 10-11.
30. Noel Gibbard, *On the Wings of the Dove*, 204.
31. Ronnie Perkins, *East Carmarthenshire's Mission Hall Saints* (d.d.).
32. Ibid.; hefyd Kevin Adams, 'Y dystiolaeth efengylaidd o 1905 i 1945', *Y Cylchgrawn Efengylaidd*, Cyf. 37:1 (2000), 20-21
33. R. Tudur Jones, *Ffydd ac Argyfwng Cenedl*, Cyf. 2 (Abertawe, 1982), 216.

13
Llenyddiaeth y Diwygiad

Goronwy P. Owen

Yn anterth y Diwygiad ymddangosodd hysbyseb yn *Yr Herald Cymraeg*[1] gan gwmni Hughes a'i Fab, Wrecsam, dan y pennawd, 'Y Diwygiad: Llyfrau cyfaddas i ddychweledigion,' gan osod rhestr hir o lyfrau ar werth. Gwelodd llenorion ac arweinwyr y Diwygiad hwythau eu cyfle i ddefnyddio'r wasg, a chreodd hynny fwrlwm o weithgarwch.

Llenyddiaeth greadigol

Esgorodd y Diwygiad ar lenyddiaeth greadigol, yn rhyddiaith a barddoniaeth, a dechreuir trwy edrych ar ddwy nofel Saesneg, y naill gan Max Baring a'r llall gan Allen Raine.

Ysgrifennodd y Sais, Max Baring, y nofel *A Prophet of Wales: A Story*.[2] Mae'n cynnwys 311 o dudalennau gyda darlun o gapel Egryn ar y clawr ac ar y wyneb ddalen. Stori ydyw am ddiwygiwr ifanc, brwd, un y bu i'w genadaethau gael llawer o gyhoeddusrwydd yn y wasg. Mae'n syrthio mewn cariad â gweddw ifanc gyfoethog, ac o'r herwydd, mae ei sêl genhadol yn oeri. Ceir ambell ddarlun cofiadwy yn y nofel, megis hwnnw o fywyd meddyg mewn tref borthladd afiach yng nghanol llwch glo De Cymru. Eithr y mae'r rhan fwyaf o'r stori yn cwmpasu bywyd mwy hamddenol Dolgellau a'r ardaloedd cyfagos. Efallai mai dyna, ynghyd â'r ymwybyddiaeth am 'olau Egryn', yw cyfiawnhad y cyhoeddwr am ddefnyddio'r llun o gapel Egryn, er bod y capel hwnnw ryw ugain milltir o Ddolgellau.

Awdur Eingl-Gymreig a ysgrifennodd yr ail gyfraniad, sef Allen Raine, a'i *Queen of the Rushes: A Tale of the Welsh Revival*.[3] Enw cysefin Allen Raine oedd Anne Adaliza Puddicombe (1836—1909), a hon oedd ei nofel olaf. Fe'i ganed yng Nghastellnewydd Emlyn, yn disgyn o ochr ei thad oddi wrth David Davies, Castell Hywel, y gweinidog Undodaidd, ac o ochr ei mam oddi wrth Daniel Rowland, Llangeitho. Cefndir daearyddol y nofel yw arfordir Bae Ceredigion, ac fe'n cyflwynir yn gelfydd i bedwar cymeriad y mae cryn gymysgedd yn eu perthynas briodasol a charwriaethol. Y Diwygiad sy'n achosi'r tyndra rhwng y cymeriadau. O gofio fod y nofel wedi ei hysgrifennu cyn i'r berw beidio, mae'n werthfawr fel disgrifiad beirniadol ohono. Mae'r awdur yn derbyn llawer o ddigwyddiadau a chyffroadau'r Diwygiad, ond gwêl y problemau yn ogystal, megis y frwdaniaeth eithafol a droes yn orffwylledd mewn rhai achosion. Dadlennir rhai o fendithion cymdeithasol y Diwygiad, sef sobrwydd a chymod o fewn y gymuned.

Diwygiad 1904-05 yw cefndir *Y Diwygiad ym Mhentre Alun, gydag ysgrifau eraill* gan S. M. Saunders.[4] Yn y rhagymadrodd mynegir mai'r bwriad yw cofnodi rhai o effeithiau'r Diwygiad a'i ddylanwad arhosol. Yn ôl Saunders, effeithiodd y Diwygiad ar dri math o bobl. Yn gyntaf, effeithiodd ar y rhai oedd o'r tu allan i'r eglwys. Yn ail, dylanwadodd ar y rhai a oedd eisoes yn aelodau eglwysig, ond heb erioed brofi grym a nerth croes Crist. Nid goleuni'r Pentecost, yn ôl yr awdur, a ddaeth arnynt hwy, ond profiad o ailenedigaeth. Yn drydydd, agorwyd llygaid dosbarth mawr o ffyddloniaid yr eglwysi nad oedd unrhyw amheuaeth am eu crefydd, i weld y cyfoeth ysbrydol oedd yn etifeddiaeth iddynt. Yn y llyfr hwn, sy'n perthyn i gyfnod cynnar iawn yn hanes y nofel Gymraeg, gwelir ymateb i'r Diwygiad gan gymeriadau sy'n cynrychioli'r tri dosbarth. Perygl y math hwn o ysgrifennu yw cyflwyno cymeriadau *stereotype* yn hytrach na chymeriadau o gig a gwaed, ond o fewn cyd-destun hanesyddol a chymdeithasol y Diwygiad, llwyddodd yr awdur i gyfleu cymeriadau a deialog sy'n gredadwy.

Canu'r Diwygiad

Canu cyfoes

Mae *Y Diwygiad a'r Diwygwyr*[5] yn gorffen gydag adran 'Barddoniaeth y Diwygiad' sy'n cynnwys dwy ar bymtheg o gerddi (o blith dwsinau) a ymddangosodd yn *Y Goleuad*. Mae cerdd Dyfed 'Yr Hen Bwerau'[6] yn cychwyn gyda'r trosiad o 'nos' a 'gaeaf' am gyflwr 'Mynydd Seion' cyn i'r wawr dorri ac i gymylau bendith ollwng eu 'cawodydd trwm'. Mae yma gyfeiriadaeth ysgrythurol addas ac adlais o ambell i ymadrodd ac emyn a boblogeiddiwyd yn y Diwygiad, a gorffennir gyda'r deisyfiad a'r datganiad,

> O! Sanctaidd Ysbryd; paid â brysio ymaith,
> Dy bresenoldeb yw ein cân a'n gobaith.

Ymddangosodd wyth neu naw o emynau yn yr adran hon, rhai yn gyfansoddiadau gwreiddiol, eraill yn gyfieithiadau, ac un o'r goreuon yw emyn tri phennill William Williams, Rhostryfan, 'Tyred, Ysbryd pur tragwyddol'.[7] Mae'r mesur a'r ymadroddi'n draddodiadol, ond mae'r syniadau o blygu, o brofi cariad a llawenydd, yn ogystal â dyhead am burdeb a chysegru bywyd, yn themâu nodweddiadol o'r Diwygiad.

Ar ddiwedd *Evan Roberts a'i Waith*[8] canfyddir un ar bymtheg o emynau'r Diwygiwr ifanc. Mae melysder i'w brofi yn yr emyn un pennill,[9]

> O! Ysbryd Sanctaidd, tyrd i lawr
> I ogoneddu Iesu mawr;
> Plyg yr eglwysi wrth Ei draed,
> A golch y byd mewn dwyfol waed.

Arddangosir o leiaf dri o nodweddion y Diwygiad yn y llinellau hyn: y deisyfiad am yr Ysbryd Glân, y 'plygu', a'r gyfeiriadaeth at galon y ffydd, y 'golchi' mewn 'dwyfol waed'.

Efallai mai'r dwysaf o emynau Evan Roberts yw hwnnw sy'n dwyn y teitl 'Chwilia Fi, O Dduw' a ysgrifennwyd yn 1905.[10] Gyda'r testun yn adlais pendant o Salm 139:23, mae'r cyntaf o'r pedwar pennill yn ddeisyfiad ar i'r Ysbryd Glân chwilio dynfnderoedd yr enaid. Mae'r ail bennill yn gofyn am i'r chwilio hwnnw fynd yn ddyfnach, ac ar ôl dangos pechod, deisyfir am gyfeillach â Duw. Cydnabod tlodi a wneir yn y trydydd pennill, a mynegi mai undeb â'r Drindod sydd â'r gallu i sancteiddio. Erbyn cyrraedd y pennill olaf mae'r Diwygiwr yn medru diolch am y fflamau sy'n puro. Mae mynegiant yr emyn yn lân a'r ieithwedd yn addas a defosiynol. Mae'n cyfleu dyhead Evan Roberts am sancteiddrwydd yn ei fywyd personol, ac yn sicr o fod yn adlais o hiraeth miloedd o'i gyd-wladwyr. Teimlir fod *Caneuon Ffydd* wedi colli cyfle drwy beidio â chynnwys yr un o emynau Evan Roberts.

Cerddi diweddarach

Tipyn o syndod yw sylweddoli fod y gerdd fwyaf adnabyddus am y Diwygiad wedi'i llunio gan fardd sydd mewn un soned yn dweud amdano'i hun 'na all ymhonni'n bagan nac yn Gristion chwaith' ac mewn un arall fod 'y pagan oddi mewn' yn awchu 'am ronyn o eneiniad Ann a John', sef Ann Griffiths a John Hughes, Pontrobert.

Y mae i '1904',[11] a ysgrifennwyd gan Syr T. H. Parry-Williams yn 1951 (y flwyddyn y bu farw Evan Roberts), naw o gwpledi rhigymol ac ynddi cyfleir cyffro'r Diwygiad. Cyfeirir yn gynnil at 'olau Egryn' ac at ddistawrwydd Evan Roberts, ac mae'n gorffen drwy sôn am danchwa, sydd, ar y naill law yn gyfeiriad at yr hyn a ddigwyddodd yn llythrennol ym mhwll glo'r Broad Oak, Casllwchwr, lle gweithiai Evan Roberts ac y lladdwyd pump o ddynion a llosgi Beibl y Diwygiwr, ac yn drosiadol, sy'n gystal disgrifiad â'r un ar beth yw Diwygiad, 'yr Awel yn chwythu dynion a Duw ynghyd'.

Un o gystadlaethau Eisteddfod Genedlaethol 1957 oedd Cân Dafodiaith ar y testun 'Diolchgarwch', gyda Gruffydd Parry, Botwnnog, a D. Jacob Davies yn beirniadu. Yr enillydd oedd David Lloyd, Cwmaman, Aberdâr, am gân am y Diwygiad yn nhafodiaith Cwm Cynon. Yn y feirniadaeth dywedir fod cerdd uchelgeisiol 'Pentewyn o Pantywyll' yn ddigon testunol i deilyngu'r wobr, '. . . a chredwn i'r bardd lwyddo i gael blas y "tân" i'w gerdd. Y mae ynddi ddiolchgarwch fel y moroedd a gwefr ddiwygiadol. Credwn fod i'r gân werth arhosol fel darlun byw o ysbryd y Diwygiad.'[12] Dylid atgyfodi'r gerdd hon o'i llonyddwch anghofiedig oherwydd iddi grisialu'r 'wefr ddiwygiadol'.

Emynau'r Diwygiad

Gan fod y Dr Noel Gibbard wedi trafod yr emynau, y penillion a'r tonau a gynhyrchwyd yn ystod y Diwygiad,[13] ni cheisir yma ond nodi'r fras rai o'r prif gyfraniadau. Gellir cychwyn drwy alw sylw at *Hymns of the Welsh Revival,* original translations by Rev. R. Parry, B.A., (Oxon.).[14] Oddi wrth deitl y llyfr gellid yn rhesymol ddisgwyl mai cyfieithiadau a geid ynddo o emynau Diwygaid 1904, eithr casgliad ydyw o ryw 37 o emynau poblogaidd Cymraeg o wahanol gyfnodau wedi eu hargraffu ar yr ochr chwith i'r dudalen, gyda chyfieithiad Saesneg ar y dde, a nodiadau ar yr awduron. Sylwer hefyd ar *Hymnau a thonau yr Adfywiad*, llyfryn o 40 tudalen a argraffwyd gan D. L. Jones, (Cynalaw), Briton Ferry, yn 1905.

Cyhoeddwyd dau lyfryn yn y Gogledd, y naill yw'r casgliad *Cofio y Gwaed*, gyda'r is-deitl 'cenadwri Mr Evan Roberts, y diwygiwr i Sir Fon, tonau ac emynau ar yr uchod, gyda rhai darnau eraill'[15] gan R. O. Williams, Amlwch, a'r llall yw'r gwaith gwreiddiol *Hosannah Mynydd Seion*, Thomas Evan Griffith (Beren), 1853?-1914.[16] Ysgrifennwyd yr emynau, 23 ohonynt, yng ngwres y Diwygiad, a'r fwyaf adnabyddus yw 'Hardd Rosyn Saron'.

Dywed Branwen Jarvis fod cyflwyno emynau ac emynwyr Cymraeg i'r Saeson yn genhadaeth gan Elfed.[17] Gwelir hyn yn *Songs of Victory: for Mission, Anniversary, and other Special Services, Family Worship, &c*.[18] Yn ei ragymadrodd dywed Elfed fod y cyfan a gynhwyswyd ganddo yn gysylltiedig â'r Diwygiad ac y gellir eu gosod mewn tri dosbarth, sef cyfieithiadau o'r Gymraeg gan yr emynydd ar gyfer y llyfryn hwn, cyfieithiadau rhannol neu addasiadau, ac emynau gwreiddiol a gynhyrfwyd gan y Diwygiad. Un arall o lyfrau Elfed yw *Gorsedd Gras*,[19] a chyfeirir at yr emyn 'Diolch, Arglwydd, am y llanw' yn *Caniadau'r Diwygiad*.[20]

Ni ddylid chwaith ddiystyru J. T. Job (1867-1938) a wnaeth gymaint i hybu'r Diwygiad ym Methesda mewn cyfnod eithriadol o anodd ar ôl streic fawr Chwarel y Penrhyn, emynydd y dywedwyd amdano gan John Thickens fod seiliau ei emynau mor ysgrythurol.[21] Cyhoeddwyd *Caniadau Job*[22] yn 1929, ond ymddangosodd ei emynau cynnar mewn nifer o gylchgronau gan gynnwys *Yr Efengylydd*. Cynhwyswyd ei gyfieithiad o emyn T. H. Gill dan y pennawd 'At Dduw ein Tadau 'r'ym yn dod' yn *Y Diwygiad a'r Diwygwyr*.[23]

Crisialwyd llawer o ysbryd ac awyrgylch y Diwygiad yn *Emynau Dyfed*.[24] Dywed golygydd y gyfrol, ap Nathan, yn y rhagair fod 'ysbryd a gwres yr Ymweliad Dwyfol hwnnw wedi ei gorffori yn yr Emynau', a nodir 'Dyddiau'r nefoedd ar y ddaear' ac 'Ar ei ben bo'r goron' fel enghreifftiau. Un o'r goreuon yw'r emyn tri phennill 'O! Dduw y tywalltiadau'.[25] Mae'r eirfa'n gyfoethog, y grefft yn farddonol gyda mydr sionc, odlau ac odl gyrch grymus a chyfeiriadaeth ysgrythurol amlwg. Cynhwyswyd saith o emynau Dyfed yn *Caneuon Ffydd*: mae'n syndod nad yw'r emyn hwn yn eu plith.

Cyfrifir Nantlais (1874-1959) ymhlith arweinwyr y Diwygiad a ganolbwyntiodd ar wasanaethu ei ardal a'i eglwys ei hun. Disgrifiodd yn *O Gopa Bryn Nebo*[26] y profiad a ddaeth iddo trwy'r Diwygiad. Newidiodd hynny gyfeiriad ffrwd ei awen o'r byd cystadleuol, eisteddfodol, i wasanaethu Teyrnas Nefoedd. Gosodwyd ef gan yr Athro W. J. Gruffydd ymhlith 'prif emynwyr Cymru, yn medru canu emynau yn yr ugeinfed ganrif yn nhraddodiad yr hen sicrwydd gynt.'[27] Ni chasglodd Nantlais ei emynau at ei gilydd hyd oni ymddangosodd *Emynau'r Daith*, llyfr a gynhwysai 57 o emynau Cymraeg a 18 emyn Saesneg, eithr ni chynhwyswyd ynddo ond un emyn a gyhoeddwyd yn *Llyfr Emynau* y ddau Gyfundeb Methodistaidd yn 1927.

Llyfrau defosiynol

Cynhyrchwyd trysorau defosiynol yn sgîl y Diwygiad. Un o'r rhai cynharaf yw *Ar ei Ben bo'r Goron: Annogaethau i Bobl Ieuaingc yr eglwysi, a dychweledigion y Diwygiad*,[28] gan J. Henry Williams (1870-1938), un o ddychweledigion Diwygiad Richard Owen. Llyfr bychan o ryw 130 tudalen ydyw sy'n herio'r darllenwyr i anelu at dir uwch mewn crefydd. Mae achub pechadur yn beth mawr, ond y cam cyntaf yn unig ydyw ar y ffordd i berffeithio'r saint. Anogir hwy i dderbyn yr Ysbryd Glân yn arweinydd. Trafodir 'sancteiddhad', gan faentumio fod dwy gyfrinach i hynny, sef aros yng Nghrist a mynnu profiad o lawnder yr Ysbryd Glân. Dyma amodau gwasanaethu Crist yn llawn, meddir, boed hynny yng Nghymru neu yn rhywle arall yn y byd. Gwelir yn y llyfr hwn ymgais gynnar i fynegi dysgeidiaeth Keswick yn y Gymraeg.

Braidd yn annisgwyl yn wyneb gweddill ei yrfa fel diwygiwr cymdeithasol a Sosialydd yw cyfieithiad J. H. Howard (1876-1947) o waith John MacNeil yn dwyn y teitl *Y Bywyd Llawn o'r Ysbryd.*[29] Yn dilyn 'Gair o Eglurhad' sy'n cynnwys y rhesymau paham y cyfieithwyd y llyfr, sef er mwyn 'cyrraedd y Cymro uniaith' ac 'er mwyn pobl ieuainc y Diwygiad', ceir deunaw o benodau byr lle cydnabyddir fod yr Ysbryd yn preswylio yn y credadun, ond bod angen rhagor o ymgysegriad. Trwy ffydd y mae derbyn yr Ysbryd, a rhaid i ffydd orffwys a gweithredu heb ymwybyddiaeth brofiadol. Ar ôl 'ymroddiad llwyr (full surrender)' rhaid hawlio'r addewid. Gorchymyn yw'r geiriau 'Llanwer chwi â'r Ysbryd' (Effesiaid 5:18), ac nid gwiw ei anwybyddu. Ymhlith enwau eraill ar yr un fendith y mae 'Bedyddio â'r Ysbryd Glân', 'Afonydd o Ddwfr bywiol', ac 'Addewid y Tad'. Calon lân yn unig sy'n medru derbyn yr Ysbryd, a'r canlyniadau fydd gwroldeb, ffrwythau'r Ysbryd, y gallu i gyfathrebu â'r werin, ac erledigaeth.

Sylwer hefyd ar *Arhoswch yng Nghrist*[30] gan Andrew Murray, (1828-1917), gweinidog ac efengylydd o Dde Affrica a ysgrifennodd lawer er hyrwyddo sancteiddrwydd ym mysg dychweledigion ei ymgyrchoedd, ac un o siaradwyr Cynhadledd Keswick. Yn ei ragair, dywed y cyfieithydd, y Parch. T. Powell, Cwmdâr, iddo ddarllen y gyfrol droeon yn ystod y Diwygiad gyda budd a blas, ac mai ei fwriad wrth ei chyhoeddi oedd meithrin ei gyd-genedl yn y bywyd tragwyddol. Seiliwyd y cynnwys ar y geiriau 'Arhoswch ynof fi' (Ioan 15:4), gan ddadlau mai ychydig a ddeallai'r disgyblion wir ystyr geiriau'r ddameg pan glywsant hwy am y tro cyntaf, ac mai o gam i gam y mae eu dirnad. Rhannwyd yr astudiaethau yn 31 o adrannau, gan ddisgwyl i'r darllenydd gnoi cil arnynt bob diwrnod am fis.

Mae'r llyfr olaf a nodir yn yr adran hon yn llawer mwy adnabyddus, sef *Fy Mhererindod Ysbrydol*,[31] gan E. Keri Evans (1860-1941). Aethai dros ddeng mlynedd ar hugain heibio er y Diwygiad cyn i'r gyfrol hon ymddangos, ond oni bai amdano, ni fyddai Keri Evans wedi cerdded y ffordd y gwnaeth. Gadawodd Gadair Athroniaeth Coleg y Brifysgol, Bangor, er mwyn mynd yn weinidog yr efengyl. Ordeiniwyd ef yn Hawen ger Castellnewydd Emlyn, a symudodd oddi yno i eglwys y Priordy, Caerfyrddin. Ystyrir cynnwys y gyfrol hon yn gyfraniad gloyw meddwl disgybledig i gorff o lenyddiaeth Ewropeaidd sy'n dal perthynas agos â rhai o gyfrinwyr mawr yr oesau. Datgelir ynddi rai o fendithion a rhwystredigaethau'r Diwygiad, eithr yn bennaf mae'n dyst i werth arhosol y profiad o ras a dderbyniodd yr awdur trwy'r Diwygiad a'i benderfyniad i'w gyfleu i eraill trwy ei weinidogaeth.

Athrawiaeth

Yr Ysbryd Glân

Ychydig a ysgrifennwyd ar brif athrawiaethau'r efengyl yn ystod y Diwygiad, ond yn wyneb profiadau eirias cyfnod y fendith, yr oedd yn rhaid ymdrin â'r ddysgeidiaeth am yr Ysbryd Glân.

Y gwaith mwyaf sylweddol o ddigon yw cyfrol y Prifathro Lewis Probert (1837-1908), *Nerth y Goruchaf*,[32] sef darlithoedd a draddodwyd ganddo yng Ngholeg Bala-Bangor, a'u cyhoeddi am fod 'gwaith yr Ysbryd yn cael lle mor fawr yng ngweddïau ac emynau yr eglwysi'. Mae rhan gyntaf y llyfr yn trafod 'Ysbryd Duw a'i weithrediadau', sef gwaith yr Ysbryd o'r creu hyd y Pentecost, a'r ail yn sôn yn benodol am weithgareddau'r Ysbryd Glân, sef argyhoeddi o bechod, arwain i edifeirwch ac ailenedigaeth, sancteiddhad, ac effeithiolrwydd gweddi. Pwysleisir mai'r Ysbryd yw bywyd yr Eglwys, ac mai'r Ysbryd hefyd sy'n atgyfodi'r meirw. Y mae i'r llyfr 11 o atodiadau. Un o blant Diwygiad 1859 oedd Probert, ac mae hanes yr Eglwys, meddai, yn dangos fod nerth yr Ysbryd yn debyg i dymhorau'r flwyddyn, dau dymor cymedrol a dau eithafol. Felly, er mai cymedrol yw tymheredd arferol yr Eglwys, y mae'n disgyn ar adegau o ddifaterwch, ac yn codi drachefn mewn gweithgarwch brwd. Sylwedd papur a ddarllenwyd yng Nghyfarfod Chwarter yr

Annibynwyr yn Llanelli yn Chwefror 1896 yw *Yr Ysbryd Glân a Diweddar-wlaw y Diwygiad* gan D. Wynne Evans,[33] a diben ei ailgyhoeddi yn 1908 oedd goleuo deall a chryfhau ffydd y dychweledigion ifanc pan oedd tuedd i ymollwng i deimladau uchel. Mynegir fod yr Ysbryd Glân yn Berson dwyfol, a bod ganddo weinidogaeth bersonol o fewn yr oruchwyliaeth hon. Gellir profi mesur helaethach o'r Ysbryd trwy ofyn am lanhad oddi wrth bechod, ymwadu â hunan-ewyllys, a gofyn am lawnder yr Ysbryd. Y mae derbyn helaethrwydd a chyflawnder yr Ysbryd Glân yn ddyletswydd ac yn fraint i bob Cristion cyn llefaru a llafurio er gogoniant Crist ac achubiaeth dynion. Mae'r bregeth 'Yr Ysbryd fel Diweddarwlaw' (Sechareia 10:1), yn annog y darllenwyr i geisio tywalltiad o'r Ysbryd Glân. Erbyn i'r llyfryn hwn ymddangos yr oedd 'cawod drom wedi dod' a hynny i baratoi 'Eglwys Dduw ar gyfer ymddangosiad yr Arglwydd'.

Yr Ailddyfodiad

Mae geiriau olaf y paragraff diwethaf yn codi cwr y llen ar yr athrawiaeth arall sy'n ennyn sylw, sef honno am ailddyfodiad ein Harglwydd. *Yr Ail-Ddyfodiad yng ngoleuni'r Epistolau at y Thessaloniaid*[34] gan R. B. Jones, hyd y gwyddai ef, oedd yr ymdriniaeth gyntaf yn y Gymraeg ar y pwnc. Ceir amlinelliad o'r athrawiaeth gan Sidney Evans a oedd yntau'n weinidog yn y Porth, a chyflwyniad gan Nantlais. Dywed Sidney Evans mai'r athrawiaeth hon yw'r allwedd i ddeall y Beibl a chyfrinach cynllun Duw i gadw'r byd. Dyma'r symbyliad cryfaf i fywyd o sancteiddrwydd. Hanfod yr athrawiaeth yw fod yr Iesu, a wrthodwyd yn ei ddyfodiad cyntaf, i ymddangos yr ail waith yn bersonol a gweledig, nid yn dlawd a dirmygedig y tro hwn, ond yn ogoneddus a nerthol. Mae rhagarweiniad yr awdur yn delio â gwrthddadleuon cyn mynd rhagddo i amlinellu cynnwys y ddau epistol ar gyfer dosbarthiadau'r ysgolion Sul, ac yn esbonio'n benodol y rhannau hynny sy'n ymwneud â'r ailddyfodiad.

Llyfr arall ar yr un pwnc yw *Yr Ail-Ddyfodiad*[35] gan T. R. Williams, Dafen, Llanelli, gyda rhagair gan Dr Cynddylan Jones sy'n llawenhau fod yr athrawiaeth hon yn cael ei hadfer bellach i'w phriod le yn yr Eglwys. Pregethwyd yr athrawiaeth hon a'i chredu yn yr Eglwys Fore, a'r un meddylfryd anghrefiniol sy'n gwrthod y gwyrthiol yn y Testament Newydd ag sy'n dirmygu'r syniad o ailddyfodiad personol.

Digwyddiad pendant fydd yr ailddyfodiad, meddir, a hyn fydd yn cwblhau amcanion tragwyddol Duw yn Nhrefn y Cadw.

Rhoddir pennod i drafod y 'Goruchwyliaethau Gwahanol', lle datgelir ymrwymiad yr awdur wrth ddiwinyddiaeth y goruchwyliaethau, sef cyfeiriad cyffredinol efengylyddiaeth Gymreig yn hanner cyntaf yr ugeinfed ganrif. Y mae gwerth ymarferol y ddysgeidiaeth hon i'w gweld yn y bendithion a ddaeth i'r Eglwys yn ei dioddefaint ac yn ei chenhadaeth, ac i'r saint yn wyneb profedigaethau a'u hymrwymiad i fywyd sanctaidd. Diben ailddyfodiad Crist fydd perffeithio bywyd y saint, adfer y greadigaeth, prynedigaeth y corff, ac adfer cenedl Israel. Yr Arglwydd Iesu fydd yn barnu'r byw a'r meirw.

Cylchgrawn *Yr Efengylydd*

Amcanion

Dichon mai'r cyhoeddiad mwyaf pell-gyrhaeddol ei ddylanwad am ragor na deng mlynedd ar hugain oedd y cylchgrawn misol *Yr Efengylydd.* Ymddengys fod peth dirgelwch ynghylch ei ddechreuadau. Mae *Cylchgronau Cymreig a'u Lleoliad* [36] yn nodi mai yn 1909 yr ymddangosodd gyntaf, ond ar wyneb ddalen y rhifyn hwnnw y mae'r geiriau, 'Cyfres Newydd Cyfrol I (Yr Ail Gyfrol o'r Cychwyn)'.[37] Mae'r golygyddol yntau'n dweud fod y cylchgrawn yn dechrau ei ail flwyddyn, a diolchir i Trevor Jones, y golygydd cyntaf. Yr ail olygydd, felly, oedd R. B. Jones, a gwasanaethodd o 1909 hyd 1916 pan ddaeth yn gyd-olygydd â Nantlais. Anelwyd *Yr Efengylydd* at ddychweledigion y Diwygiad gyda'r amcanion o hyrwyddo'r Ffydd Efengylaidd, cefnogi astudiaeth o'r Beibl, a dyfnhau'r bywyd defosiynol.

Y Diwygiad

Apelio at ddychweledigion y Diwygiad yn uniongyrchol a wneir trwy gynnwys ysgrifau gan Evan Roberts. Adroddir hanesion am ddiwygiadau mewn rhannau eraill o'r byd, ac ni esgeulusir yr adfywiad a brofwyd yng Nghwm-twrch, Nadolig 1912, ac yn sicr fe edrychid ymlaen yn hyderus at ddiwygiad yng Nghymru yn y dauddegau. Cyhoeddwyd cyfres faith o ysgrifau gan D. Hughes, Pontycymer, ar 'Bendithion arosol y Diwygiad', ond ni cheisir mygu beirniadaeth, fel y dengys adolygiad maith N. H. Harriman ar *War on the Saints*,[38] a'r sylw o Calcutta bell, 'Till people [in Wales] have learnt the solemn lessons of the last Revival (1904-05), which began in the

Spirit and ended in the flesh, how can our God repeat what He knows will end in the same failure?'

Hybu'r Ffydd

Er mwyn cyrraedd yr amcan o hybu'r Ffydd Efengylaidd, yn y lle cyntaf cyfeirir y darllenwyr at gyfoeth yr etifeddiaeth Gristnogol Gymraeg, megis ysgrifeniadau'r Tadau Ymneilltuol a Methodistaidd. Yn ail, ymosodir ar 'Y Dduwinyddiaeth Newydd' gan Richard Morris, Dolgellau, yn rhifyn Awst 1909, lle mae'n ystyried y Bod o Dduw, natur ac ystyr pechod, a pherson yr Arglwydd Iesu Grist. Ei gasgliad yw fod cymaint o wahaniaethau sylfaenol rhwng uniongrededd yr Hen Ddiwinyddiaeth a mympwyon y Ddiwinyddiaeth Newydd fel na ellir gydag unrhyw onestrwydd meddyliol alw'r Ddiwinyddiaeth Newydd yn Gristnogaeth, yr un casgliad ag y daeth J. Gresham Machen iddo yn *Christianity and Liberalism* [39] ugain mlynedd yn ddiweddarach. Ar yr un trywydd y mae Nantlais wrth feirniadu *Y Geiriadur Newydd* am ddau reswm: sychder ysbrydol yr erthyglau, a'u cynsail, sef y safbwynt modernaidd tuag at y Beibl. Wedi dweud hynny, cymharol ychydig o sylw a rydd *Yr Efengylydd* i brif athrawiaethau'r Ffydd. Yr eithriad amlwg, fel gyda'r llyfrau, yw'r ailddyfodiad. Yn y rhifynnau cynnar y mae o leiaf ddwy gyfres o erthyglau ar y pwnc, y naill gan D. Wynne Evans a'r llall gan genhadwr o'r India, W. R. James.

Astudiaethau beiblaidd

Sylfaenwyd *Yr Efengylydd* ar ffydd ddiysgog yng ngeirwiredd y Beibl a'i ysbrydoliaeth, ac nid syndod yw gweld astudiaethau beiblaidd ynddo. Distyllir neges llawer o lyfrau'r Beibl gan W. Trevor Jones, Llyfr y Datguddiad gan J. S. Jones, Hwlffordd, a'r Offrymau Lefiticaidd gan T. R. Coleman, lle'r ymdrinnir â'r poeth-offrwm, y bwyd-offrwm, yr hedd-offrwm, y pech-aberth a'r aberth dros gamwedd. Mewn blynyddoedd diweddarach rhoddir lle anrhydeddus i Faes Llafur yr ysgol Sul.

Dyfnhau'r bywyd ysbrydol

Mae llawer o'r cynnwys wedi'i anelu'n benodol at ddyfnhau'r bywyd ysbrydol. Un dull yw dadansoddi profiadau ysbrydol yn athronyddol, fel y gwna E. Keri Evans. Un arall yw mynegi lle sancteiddrwydd o fewn y bywyd Cristnogol yng nghyfres J. Henry Williams, gydag adlais eto o ddysgeidiaeth Keswick. Mae'r gyfres 'Llyfrau Defosiwn a

Chrefydd Bersonol' gan Dr M. H. Jones yn argymell darllen llenyddiaeth ddyrchafol, gan ddechrau gyda'r Beibl fel llyfr defosiwn, ac yna cymeradwyir rhai o glasuron oesol cred, sef *Llythyrau* Samuel Rutherford, *Dilyn Crist* (Thomas a Kempis) a *Chyffesion* Awstin Sant. Mae Keri Evans yn trafod 'Theomemphus' er mwyn portreadu'r bywyd ysbrydol.

Nantlais
Cyfrannodd Nantlais yn helaeth i *Yr Efengylydd* am flynyddoedd cyn ei olygu. Ysgrifennodd am Gynhadledd Keswick (1909), a chyfres o astudiaethau ar Ddafydd Frenin. Treiddiodd i gyfrinachau yr 'Hen Fwngloddiau' drwy dynnu sylw at ddyddiaduron Thomas Charles a Howel Harris, a darparodd wersi ar Faes Llafur Ysgolion Sul Cymru, yr Epistolau at y Corinthiaid, yn 1926. Cyhoeddodd gasgliad o'i emynau fel y nodwyd uchod, *Emynau'r Daith*, ac o'r 57 emyn Cymraeg sydd yn y llyfr, ymddangosodd 17 ohonynt am y tro cyntaf yn *Yr Efengylydd* rhwng Gorffennaf 1915 ac Awst 1932.

Efengylu a chenhadu
Rhoddir lle cyson i hanesion ymgyrchoedd efengylu lleol a thramor gan gynnwys hynt a helynt 'Cerbyd yr Efengylydd'. Dodrefnwyd y cerbyd oddi mewn â holl angenrheidiau'r gwaith, ac oddi allan fe'i haddurnwyd ag adnodau pwrpasol, 'We preach Christ crucified', a 'We trust in the Living God'. Y syniad oedd crwydro ledled Cymru i gynnal ymgyrchoedd efengylu a lledaenu llenyddiaeth Gristnogol. Tynnid y cerbyd o le i le gan geffylau, ac i ofalu amdano penodwyd 'cenhadwr' o'r enw W. T. Evans o Bontypridd, brawd a chanddo gymwysterau eithriadol ar gyfer y gwaith.

Sylwir ar lawer rhan o'r byd wrth adrodd hynt y Meysydd Cenhadol. Cynhwysir 'Gair o'r Congo' a hanes cenadaethau yn China, India (Bryniau Casia), Angola, yr Aifft, Cenhadaeth Mildmay i'r Iddewon, heb anghofio angen y Wladfa. Rhoddwyd sylw mawr i Gynhadledd Genhadol y Byd, Caeredin, 1911.

Casgliad
O fwrw golwg frysiog dros gorff sylweddol o lenyddiaeth a ddaeth i fod oherwydd Diwygiad 1904, ni ellir osgói'r casgliad fod galluoedd a chynheddfau lliaws o awduron wedi cael eu sbarduno i ysgrifennu. Maent yn pwyso'n drwm ar gyfieithu ac ar ddysgeidiaeth Cynhadledd

Keswick am sancteiddhad, ac ar Feibl Cyfeiriadol Schofield ar y goruchwyliaethau. Ni ellir honni fod llenyddiaeth fawr wedi ei geni, ar wahân efallai i *Fy Mhererindod Ysbrydol*. Ond gwelir yma, yn arbennig gydag *Yr Efengylydd*, gwmni bychan gweithgar ac ymroddedig, yn cael eu tanio gan eu cred mai angen mwyaf dychweledigion y Diwygiad oedd symbyliad i fyw'n sanctaidd, ac mai angen pennaf Cymru oedd diwygiad nerthol arall a fyddai'n ymledu trwy'r byd ac yn paratoi'r ffordd ar gyfer ailddyfodiad ein Harglwydd.

1. 14 Mawrth 1905.
2. Greening a'i Gwmni, Llundain, 1905.
3. Hutchinson, Llundain, 1906. Adargraffwyd yn 1998 yn Ninas Powys gyda rhagymadrodd gan Katie Gramich.
4. Hughes a'i Fab, Wrecsam, 1907.
5. E. W. Evans, Dolgellau, 1906.
6. *Y Diwygiad a'r Diwygwyr*, 400-402.
7. Ibid., 410.
8. *Evan Roberts a'i Waith*, (Caerdydd, 1924), degfed arg.
9. Ibid., 447.
10. Ibid., 449.
11. *Cyfrol Goffa Diwygiad 1904-05* (Caernarfon, 1954), 60.
12. *Cyfansoddiadau a Beirniadaethau Eisteddfod Genedlaethol Cymru Sir Fôn*, 1957.
13. Noel A. Gibbard, *Caniadau'r Diwygiad* (Gwasg Bryntirion, 2003).
14. Hughes a'i Fab, Wrecsam, 1907.
15. Llangefni, 1905, ail argraffiad 1906.
16. Pwllheli, 1905. Hefyd fe gyhoeddodd Beren *Baner Gobaith: sef caneuon dirwestol a chrefyddol ar alawon Cymreig a thonau y Diwygiad* (Gwasg Gee, Dinbych, 1906).
17. Darlith 'Elfed: Emynydd yn ei Oes', *Bwletin Cymdeithas Emynau Cymru*, 1990-91.
18. Hughes a'i Fab, Wrecsam, [d.d. ond tua 1906].
19. Cymro Publishing, Lerpwl, [1906?].
20. *Caniadau'r Diwygiad*, 30-31.
21. *Emynau a'u Hawduriaid*, argraffiad newydd (Caernarfon, 1961), 118.
22. Caernarfon, Llyfrfa'r Methodistiaid Calfinaidd. Am drafodaeth bellach ar emynau Job, gweler Dr Kathryn Jenkins, 'J. T. Job a Diwygiad 1904', *Cylchgrawn Cymdeithas Hanes y Methodistiaid Calfinaidd*, 8, 37; 'A chydgenwch deulu'r llawr', *Y Traethodydd*, 140, (1985); a 'J. T. Job a'i emynau', *Cristion*, 91, (1998).
23. Dolgellau, 1906, 403.
24. Cyhoeddwyd gan J. E. Rhys (Ap Nathan), Nantymoel, d.d. [tua 1924]. Gweler hefyd Beti Rhys, *Dyfed: Bywyd a Gwaith Evan Rees (1885-1923)*, Gwasg Gee, 1984.
25. Ibid., 76.
26. Gwasg Gomer, 1967, pennod XVIII, sef atgofion a ysgrifennodd Nantlais ac a

ymddangosodd yn gyfres yn *Y Goleuad* yn 1955.

27. Siaced lwch *Emynau'r Daith*, Llandybïe, 1949. Am ymdriniaeth bellach, gweler Dr Geraint Gruffydd, 'Nantlais a'r Eisteddfod', *Y Cylchgrawn Efengylaidd*, Awst-Medi 1970; D. Eirwyn Morgan, 'Nantlais: Emynydd (1874-1959)', *Bwletin Cymdeithas Emynau Cymru*, 1971; a T. Gareth Jones, 'Nantlais (1874-1959)', yn *Cwm Aman*, Cyfres y Cymoedd, 1996.

28. Gwasg Gee, Dinbych, [d.d. ond tua 1906].

29. Wrecsam, 1906.

30. Caernarfon, tua 1913.

31. Gwasg y Brython, Lerpwl, 1938.

32. Wrecsam, 1906.

33. Cyhoeddwyd gyntaf yn *Y Diwygiwr* tua 1896 a'i ail-argraffu tua 1908 gan W. H. Evans a'i Feibion, Cyf., Caer, Rhyl, a Bae Colwyn.

34. Tonypandy, Evans a Short, Argraffwyr, 1919.

35. Ni nodir cyhoeddwr ond argraffwyd yn Swyddfa'r 'Mercury,' Llanelli. Argraffiad cyntaf, Mai 1923; ail argraffiad, Mehefin 1923; trydydd argraffiad, Gorffennaf 1923.

36. Llyfrgell Genedlaethol Cymru, 1976. Carwn ddiolch i Elisabeth Jenkins, Llyfrgell Gwynedd (Dolgellau), a Dr Huw Walters o'r Llyfrgell Genedlaethol am eu cymorth i geisio datrys y dirgelwch.

37. Tonypandy: Evans a Short, Argraffwyr a Llyfr-rwymwyr, Gweithfa'r 'Leader.'

38. Jessie Penn-Lewis in collaboration with Evan Roberts, Leicester and London, 1912.

39. Efrog Newydd, 1923.

14
Diweddglo

Noel Gibbard

Un ffordd o edrych ar y Diwygiad yw trwy lygad D. M. Phillips, a roddodd sylw i Evan Roberts. Nid oes dim o'i le ar hynny, oherwydd roedd yn ffigwr canolog yn y cyffro ysbrydol. Ond gellir edrych ar y Diwygiad trwy lygaid eraill hefyd ac ystyried yr hyn a welsant hwythau. Nid yr un yw llygaid Evan Roberts, R. B. Jones, J. T. Job a William Edwards. Rhaid cael pob tystiolaeth bosibl cyn dod i unrhyw gasgliadau ynglŷn â'r Diwygiad.

Rhoddwyd lle amlwg i'r rhai ifainc a sôn am 'Diwygiad y bobl ifainc'. Ni ellir dadlau â hyn chwaith, ond roedd pob oedran yn gyfrannog o fendithion y cyfnod. Cafodd y bobl hŷn eu cyfoethogi, a rhoddwyd sylw arbennig i'r plant mewn sawl ardal. Rhoddodd y Diwygiad gyfle euraid i'r merched fod yn gyhoeddus a gwnaethant yn fawr o'r cyfle, ond y dynion oedd yr unawdwyr poblogaidd mewn rhai ardaloedd. Nid oedd pob un ohonynt yn ifanc chwaith. Ar wahân i eithriadau, ni chafodd yr Eglwys yng Nghymru sylw o gwbl yn hanes y Diwygiad. Mae digon o dystiolaeth ar gael i'r brwdfrydedd diwygiadol o fewn yr Eglwys honno.

Beirniadwyd y Diwygiad yn hallt, ac yn achos Tom Davies, yn wyllt. Bu Peter Price, er bod ei lythyr yn cynnwys gwirionedd, yn anghyfrifol ac yn ymffrostgar. Beirniadwyd hefyd gan rai oedd o fewn y cyffro, a hynny yn ddigon cyfrifol. Roedd hyn yn briodol, oherwydd fel yr arferai Jonathan Edwards ddweud, gwaith cymysg yw pob diwygiad. Lle bynnag y mae gwenith y mae efrau. Defnyddiwyd y darlun o lanw a thrai wrth sôn am y Diwygiad. Pan ddaw'r llanw gall y badau ddod i mewn a dwyn pethau da i'r anghenus: pan ddaw'r trai gwelir llawer o rwbel ar y traeth.

Ar frig y llanw, cafodd pobl Cymru sicrwydd o realiti'r bywyd ysbrydol. Chwistrellwyd bywyd newydd i'r cyfarfod gweddi, profodd miloedd o bobl dröedigaeth ac adferwyd yr allor deuluaidd mewn sawl cartref. Darganfuwyd o'r newydd beth yw sicrwydd cadwedigaeth, a oedd erbyn 1904 yn nodyn coll yng nghrefydd Cymru, er i'r Symudiad

Ymosodol gyhoeddi'r neges hon. Darganfuwyd hefyd athrawiaeth yr Ailddyfodiad, un o athrawiaethau coll pulpud ac emynau Cymru.

Gwnaeth y Diwygiad aelodau'r eglwysi yn genhadon; yn bobl nad oedd arnynt gywilydd o'r Arglwydd Iesu Grist. Digwyddodd hyn mewn cylchoedd lleol, ond roedd amryw yn teithio Cymry hefyd i gyhoeddi'r newyddion da a hybu'r Diwygiad. Aeth eraill dros y ffin i Loegr, i'r Alban ac Iwerddon. Cyflawnwyd gwaith parhaol mewn rhai lleodd yn y gwledydd hyn, a'r enghraifft orau yw'r hyn a ddigwyddodd yng Nghapel Charlotte, Caeredin. A theimlwyd y dylanwad ar y meysydd cenhadol tramor, yn arbennig ymhlith y Methodistiaid Calfinaidd. Rhoddwyd mwy o sylw i hyn mewn cyfrol arall, *On the Wings of the Dove* (2002), ond mae'n agwedd cwbl hanfodol i gloriannu dylanwad y Diwygiad. Ni fu neb mor genhadol eu hysbryd nag aelodau yr Eglwys Apostolaidd, Eglwys a sefydlwyd yng ngwres y Diwygiad, ac a ledodd i fod yn Eglwys fyd-eang. Plant y Diwygiad a sefydlodd ddau Goleg Beiblaidd, y naill yn y Porth, Rhondda, a'r llall yn Abertawe, ac aeth cyfartaledd uchel o fyfyrwyr y ddau goleg hyn i weithio mewn gwledydd tramor.

Yn llenyddol, ni chafwyd cynhaeaf bras, ond ni ddylid anghofio'r ysgubau gwerthfawr. Dyma gyfnod rhai o emynau gorau Elfed a Dyfed, a pharhaodd gwlith y Diwygiad ar eu hemynau, ac eiddo Nantlais a J. T. Job, ar ôl y cyfnod hwnnw. Golygwyd sawl casgliad o emynau hefyd oedd yn bwrpasol iawn ar gyfer oedfaon diwygiadol. Ar wahân i brofiad 1904, ni fyddai gennym gyfrol E. Keri Evans, *Fy Mhererindod Ysbrydol*. Darparwyd yn eithaf helaeth ar gyfer anghenion defosiynol y bobl, a bu cyfrol fel *Ar ei Ben bo'r Goron* yn fwyd i amryw o'r dychweledigion. Camp, nid bychan, oedd sefydlu'r *Efengylydd* a'i barhad am ddeng mlynedd ar hugain.

Hawliodd rhai i'r Diwygiad droi'r eglwysi oddi wrth broblemau cymdeithasol. Dywedir iddynt sôn mwy am gyrraedd y nefoedd nac am broblemau'r ddaear. Roedd hyn yn wir am rai unigolion a sawl eglwys ond nid dyna'r gwir i gyd. Roedd digon o bobl â'u pennau yn y nefoedd a'u traed ar y ddaear. Roedd amryw o brif arweinwyr y Diwygiad yn amlwg ynglŷn â materion fel addysg, dirwest ac anghenion yr anffodusion. Enghraifft glodwiw o ddyn felly yw William Edwards, a oedd yn Brifathro Coleg enwadol, yn ysgolhaig, yn areithiwr ar lwyfannau cyhoeddus ac yn sensitif iawn i'r anghenion cymdeithasol yng Nghaerdydd. Yr un gŵr oedd yn gorfoleddu yn ystod y Diwygiad ac yn ymweld â chyfarfodydd Llandrindod.

Disgynnodd tân o'r nef yn ystod 1904–05, a phurwyd yr eglwysi. Ond mae'n rhaid i dân os yw am barhau i losgi, gael ei fwydo.

Esgeuluswyd y wedd hon gan amryw o eglwysi. Gwnaeth nifer er hynny ymdrech dda i ddiogelu'r dychweledigion. Y rhai mwyaf brwdfrydig oedd y rhai a dderbyniai ddysgeidiaeth Keswick. Yn union ar ôl y Diwygiad ni wnaeth y pulpud ei briod waith, a phregethu'n feiblaidd ac adeiladol. Yn hytrach bwyd croes i anian newydd y dychweledigion a baratowyd ar eu byrddau. Roedd hyn yn niweidiol i'r dychweledigion, ac yn un rheswm paham y ffurfiwyd amryw o Neuaddau yn y cyfnod o tua 1910 hyd tua 1930.

Profwyd pethau mawr yn ystod y Diwygiad, a'r perygl oedd meddwl am grefydd yn nhermau profiad. Roedd profiadau yn bwysicach nag athrawiaeth, a'r goddrychol yn bwysicach na'r gwrthrychol. Y perygl yng nghyswllt y deall o ddiwygiad oedd rhoi mwy o le i'r dynol; pwysleisio ymdrech dyn yn fwy nag ymyrraeth Duw. Daeth y gair 'amodau' yn air poblogaidd, ac nid Evan Roberts yn unig a soniai amdano, ond Seth Joshua hefyd. Mae'n sicr fod dylanwad Charles Finney i gyfrif i raddau am y pwyslais hwn, ond dylid pwysleisio nad oedd y diwygwyr yng Nghymru, fel Finney yn America, yn Belagiaid yn ddiwinyddol. Pwysleisient ufudd-dod fel llwybr bendith. O Dduw yr oedd pob bendith a diwygiad.

Digwyddodd gwrthgilio ar ôl y Diwygiad. Un rheswm dros hyn oedd y diffyg gofal wrth dderbyn aelodau. Geilw hyn am ofal bob amser, ond yn arbennig mewn cyfnod o adfywiad ysbrydol. Camgymeriad, siwr o fod, oedd derbyn hanner cant a mwy yn aelodau yr un pryd. Roedd yn gwbl amhosibl i wybod beth oedd eu cyflwr ysbrydol. Ar adegau, roedd yr emosiwn mor llethol, byddai'n rhwydd i ymateb i apêl yr efengyl yng ngrym y teimlad. Y canlyniad oedd gwrthgilio. Eto i gyd, er i wrthgilio ddigwydd, roedd mwy o anghydffurfwyr yng Nghymru yn 1913 nag oedd ar ddechrau 1904. Ni chroesawyd plant y Diwygiad ymhob capel. Gwthiwyd hwy allan, a'r canlyniad oedd ffurfio Neuaddau apostolaidd ac annibynnol. Ond ar y llaw arall, ni fu plant y Diwygiad yn ddoeth bob amser. Ymosodwyd yn angharedig ar weinidogion, hyd yn oed yn gyhoeddus, ac roedd amryw braidd yn ddiamynedd gyda'r rhai oedd heb brofiad tanllyd o'r Diwygiad.

Erys seiliau cadarn i ddisgwyl diwygiad eto. Yn gyntaf, rhydd Actau, pennod 2, le pendant inni ddisgwyl am adfywiad arall. Roedd y Pentecost yn ddigwyddiad hanesyddol, unwaith ac am byth. Rhoddwyd yr Ysbryd Glân i bobl Dduw, a'i ffurfio yn Eglwys, ac unwyd Israel a'r cenhedloedd. Ni ddigwydd hyn eto. Ond mae'r Pentecost yn sail hefyd i ddisgwyl bendith helaethach. Mae'r Ysbryd Glân wrth ei waith bob amser: gall weithio'n dawel fel gwlith, gall ddod fel glaw ysgafn a gall ddod mewn cawodydd. Dyma fel y mynegodd George Smeaton y gwirionedd hwn: 'But the fulfilment is a germinant fulfilment, which takes in all subsequent times' (*The Doctrine of the Holy Spirit*, adargraffiad 1961, 31). Yn ail, gosododd Duw ei fryd ar anrhydeddu ei Fab. Rhoddodd bobl iddo, a daeth yntau i'r byd i farw drostynt. Mae'r Mab i weld o lafur ei enaid a chael ei ddiwallu. Daw ysgubau i'r ydlan yn gyson ond mewn diwygiad caiff y Mab gynhaeaf bras. Daw dynion i gredu ynddo trwy weinidogaeth yr Ysbryd Glân. Amlygir hynny yn ddigwestiwn mewn adfywiad. Felly, anrhydeddir y Drindod mewn modd arbennig yn ystod cyfnod o ddiwygiad.

Yn olaf, fel y mae tymhorau o fendith anarferol, felly hefyd mae tymhorau o ddrygioni anarferol; cyfnodau pan ddaw pechod i mewn fel llif, fel y rhybuddiodd yr apostol Paul yn 2 Timotheus 3. Mewn cyfnodau felly, tywalltiad o'r Ysbryd all wrthsefyll y llif. Tymor y Diafol yw hi ar hyn o bryd yng Nghymru. Disgwyliwn, nid yn unig am gyffro ym mrig y morwydd, ond hefyd am glywed y nefoedd yn rhwygo a Duw yn disgyn 'i hysbysu ei enw, fel yr ofno'r cenhedloedd rhagot' (Eseia 64: 1,2). Wedi'r cwbl, y peth mwyaf a ellir ei ddweud am ddiwygiad yw fod ymwybyddiaeth o realiti presenoldeb Duw yn cael ei adfer.

Mynegai

A

Aberaeron, 15, 23, 25, 199, 200
Aberafan, 67
Aberaman, 199, 207
Abercynffig, 199
Aberdâr, 48, 79, 168, 170, 171, 174, 199
Aberdaron, 13
Aberdeen, 113, 114
Aberdulais, 121
Abergwaun, 57
Abermeurig, 80
Aberpennar, 169
Aber-porth, 80, 120
Abertawe, 14, 48, 78, 82, 82-3, 83, 84, 95, 122, 169, 170, 173, 176, 224
Abertridwr, 80
Abertyleri, 168, 199
Aberystwyth, 190
Adams, David, 12
Anghydffurfwyr, 78-80
Anglicaniaid, 80-5
Angola, 220
Aifft, Yr, 74, 220
Ailddyfodiad, yr, 77, 135-43, 207, 217-18, 219, 224
Ail-ddyfodiad ein Harglwydd, 135
Ail-ddyfodiad yng ngoleuni'r Epistolau at y Thesaloniaid, Yr, 217
Ail-ddyfodiad, Yr, 217
Ailenedigaeth, 149-51
Aitken, W. H., 84
Alban, Yr, 55, 104-14
Alexander, C. M., 14, 159
Almaen, Yr, 76, 77
Amlwch, 35

Amwythig, Yr, 189
Anderson, John, 107-08, 113
Apostolic Missionary Herald, 201
Ar ei Ben Bo'r Goron, 149, 215, 224
Arhoswch yng Nghrist, 215-16
Assemblies of God, 200, 201-3
Ateb Philo-Evangelius, 165-6
Awstin (T. Austin Davies), 106, 110, 111, 113, 119
Awstralia, 77, 100
Azusa Street, 199

B

Bae Colwyn, 55
Bala, Y, 79, 121, 190, 197
Bangor, 38, 55, 56, 59, 79
Baring, Max, 210
Barnstaple, 100
Barri, Y, 187
Bartleman, Frank, 198
Bassett, T. M., 190, 194
Baxter, Mrs, 95, 138
Beaufort, 67
Bedminster, 99
Beddgelert, 80
Beibl Cyfeiriadol Schofield, 221
Belfast, 203
Beren, 213
Betws-y-coed, 55
Bethesda, 11, 16, 27, 51, 52, 54-5, 56, 57, 121, 184
Bideford, 100
Birmingham, 203
Blaenafon, 81, 82
Blaenannerch, 15, 26, 46, 66, 80, 161, 197

G

Geil, Dr, 89, 98, 113
Geiriadur Beiblaidd (John Brown), 136
Geiriadur Newydd, Y, 219
Geiriadur Ysgrythyrawl (Charles), 136, 147
Gelli, Rhondda, 39
George, Lloyd, 189, 190
Gibbard, Noel, 213
Gibbon, Annie, 93, 106, 110, 111, 113
Gilfach Goch, 31
Glanconwy, 55
Glanley, E. D., 81
Glasgow, 38, 39, 107-8
Glynebwy, 67, 199
Glyn-taf, 81
Gorsedd Gras, 214
Gorseinon, 44, 65, 69, 78, 80, 137, 170, 184, 207
Gospel Hall, *gweler* Neuaddau
Govan, J. G., 108
Grant, Glenelg, 169
Great Revival in Wales, The, 198
Griffith, Gwilym O., 123
Griffith, Thomas Evan, *gweler* Beren
Griffiths, Ann, 159, 166, 212
Griffiths, David Thomas, 207
Griffiths, Eben, 204, 207
Griffiths, George, 206
Griffiths, James, 191
Griffiths, Peter Hughes, 62, 91
Grovesend, 184
Gruffydd, W. J., 214
Guyon, Y Fonesig, 73
Gwaith yr eglwysi
    addysgol ac adloniadol, 168-73, 184; *gweler hefyd* Deddf Addysg 1902

cymdeithasol, 174-6
Gwauncaegurwen, 169
Gwent, 185
Gwlad Pwyl, 207
Gwlad yr Haf, 100
Gwili, 192
Gwyddgrug, 58
Gwyddoniadur Cymreig, Y, 136
Gwyther, Cyril E., 190-1

H

Hall, Albert, 99
Hardie, Keir, 173, 188, 191
Harper, John, 108
Harriman, N. H., 218
Harris, Howel, 19, 63, 220
Harris, Rhys, 100
Hawen, 38, 216
Hawick, 105
Head, Albert, 74
Heolgerrig (Merthyr), 95
Herbert, William, 192, 206
Hicks, Percy, 95
Hill, William George, 202
Hind, Graham, 129, 130
Hodge, A. A., 147
Hopkins, Evan, 73, 147, 149, 163
Hosannah Mynydd Seion, 213
Howard, J. H., 128, 147, 192, 215
Howe, J. H., 115, 116
Howell, David, 13-14
Howells, Eliseus, 24, 27, 28
Howton, Pastor, 41-2
Hyfforddwr, Yr, 136, 137, 147, 151, 155
Hughes, D (Pontycymer), 218
Hughes, Gwilym, 119
Hughes, H. M., 79, 187, 188
Hughes, Howell Harris, 62
Hughes, Hugh, 54, 121, 188
Hughes, John Richard, 13
Hughes, Selwyn, 187

Wrecsam, 70, 85
Wrede, Y Farwnes, 74
Wyn, Eifion, 157
Wyn, Watcyn, 52

Y

Ynys-hir, 34
Young, Dinsdale, 94
Ysbryd Glân a Diweddar-wlaw y
   Diwygiad, Yr, 217
Ysbyty Ystwyth, 13
Ystadegau, 177-81
Ystalyfera, 170
Ystradgynlais, 81
Ystradyfodwg, 81

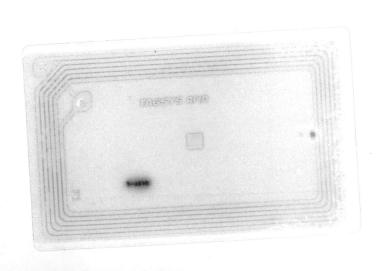